Sébastien Japrisot

L'été
meurtrier

Denoël

À dix-sept ans Sébastien Japrisot publie sous son vrai nom (Jean-Baptiste Rossi) son premier roman, *Les mal partis*. Après une période où il écrit directement pour le cinéma (*Le passager de la pluie...*), il revient à la littérature avec *L'été meurtrier* (prix des Deux-Magots 1978). Il a écrit depuis plus de dix romans qui ont tous connu le succès.

Je serai le juge et je serai le jury,
dit Fury, le rusé compère.
J'instruirai seul toute l'affaire
et je vous condamnerai à mort.

Lewis Carroll
Alıce au Pays des Merveilles.

Le bourreau

J'ai dit d'accord.

Je suis facilement d'accord sur les choses. Enfin, je l'étais avec Elle. Une fois, je lui ai donné une gifle et, une fois, je l'ai battue. Et puis, je disais d'accord. Je ne comprends même plus ce que je raconte. Il n'y a qu'à mes frères que je sais parler, surtout le cadet, Michel. On l'appelle Mickey. Il charrie du bois sur un vieux Renault. Il va trop vite, il est con comme un verre à dents.

Une fois, je l'ai regardé descendre dans la vallée, sur notre route le long de la rivière. C'est à pic comme l'enfer et plein de virages, et la route est à peine assez large pour une seule voiture. Je le regardais d'en haut, dans les sapins, d'où je pouvais le suivre pendant des kilomètres, tout petit, tout jaune, disparaissant et ressuscitant à chaque virage, et j'entendais même son moteur et le bruit de son chargement dans les cahots. Il m'a fait peindre son camion en jaune quand Eddy Merckx a gagné le Tour pour la quatrième fois. C'était un pari. Il ne peut pas dire bonjour, comment ça va, sans parler d'Eddy Merckx. Je ne sais pas de qui il tient sa connerie.

Pour notre père, le plus grand c'était Fausto Coppi. Quand Coppi est mort, il s'est laissé pousser les moustaches en signe de deuil. Il est resté toute une journée sans parler, assis sur un vieux tronc d'acacia, dans la cour enneigée, à fumer son tabac made in U.S. roulé dans du papier Job. Il ramassait les mégots, rien que les américains, et il se faisait des cigarettes comme on n'en a jamais vu. C'était quelqu'un, notre père. On dit qu'il est venu d'Italie du Sud à pied, en tirant son piano mécanique au bout d'une corde. Il s'arrêtait sur les places et il faisait danser les gens. Il voulait aller en Amérique. Ils veulent tous aller en Amérique, les Ritals. En fin de compte, il est resté ici parce qu'il n'avait pas l'argent pour le billet. Il a épousé notre mère, qui s'appelait Desrameaux et qui venait de Digne. Elle était repasseuse et lui, il bricolait dans les fermes, mais il gagnait quatre sous et l'Amérique, évidemment, il ne pouvait pas y aller à pied.

Et puis, ils ont pris la sœur de ma mère avec eux. Elle est sourde à mort depuis le bombardement de Marseille, en mai 1944, et elle dort les yeux ouverts. Le soir, dans son fauteuil, on ne sait jamais si elle est endormie ou non. On l'appelle tous Cognata, qui veut dire belle-sœur, sauf notre mère qui l'appelle Nine Elle a soixante-huit ans, douze de plus que notre mère, mais comme elle ne fait rien que sommeiller dans son fauteuil, c'est notre mère qui semble l'aînée. Elle ne se lève que pour les enterrements. Elle a enterré son mari, son frère, sa mère, son père et le nôtre, quand il est mort en 1964. Notre mère dit qu'elle nous enterrera tous.

Le piano mécanique, on l'a toujours, il est dans la grange. On l'a laissé des années dans la cour et la pluie l'a tout noirci et gondolé. Maintenant, c'est les loirs. Je l'ai frotté avec des granulés de mort-aux-rats mais ça n'a rien donné. Il est troué de partout. La nuit, quand un loir se prend dedans, c'est la sérénade. Parce qu'il marche encore. Malheureusement, on n'a plus qu'une seule bande, *Roses de Picardie*. Notre mère dit que, de toute manière, il ne pourrait pas en jouer une autre, il est trop habitué. Elle dit qu'une fois, notre père l'a traîné jusqu'en ville pour le mettre au clou. Ils n'en ont même pas voulu. En plus, pour aller en ville, ça descend tout le temps, mais pour revenir, notre père avait déjà le cœur usé, il n'en pouvait plus. Il a fallu payer un camionneur pour ramener le piano. Oui, c'était un homme d'affaires, notre père.

Le jour où il est mort, notre mère nous a dit que plus tard, quand mon autre frère, Bou-Bou, serait grand, on leur montrerait. On irait, les trois garçons, se planter avec le piano sous les fenêtres du Crédit Municipal et on leur jouerait *Roses de Picardie* toute la journée. Ils seraient fous. Mais on ne l'a jamais fait. Il a dix-sept ans maintenant, Bou-Bou, et c'est lui, l'année dernière, qui m'a dit de rentrer le piano dans la grange. Moi, j'en aurai trente et un en novembre.

Quand je suis né, notre mère voulait m'appeler Baptistin. C'était le nom de son frère, Baptistin Desrameaux, qui s'est noyé dans un canal en portant secours à quelqu'un. Elle dit toujours que quand on voit quelqu'un qui se noie, il faut regarder ailleurs.

Quand je suis devenu pompier-volontaire, elle était
tellement furieuse qu'elle a donné des coups de pied à
mon casque, elle s'est même fait mal. En tout cas, elle
s'est laissé convaincre par notre père de m'appeler
Fiorimondo. C'était le nom de son frère à lui et, au
moins, il était mort dans son lit.

Fiorimondo Montecciari, c'est ce qui est écrit à la
mairie et dans mes papiers. Seulement, il y avait eu la
guerre, où l'Italie s'était mise contre nous, ça faisait
mauvais effet au village. Alors, ils m'appelaient Florimond. De toute manière, j'ai toujours souffert du nom
que je porte. A l'école, au service militaire, partout.
Baptistin, c'est encore pire. J'aurais voulu m'appeler
Robert, souvent je disais que je m'appelais Robert.
C'est ce que je lui ai dit à Elle, au début. Pour tout
arranger, quand je suis devenu pompier-volontaire, on
a commencé à m'appeler Pin-Pon. Même mes frères.
C'est pour ça que je me suis battu, une fois — la seule
fois de ma vie —, et qu'on a dit que j'étais violent. Je
ne suis pas violent, ni rien. En fait, il y avait autre
chose.

C'est vrai que je ne comprends rien à ce que je
raconte et qu'il n'y a qu'à Mickey que je sais parler A
Bou-Bou aussi, mais il n'est pas pareil. Il est blond —
enfin, il a les cheveux clairs — alors que nous deux,
nous sommes bruns. A l'école, on nous appelait
macaroni. Mickey, il devenait fou, il se battait. Moi, je
suis bien plus fort, mais j'ai dit que je ne me suis battu
qu'une seule fois. Mickey, il a d'abord joué au football
C'était une teigne. Il jouait bien, d'ailleurs — ailier
droit, je crois, je n'y connais rien —, et il marquait des
buts avec sa tête. Il était toujours dans une forêt de

joueurs, devant les poteaux de mettons Barrême ou les
P et T de Castellane, et voilà sa tête qui sort et il frappe
le ballon et il marque le but. Après, ils embrassaient
tous Mickey comme ils l'avaient vu faire à la télévision. Et je te prends dans mes bras et je t'embrasse et
je te soulève, moi ça me rendait malade de l'autre côté
des barrières en ciment. Mais c'était une teigne. Il s'est
fait sortir du terrain trois dimanches de suite. Il se
battait pour un coup dans les tibias, pour un mot, pour
n'importe quoi, et toujours avec sa tête. Il les attrapait
par le maillot et il les frappait avec sa tête et les voilà
par terre à faire leur cinéma et qui c'est que l'arbitre
sort du terrain? C'est Mickey. Il est con comme un
verre à dents de cristal. Son héros, c'est Marius
Trésor. Il dit que c'est le plus grand joueur de tous.
Eddy Merckx et Marius Trésor, si on le branche là-
dessus, on peut tenir jusqu'à demain matin.

Et puis, il a laissé tomber le football pour le vélo. Il a
une licence et tout. Il a même gagné une course à
Digne, cet été. J'y étais avec Elle et Bou-Bou, mais ça
aussi, c'est autre chose. Il va sur ses vingt-six ans
maintenant. On dit qu'il pourrait encore passer professionnel et devenir quelqu'un. Moi, je n'y connais rien.
Il n'a même jamais été capable de faire un double
débrayage. Je ne sais pas comment son Renault
marche encore, même peint en jaune. Je regarde son
moteur toutes les quinzaines, parce que je ne voudrais
pas qu'il perde sa place, et quand je lui dis de faire
attention et qu'il conduit comme une gamelle, il baisse
la tête avec un air à vous tirer les larmes mais il s'en
fiche comme du premier chewing-gum qu'il a avalé.
Quand il était petit — on a un peu moins de cinq ans

de différence —, il était toujours en train d'avaler son chewing-gum, on croyait chaque fois qu'il allait mourir. N'empêche que je peux lui parler. Je n'ai même pas besoin de dire grand-chose, ça fait mille ans qu'on se connaît.

Bou-Bou, lui, il commençait l'école quand je faisais mon service. Il a eu la même maîtresse que nous, la Dubard, qui a pris sa retraite maintenant. Il faisait chaque jour la même route que nous — trois kilomètres dans la colline et ça grimpe à la verticale — mais quinze ans après. C'est le plus intelligent de nous trois. Il a passé le brevet, il entre en terminale. Il veut être médecin. Cette année encore, il est au collège, en ville. C'est Mickey qui le conduit le matin et qui le ramène le soir. L'année prochaine, il faudra qu'il aille à Nice, ou à Marseille, ou quelque part. Mais, d'une certaine manière, il est déjà parti. Il est très silencieux, en général, et il se tient très droit, avec les mains dans ses poches de devant et les épaules hautes, bien raides. Notre mère dit qu'il a l'air d'un cintre. Il porte les cheveux longs et il a des cils comme une fille, on le plaisante avec Mickey. Mais je ne l'ai jamais vu se mettre en colère. Sauf contre Elle, peut-être une fois.

C'était à table, un dimanche. Il a dit une phrase, juste une seule, et Elle s'est levée, elle est montée dans notre chambre et on ne l'a plus revue de l'après-midi. Le soir, elle m'a dit qu'il fallait que je parle à Bou-Bou, que je la défende, des choses comme ça. Je lui ai parlé à Bou-Bou. C'était dans l'escalier qui mène à la cave, je rangeais les bouteilles vides. Il s'est mis à pleurer sans rien dire, sans me regarder, et j'ai vu qu'il était encore un bébé. J'ai voulu mettre ma main sur son épaule, mais il m'a évité, il est parti. Il devait venir avec moi au garage voir ma Delahaye, mais il est allé au cinéma ou danser quelque part.

J'ai une Delahaye, une vraie, avec les fauteuils de cuir, mais elle ne marche pas. Je l'ai eue par un ferrailleur de Nice, en échange de la fourgonnette pourrie d'un poissonnier que j'avais payée deux cents francs, et encore on les a bus ensemble au café. J'ai refait le moteur, la boîte de vitesses, tout. Je ne sais pas ce qu'elle a. Quand je crois que tout est bien et que je la sors du garage où je travaille, tout le village est dehors pour la voir s'écrouler. Et elle s'écroule. Elle cale et elle fume. Ils disent qu'ils vont former un comité antipollution. Mon patron, ça le rend fou. Il m'accuse de lui voler des pièces, de passer trop de nuits et de dépenser de l'électricité. Parfois, il m'aide. Mais elle ne veut rien savoir. Une fois, j'ai traversé tout le village, aller-retour, avant qu'elle s'écroule. C'était mon record. Quand elle a commencé à cramer, personne n'a rien dit, personne. Je les avais tous soufflés.

Aller-retour, du garage à chez nous, ça fait onze cents mètres, Mickey a vérifié avec le compteur de son camion. Une Delahaye de 1950, même allergique aux joints de culasse, si elle fait onze cents mètres, elle peut faire plus. C'est ce que j'ai dit et j'avais raison. Il y a trois jours, vendredi, elle a fait plus

Trois jours.

J'ai peine à croire que les heures qui passent ont toutes la même longueur. Je suis parti, je suis revenu. Il me semblait que j'avais vécu une autre vie et que tout s'était arrêté pendant mon absence. Ce qui m'a

frappé en ville, hier soir, quand je suis revenu, c'est
l'affiche du cinéma qui n'avait pas changé. Je l'avais
vue dans la semaine, en rentrant de la caserne, je
m'étais même arrêté pour voir ce qu'on jouait. Hier
soir, c'était avant l'entracte, ils avaient laissé les
lampes allumées. En attendant Mickey, je me suis
installé au café en face, dans la petite rue qui est
derrière la place de l'ancien marché. Jamais de ma vie
je n'ai regardé aussi longtemps une affiche. Je serais
incapable de la décrire. Je sais que c'est Jerry Lewis,
évidemment, mais je ne me rappelle même pas le titre.
Je crois que je pensais à ma valise. Je ne savais plus ce
que j'avais fait de ma valise. Et puis, c'est dans ce
cinéma que je la voyais, Elle, bien avant de lui parler.
En principe, je suis de permanence au cinéma le
samedi soir, pour empêcher les jeunes de fumer. Ça me
plaît parce que je vois les films. Et ça ne me plaît pas
parce qu'on m'appelle Pin-Pon.

Elle, c'est pour Éliane, mais on l'a toujours appelée
Elle ou Celle-là. Elle est arrivée l'hiver dernier, avec
son père et sa mère. Ils venaient d'Arrame, de l'autre
côté du col, le village qu'on a détruit pour faire le
barrage. Son père, c'est en ambulance qu'on l'a
transporté, tout de suite après les meubles. Il était
cantonnier autrefois. Il n'avait jamais fait parler de lui
avant d'attraper un coup au cœur dans un fossé, il y a
quatre ans. Il est tombé la tête la première dans l'eau
sale. On m'a dit qu'il était plein de boue et de feuilles
mortes quand ils l'ont ramené chez eux. Depuis, il est
paralysé des jambes — un truc dans la colonne
vertébrale, je pense, je n'y connais rien — mais il
n'arrête pas de crier après tout le monde. Je ne l'ai

même jamais vu, il reste toujours dans sa chambre, je l'ai entendu crier. Lui non plus, il ne dit pas Éliane, il dit la Salope. Il dit des mots pires que ça.

La mère, c'est une Allemande. Il l'a connue pendant la guerre, quand il était travailleur obligatoire. Elle chargeait les canons pendant les bombardements. Je ne plaisante pas. En 1945, ils employaient les filles pour charger les canons. J'ai même vu une photo d'elle, avec un turban dans les cheveux et des bottes. Elle ne parle pas beaucoup. Au village, on l'appelle Eva Braun, on ne l'aime pas. Moi, je la connais mieux, évidemment, je sais que c'est une bonne personne. C'est ce qu'elle dit, d'ailleurs, pour se défendre : « Je suis une bonne personne. » Avec son accent boche. Elle n'a jamais compris un seul mot de ce qu'on lui raconte, c'est tout le secret. Elle s'est fait engrosser à dix-sept ans par un Français qui portait la poisse et elle l'a suivi. Le gosse est mort à la naissance et tout ce qu'elle a trouvé dans notre beau pays, c'est un salaire de cantonnier, des gens qui lui tirent la langue dans le dos, et quelques années après — le 10 juillet 1956 — une fille à mettre dans le berceau qui n'avait pas encore servi. Je n'ai rien contre la mère. Même notre mère n'a rien contre elle. Une fois, j'ai voulu me renseigner. J'ai voulu savoir qui c'était, la vraie Eva Braun. J'ai demandé d'abord à Bou-Bou. Il ne savait pas. J'ai demandé à Brochard, le cafetier. C'est un de ceux qui l'appellent Eva Braun. Il ne savait pas. C'est par le ferrailleur de Nice, celui qui m'a refilé la Delahaye, que je l'ai su. Qu'est-ce qu'on peut faire aux choses ? Moi-même, en parlant de cette femme, il m'arrive de dire Eva Braun.

Au cinéma, je les voyais souvent ensemble, Elle et sa mère. Elles se mettaient toujours au deuxième rang, soi-disant pour en avoir plein la vue, mais elles n'étaient pas riches et tout le monde pensait que c'était par économie. En fin de compte, je l'ai su plus tard, elle n'a jamais voulu porter de lunettes et, aux places à dix francs, elle n'aurait rien vu du tout.

Moi, je restais debout toute la séance, appuyé contre un mur, avec mon casque sur la tête. A l'entracte, je la regardais. Je la trouvais belle, comme tout le monde, mais depuis qu'elle habitait le même village que moi, elle ne m'avait jamais empêché de dormir. De toute manière, elle ne me disait ni bonjour ni bonsoir, elle ne savait peut-être même pas que j'existais. Une fois, après avoir acheté son esquimau, elle est passée tout près de moi, elle a juste levé les yeux pour regarder mon casque. Rien d'autre. Mon casque. Je l'ai enlevé. Ensuite, je ne savais plus où le mettre. Je l'ai donné à garder à la caissière.

Il faut que je m'explique. Je parle d'avant le mois de juin, il y a trois mois. Je dis les choses comme elles étaient. Je veux dire qu'avant le mois de juin, Elle m'impressionnait, d'une certaine façon, mais qu'en même temps, ça m'était égal. Elle aurait bien pu quitter le village comme elle était venue, sans que je m'en aperçoive. J'ai vu que ses yeux étaient bleus, ou gris-bleu, et très grands, et j'ai eu honte de mon casque. C'est tout. Ce que je veux dire, je n'en sais rien, mais c'était avant le mois de juin, ce n'était pas pareil.

Elle sortait toujours dans la rue pour manger son esquimau. Elle avait toute une bande autour d'elle, surtout des garçons, et ils discutaient sur le trottoir. Je lui donnais plus de vingt ans, parce qu'elle avait des manières d'une femme, mais je me trompais. Sa manière de retourner à sa place, par exemple. Tout au long de l'allée centrale, elle savait qu'on la regardait, que les hommes se demandaient par-devant si elle portait un soutien-gorge et par-derrière une culotte sous sa jupe collante. Elle avait toujours des jupes collantes qui montraient ses jambes jusqu'à mi-cuisses et qui moulaient tellement le reste qu'on aurait dû voir les lignes de sa culotte si elle en avait porté une. J'étais comme les autres, à ce moment-là. Tout ce qu'elle faisait, même sans penser à mal, leur mettait des idées dans la tête.

Et puis, elle riait beaucoup et très haut, en cascade, et ça, elle le faisait exprès pour attirer l'attention. Ou bien elle secouait d'un coup ses cheveux noirs qui lui descendaient jusqu'aux reins et qui brillaient sous les lampes. Elle se prenait pour une star. L'été dernier — pas celui-ci — elle a gagné un concours de beauté en maillot de bain et talons hauts, à la fête de Saint-Étienne-de-Tinée. Elles étaient quatorze, surtout des vacancières. Ils l'ont élue miss Camping-Caravaning, elle a gardé la coupe et toutes les photos. Après, elle se prenait pour une star.

Une fois, Bou-Bou lui a dit qu'elle était une star pour cent quarante-trois habitants — c'est le chiffre de recensement de notre village — et qu'elle planait à mille deux cent six mètres d'altitude — c'est la hauteur du col —, mais qu'à Paris ou même à Nice, elle ne dépasserait pas le niveau du trottoir. C'était la fameuse phrase qu'il a dite à table, un dimanche. Il a voulu dire qu'elle ne dépasserait pas le niveau des autres et qu'il y avait des milliers de belles filles à Paris, il n'a pas employé le mot trottoir pour être grossier. En tout cas, elle est montée dans notre chambre, elle a claqué la porte et elle est restée enfermée jusqu'au soir. Le soir, je lui ai expliqué qu'elle avait mal compris. Malheureusement, quand elle avait compris quelque chose, bien ou mal, elle ne comprenait plus rien d'autre.

Avec Mickey, elle s'entendait mieux. C'était un rigolo, il prend tout avec des yeux qui rient, ça lui fait un tas de petites rides autour. Et puis, la femme de sa vie, c'est Marilyn Monroe. Si on lui ouvrait le crâne, je ne sais pas qui on trouverait dedans, Marilyn Monroe, Marius Trésor ou Eddy Merckx. Il dit que c'était la plus grande de toutes, qu'il n'y en aura jamais plus d'autre. Il avait au moins un sujet de conversation avec Elle. La seule photo qu'elle supportait de voir sur un mur, en dehors des siennes, c'était un poster de Marilyn Monroe.

C'est drôle, en un sens, parce qu'elle était encore une gamine quand Marilyn est morte, elle n'a vu que deux de ses films, longtemps après, quand on les a repassés à la télévision : *La Rivière sans retour* et *Niagara.* C'est *Niagara* qu'elle a préféré. A cause du ciré à capuchon que Marilyn portait devant les chutes. On n'a pas la télé en couleurs et le ciré paraissait blanc, mais on n'était pas sûr. Mickey qui avait vu le film au cinéma disait qu'il était jaune. C'était toute une histoire.

Mickey, de toute manière, c'est un homme, on peut comprendre. Je n'en étais pas fou, moi, de Marilyn

Monroe, mais je comprends. Et puis, il a vu tous ses films. Vous savez ce qu'Elle m'a répondu ? D'abord que ce n'était pas les films de Marilyn qui l'intéressaient, c'était sa vie, c'était Marilyn elle-même. Elle avait lu un livre. Elle m'a montré le livre. Elle l'a lu des dizaines de fois. C'est le seul livre qu'elle a jamais lu. Ensuite, elle a répondu qu'elle n'était peut-être pas un homme, c'était même certain, mais que Marilyn, si elle vivait encore et si c'était possible, elle n'aurait pas besoin qu'on la pousse beaucoup pour se la faire.

Elle parlait comme ça. Voilà une chose importante, la manière dont elle parlait. Une fois, cet été, Bou-Bou m'a expliqué qu'il faut se méfier des gens qui ont peu de mots à leur disposition, ce sont souvent les gens les plus compliqués. On était en train de travailler au bout de vigne que j'ai acheté avec Mickey, au-dessus de chez nous. Il m'a dit que je devais me méfier de la manière qu'Elle avait de dire les choses. Quelquefois — pas toujours —, c'était une manière de cacher un bon sentiment, elle employait les mêmes mots que pour en montrer un mauvais. J'ai arrêté ma sulfateuse, je lui ai répondu qu'en tout cas, lui, il pouvait employer tous les mots du dictionnaire, ce serait toujours pour dire une connerie. C'est Bou-Bou Je-Sais-Tout, mais là, il se trompait.

J'ai bien compris ce qu'il voulait me dire. Qu'Elle était attendrie par la mort de Marilyn Monroe, toute seule dans une maison vide, qu'elle aurait voulu être là, lui donner de l'affection, n'importe quoi, pour l'empêcher de se tuer. Ce n'est pas vrai. Elle disait toujours une seule chose à la fois, comme ça lui venait : un coup de marteau à vous casser la tête. C'était même sa principale qualité, on n'avait pas besoin de recoller les morceaux pour chercher des sous-entendus, on pouvait tranquillement crever dans son coin. Quant à la richesse de son vocabulaire, ce n'était pas seulement qu'elle se bouchait les oreilles, à l'école — elle a fait trois fois le cours moyen de deuxième année, à la fin c'est eux qui ont cédé, ils n'en ont plus voulu —, c'est qu'elle n'avait rien à dire, sinon qu'elle avait faim, ou froid, ou envie de faire pipi au milieu du film, et tout le monde le savait sur trois rangées de fauteuils. Notre mère lui a dit, une fois, qu'elle était un animal. Elle a eu l'air étonné. Elle a répondu : « Ben, comme les autres. » Si on l'avait traitée d'être humain, elle aurait soulevé l'épaule gauche d'un coup sec, elle n'aurait rien répondu du tout, parce qu'elle n'aurait pas compris et qu'en général, elle ne répondait pas quand on lui criait après.

Empêcher Marilyn Monroe de se tuer, par exemple, quel sens ça pouvait bien avoir, pour elle ? Elle répétait toujours que c'était formidable que Marilyn soit morte comme ça, en avalant des trucs, avec tous ces photographes le lendemain, qu'elle était restée Marilyn Monroe jusqu'au bout. Elle m'a dit qu'elle aurait aimé connaître ses anciens maris et se les faire, même si deux sur trois n'étaient pas son type. Elle m'a dit que ce qui était dommage, c'était le ciré jaune, qui devait traîner dans un placard ou qu'on avait probablement brûlé, alors qu'elle avait couru toute une journée aux quatre coins de Nice sans pouvoir trouver le même. Textuel. Bou-Bou, zéro, recalé.

Je m'énerve, mais, en vérité, ça m'est égal. Tout est redevenu comme avant le mois de juin. Au cinéma, quand je la voyais, avant le mois de juin, je ne me demandais même pas comment elles remontaient au village, Elle et sa mère. Vous savez ce que c'est, dans les petites villes. Trente secondes après la fin du films, les grilles sont fermées, les lampes éteintes, il n'y a plus personne nulle part. Moi, je rentrais avec Mickey, dans son camion, mais je prenais le volant parce qu'il me rend maboule. En général, il y avait Bou-Bou avec nous et on ramassait un tas de jeunes sur la route, qui montaient à l'arrière avec leurs vélomoteurs et tout le bazar.

Une fois, on s'est compté, il y avait presque tout le monde, de la ville jusqu'au col. Onze kilomètres. Je les ai lâchés, un par un, dans la lumière des phares, devant des chemins de terre obscurs, des maisons endormies. Quand ils laissaient une bonne amie qui allait plus haut, il fallait presser le mouvement, ils n'en finissaient plus de se quitter. Mickey me disait : « Laisse faire. » Arrivé au village, c'était le dortoir. Je n'ai pas réveillé Mickey, ni Bou-bou, je suis allé à l'arrière avec une lampe électrique. Ils étaient tous assis sur une seule ligne, le dos contre la ridelle, bien sages, la tête de chacun ou de chacune appuyée sur l'épaule de son voisin, ça m'a fait penser à la guerre, je ne sais pas pourquoi, peut-être à cause de ma lampe-torche, j'ai dû voir ça dans un film, et en même temps je me sentais heureux. Ils avaient tellement l'air de ce qu'ils étaient, des gosses en plein sommeil, j'ai éteint, je ne les ai pas réveillés non plus.

Je suis allé m'asseoir sur les marches de la mairie. J'ai regardé le ciel au-dessus du village. Je ne fume pas, à cause du souffle, mais c'était un moment où j'aurais aimé avoir une cigarette. Le mercredi, je vais à l'entraînement, à la caserne. Je suis adjudant, c'est moi qui les fais courir. Autrefois, je fumais. Des Gitanes. Notre père disait que j'étais pingre. Il aurait voulu que je fume des américaines et que je lui donne les mégots.

En tout cas, un moment après, le fils Massigne est passé avec sa fourgonnette, en faisant un appel de phares parce qu'il se demandait pourquoi le Renault de Mickey était arrêté là, et moi je me demandais pourquoi il venait chez nous en pleine nuit, alors qu'il habite le Panier, trois kilomètres plus bas. J'ai levé le bras pour montrer que tout allait bien et il a continué sa route. Il est allé au bout du village — je n'ai pas cessé d'entendre son moteur — et il est revenu. Il s'est arrêté à quelques mètres de moi, il est descendu. Je lui ai dit qu'ils étaient tous endormis, dans le camion. Il m'a dit : « Ah, bon » et il est venu s'asseoir sur les marches.

C'était la fin avril ou le début mai, il faisait encore un peu froid mais on était bien. Il s'appelle Georges. Il a le même âge que Mickey, ils ont même fait leur service militaire ensemble dans les chasseurs alpins. Je l'ai toujours connu. Il a pris en main la ferme de ses parents et c'est un très bon cultivateur, il peut faire pousser n'importe quoi sur la terre rouge. C'est avec lui que je me suis battu, cet été. Il ne méritait pas ça,

Georges Massigne, il n'y était pour rien. Je lui ai cassé deux dents de devant mais il a refusé de porter plainte. Il a dit que j'étais en train de devenir fou, point final.

Assis là, tous les deux, sur les marches de la mairie, il m'a répondu — c'est moi qui avais posé la question — qu'il venait de raccompagner la fille d'Eva Braun. J'ai trouvé qu'il avait mis beaucoup de temps pour la ramener. J'ai ri. Je ne peux plus rien raconter comme je l'aurais fait à ce moment-là, ce n'est pas possible, mais il faut qu'on comprenne, je pouvais rire, on parlait tranquillement de choses d'hommes, j'allais réveiller les autres dans un moment et il m'aurait dit qu'il s'envoyait la mère au lieu de la fille, ça ne m'aurait ni plus ni moins intéressé.

Je lui ai demandé s'il se l'envoyait, Elle. Il m'a dit pas ce soir mais que deux ou trois fois, cet hiver, quand sa mère n'était pas venue au cinéma, ils l'avaient fait à l'arrière de la fourgonnette, sur une bâche. Je lui ai demandé comment elle était et il m'a donné des détails. Il ne l'avait jamais déshabillée en entier, il faisait trop froid, il lui relevait seulement sa jupe et son pull, mais il m'a donné des détails. Et puis, au diable.

Quand on s'est approché du camion, c'était toujours une ligne d'enfants sages, tous inclinés du même côte comme des épis de blé. J'ai imité la trompette, j'ai dit debout là-dedans, et ils sont descendus en file indienne, avec des yeux à demi fermés, oubliant leur vélomoteur, le reprenant sans dire merci ni au revoir, sauf la fille de Brochard, le cafetier, qui a murmuré : « Bonsoir, Pin-Pon » et qui est partie chez elle d'un pas de poivrote, sans sortir de son sommeil. On s'est moqué d'eux, avec Georges. On disait : « Ah ! ils sont

beaux, les contestataires ! » et ça résonnait dans la nuit
de la rue comme dans une cathédrale, on a fini par
réveiller Mickey. Il a passé une tête aux cheveux
ébouriffés par la portière et il nous a traités de tous les
noms.

Et puis, j'étais seul avec lui dans la cuisine — je
parle de Mickey, évidemment —, on a bu un verre de
vin avant d'aller dormir pour de bon, je lui ai dit ce
que Georges venait de me raconter. Il m'a répondu
qu'il y a un tas de vantards mais que leur zizi tiendrait
dans un trou d'aiguille. Je lui ai dit que Georges n'était
pas un vantard. Il m'a dit non, c'est vrai. Cette histoire
l'intéressait encore moins que moi, mais il a réfléchi en
vidant son verre. Quand Mickey réfléchit, ce n'est pas
tenable, on est certain qu'il va trouver la formule pour
rendre potable l'eau de mer, il se donne tant de mal, il
se concentre avec tant de rides au front que ce n'est pas
possible autrement. En fin de compte, il a hoché la tête
plusieurs fois, d'un air grave, et vous savez ce qu'il m'a
dit ? Il m'a dit que l'Olympique de Marseille rempor-
terait la Coupe. Même si Marius Trésor ne gardait que
la moitié de la forme qu'il tenait, il n'y aurait pas de
pardon.

Le lendemain, ou peut-être le dimanche d'après,
c'est Tessari, un mécanicien comme moi, qui m'a parlé
d'Elle. Mickey ou moi, on descend le dimanche matin
en ville, pour faire le tiercé au bar-tabac. On joue une

combinaison à vingt francs pour nous, et une à cinq francs pour Cognata. Elle dit qu'elle fait cavalier seul. Elle prend toujours les mêmes chiffres : le 1, le 2 et le 3. Elle dit que si on a la chance, ce n'est pas la peine de lui faire peur avec des complications. On a touché le tiercé trois fois, à la maison, et, bien sûr, c'était toujours Cognata. Deux fois dans les mille francs et une fois sept mille. Elle en a donné un peu à notre mère, juste de quoi la mettre en rage, et elle a gardé tout le reste pour elle, en billets de cinq cents tout neufs. Elle dit que c'est « en cas », on ne sait pas de quoi. On ne sait pas non plus où elle les cache. Une fois, avec Mickey, on a retourné toute la sacrée baraque, y compris la grange où Cognata n'a jamais mis les pieds — pas pour les lui prendre, évidemment, mais pour lui faire une farce —, on n'a jamais trouvé.

En tout cas, le dimanche, quand j'ai mes tickets dans la poche, Tessari ou un autre m'offre l'apéritif au comptoir, je rends la tournée, on en joue une troisième au 421 et ça n'en finit plus. Ce jour-là, c'était Tessari et on discutait de ma Delahaye. Je lui disais que j'allais mettre tout le moteur par terre et recommencer à zéro, quand il m'a poussé du coude pour me montrer quelqu'un sur le seuil du tabac. C'était Elle, avec les cinq francs de son père paralysé, ses cheveux noirs noués en un gros chignon sur la tête. Elle avait couché son vélo contre le trottoir et elle attendait son tour, au bout d'une file de gens qui voulaient parier.

Il y avait un grand soleil dehors et elle portait une robe en nylon bleu ciel, si transparente qu'on la voyait pratiquement nue en silhouette. Elle ne regardait personne, elle attendait en se déplaçant d'une jambe

sur l'autre, on devinait ses seins ronds, la courbe
intérieure de ses cuisses, et par instants, quand elle
bougeait, presque le renflement de son sexe. J'ai voulu
dire quelque chose à Tessari, pour plaisanter, par
exemple qu'on en voit davantage en maillot de bain et
qu'on était bien bêtes, tous — parce qu'il y avait
d'autres hommes au comptoir et qu'ils s'étaient tournés, eux aussi —, mais finalement, pendant les deux ou
trois minutes qu'elle est restée dans le bar, nous
n'avons pas parlé. Elle a fait perforer son ticket, elle a
été à nouveau, une seconde, nue sur le seuil de la salle,
puis elle a repris son vélo sur le bord du trottoir et elle
est partie.

J'ai dit à Tessari que je me la ferais volontiers et au
patron de servir un autre pastis. Tessari m'a répondu
que ce ne devait pas être bien difficile, il en connaissait
plusieurs qui se l'étaient faite. Il m'a dit Georges
Massigne, évidemment, qui la ramenait du cinéma le
samedi soir, mais aussi le pharmacien de la ville, qui
était marié et père de trois enfants, un vacancier, l'été
d'avant, et même un Portugais qui travaillait en haut
du col. Il pouvait en parler parce que son neveu avait
été invité par le vacancier, une fois, avec toute une
bande, et Elle y était. Ils étaient tous un peu muraille
et son neveu les avait vus le faire, elle et son vacancier.
Je devais savoir comment ça se termine, ces soirées, il y
avait des couples dans toutes les chambres. Son neveu
lui avait dit ensuite qu'il ne fallait pas se tracasser pour
elle, qu'elle avalait la fumée.

J'ai dit à Tessari que je ne comprenais pas ce qu'il
voulait dire par « elle avalait la fumée ». Il m'a dit
qu'il me ferait un dessin. Deux hommes qui étaient à

côté de nous et qui nous écoutaient se sont mis à rire.
J'ai ri aussi pour faire comme tout le monde. J'ai payé
ce que je devais, j'ai dit ciao, je suis parti. Tout le long
de la route, au volant du Renault, je n'ai pensé qu'à ça,
Elle avec son vacancier, et le neveu de Tessari qui les
regardait faire.

C'est difficile à expliquer. D'une part, j'avais envie
d'elle plus qu'avant. D'autre part, quand je l'avais vue
sur le seuil du tabac, avec son corps en transparence
pour les voyeurs, j'avais eu pitié d'elle. Elle ne se
rendait pas compte, et sitôt qu'elle était rentrée dans
l'ombre de la salle, elle avait même un air très sage
dans sa robe bleue, avec ses cheveux en chignon qui la
faisaient paraître plus grande, et je ne sais pas
pourquoi, elle me plaisait bien plus fort et pour autre
chose que de m'en passer l'envie. Maintenant, je la
méprisais, je me disais que ce serait facile, que je
n'aurais pas à me gêner, et en même temps, je n'étais
pas bien, j'en avais marre. Pas seulement d'elle,
d'ailleurs. Je ne sais pas expliquer.

Dans la semaine qui a suivi, je l'ai vue passer
plusieurs fois devant le garage. Elle habitait la dernière
maison du village, une vieille maison de pierre qu'Eva
Braun a arrangée comme elle a pu, en mettant des
fleurs partout. En général, Elle était à vélo, elle allait
chercher le pain ou elle en revenait. Jusque-là, je ne la
voyais pratiquement jamais. Ce n'était pas qu'elle
sortait moins souvent. C'est comme ces mots qu'on
remarque dans un journal pour la première fois et
ensuite on les voit sans arrêt, on est tout surpris. Je
levais la tête de mon travail pour la regarder passer,
mais je n'osais pas lui faire un signe, encore moins lui

parler. Je pensais à ce que Georges et Tessari
m'avaient dit, et comme elle ne se préoccupait ni de
moi ni de ses cuisses à l'air, quand elle était assise sur
sa machine, je la suivais des yeux tout du long comme
un imbécile. Imbécile, parce que ça me faisait du mal.
Une fois, le patron s'en est aperçu. Il m'a dit :
« Reviens sur terre, va. Si tes yeux étaient des
chalumeaux, elle ne pourrait jamais plus s'asseoir. »

Et puis, j'en ai parlé à Mickey, un soir, dans la cour.
J'ai juste dit deux mots, comme ça, sur l'envie que
j'avais de tenter ma chance. Il m'a répondu qu'à son
avis, je ferais mieux de croiser au large, une fille
comme elle, qui va à droite, à gauche, elle n'était pas
pour moi. On remplissait des seaux, à la source. Notre
mère a voulu que je mette l'eau courante moi-même, à
la maison, parce que pour elle, mécanicien ou plom-
bier, c'est la même chose. Résultat, ça ne marche
jamais. Heureusement que notre père a fait Bou-Bou
avant de mourir, il n'y a que lui qui sache réparer. Il
verse un produit chimique dans les tuyaux, ça les
ronge comme de l'acide et il dit qu'un jour ils
tomberont en miettes, mais pour quelque temps, ça
fonctionne. Et même, on ne s'entend plus penser,
quand ça fonctionne.

J'ai répondu à Mickey que je n'avais pas besoin de
lui pour un conseil mais pour un coup de main. On est
resté plantés à côté de la source, avec nos seaux pleins,
pendant les cinq mille ans qu'il a pris pour réfléchir,
j'en avais les bras cassés. A la fin, il m'a dit que le
mieux, pour voir Celle-là, c'était de venir au bal un
dimanche, elle y était toujours.

Il voulait parler d'une baraque préfabriquée, le

Bing-Bang, qu'on monte une semaine dans un bourg, une semaine dans un autre, et que les jeunes suivent à la trace dans toute la région. On prend son ticket en entrant, on doit l'épingler sur sa poitrine comme des déportés, il n'y a rien pour s'asseoir, des projecteurs de toutes les couleurs tournent à cent à l'heure pour vous empêcher d'y voir, mais question vacarme, on ne peut pas avoir mieux pour dix francs. Même du dehors, Cognata entendrait, et elle ne s'est pourtant jamais rendu compte qu'on a l'eau courante

J'ai dit à Mickey qu'à trente ans passés, dans ce genre d'endroit, j'aurais l'air de ce que je suis. Il m'a répondu : « Exactement. » Moi, je voulais dire d'un imbécile, mais il a ajouté aussitôt · « D'un pompier. » Si je n'avais pas eu les deux mains prises, je lui aurais porté ses seaux, n'importe quoi : un génie comme Mickey, il ne faut pas qu'il se fatigue. Je lui ai expliqué avec patience que je voulais précisément éviter qu'elle me voie une fois de plus en pompier de service. Il m'a répondu que, dans ce cas-là, je n'avais qu'à venir en civil. J'ai laissé tomber. J'ai dit que je verrais, mais en même temps, il m'avait rappelé qu'il y aurait un pompier de service de toute manière, et qu'on n'aurait pas fini d'en parler, à la caserne, de l'adjudant joli-cœur.

Dans notre équipe, heureusement, il n'y a jamais un volontaire pour le *Bing-Bang*. D'abord, le dimanche, c'est fait pour madame, le rosbif et la télé. Pour peu qu'on habite un bon endroit, on capte tous les postes, la Suisse, l'Italie et Monte-Carlo, on peut voir tous les films du Moyen Age jusqu'à nos jours. Ensuite, s'il y a un accroc pendant le bal — et il y en a chaque fois

qu'un gosse de quatorze ans se sent pousser la
moustache —, ils ont vite fait de prendre un pompier
pour un C.R.S. Un dimanche, j'ai dû arracher tous les
hommes disponibles de la machine à faire les yeux
carrés pour aller dégager un des nôtres. Il avait
demandé que deux danseurs qui voulaient la même
partenaire cessent de se déchirer réciproquement leur
chemise. Si les gendarmes, pour une fois, n'étaient pas
arrivés avant nous, on n'aurait plus trouvé de lui que
les os. Il a quand même fait trois jours d'hôpital. On
s'est cotisé pour un cadeau quand il est sorti.

A l'entraînement, le mercredi avant le bal, ils étaient
une pénible demi-douzaine. J'ai simplement demandé
qui viendrait avec moi pour assurer le service à
Blumay. C'est un gros village à quinze kilomètres de
chez nous, dans la montagne, et le *Bing-Bang* y
installait ses planches le dimanche d'après. Personne
n'a répondu. On est allé sur le terrain de football, à
côté de la caserne, et on a couru et sauté en survête-
ment. On dit la caserne mais c'est une ancienne mine
de cuivre. Il y en a plusieurs entre la ville et le col, on
les a fermées en 1914, elles revenaient trop cher. Plus
rien n'habite la nôtre que la mauvaise herbe et les
chats perdus, mais on a installé un garage pour les
deux véhicules qu'on nous a fournis et des vestiaires
avec une douche. Dans les vestiaires, pendant qu'on se
rhabillait, j'ai dit que Verdier m'accompagnerait. Il
est employé à la poste, pas bavard, et c'était avec moi
le seul célibataire. En plus, il est accroché par le
métier, il veut passer professionnel. Il a ramené une
petite fille de trois ans, une fois, la seule survivante
d'un carambolage de l'autre côté du col, il pleurait à

gros sanglots quand il a su qu'elle ne mourrait pas. Depuis, il est accroché. Il continue d'ailleurs de correspondre avec la petite fille, il envoie même de l'argent. Il dit qu'à trente-cinq ans, il l'adoptera, on a le droit. On le plaisante, quelquefois, parce qu'il en a vingt-cinq et qu'en ce temps-là, il pourra presque l'épouser. Il dit qu'il nous emmerde.

Quand je pense à ce mois de mai — surtout aux jours qui ont précédé le *Bing-Bang* —, je le regrette. Chez nous, les hivers sont terribles et toutes les routes coupées par la neige, mais dès que le beau temps s'installe, c'est déjà l'été. La nuit tombait plus tard et je restais dehors à travailler à la Delahaye après mes heures normales. Ou bien je m'occupais des deux vélos de course de Mickey, qui avait commencé sa saison.

En général, le patron était avec moi, parce qu'il a toujours quelque chose à finir, et sa femme, Juliette, nous apportait le pastis au bout d'un moment. Ils ont mon âge, tous les deux — elle allait à l'école avec moi —, mais il a les cheveux tout blancs. Il vient du Pays Basque et c'est le meilleur joueur de boules que j'aie jamais vu. Je fais équipe avec lui, l'été, contre les vacanciers. Quand il y a un accident ou un incendie, même en pleine nuit, c'est au garage qu'on téléphone — du village, on n'entend pas la sirène — et il me conduit lui-même, en vitesse, à la caserne. Il dit que le

jour où il m'a pris pour travailler chez lui, il aurait
mieux fait de se casser une jambe.

Je continuais à la suivre des yeux, Elle, quand elle
passait dans la journée, et elle continuait à ne pas me
voir, mais j'avais le sentiment qu'il allait m'arriver des
choses formidables, et pas seulement de faire l'amour
avec elle. C'était comme cette angoisse avant que notre
père meure, mais bien sûr une angoisse à l'envers,
c'était agréable.

Oui, je regrette cette période. Une fois, en quittant
le garage, à la nuit tombée, je suis parti vers le haut du
col au lieu de rentrer à la maison. Le prétexte, c'était
d'essayer le vélo en aluminium de Mickey, mais en
vérité j'avais envie de passer devant chez Elle. Les
fenêtres étaient ouvertes, les lampes allumées dans la
pièce du bas, mais j'étais trop loin pour voir grand-
chose, il y a une cour du côté de la route. J'ai laissé le
vélo un peu plus haut et j'ai fait le tour en longeant le
mur du cimetière. Par-derrière, leur maison donne
presque directement sur une pâture qui appartient à
Brochard, le cafetier, une simple haie de ronces les
sépare. Quand je suis arrivé devant les fenêtres, c'est
Elle que j'ai vue tout de suite, ça m'a fait un coup. Elle
était assise à la table à manger, sous une grosse lampe
au plafond qui avait attiré les papillons de nuit, elle
lisait un magazine, appuyée sur les coudes, et tout en
lisant, elle faisait et défaisait avec deux doigts une
boucle dans ses cheveux. Je me rappelle qu'elle portait
sa petite robe à col russe, la blanche à grosses fleurs
bleues. Elle avait ce visage que j'ai connu plus tard,
comme la robe, et qui est plus jeune, plus désarmé que

son visage du dehors, simplement parce qu'elle n'est pas maquillée.

Je suis resté là, de l'autre côté de la haie, à quelques mètres d'elle, pendant plusieurs minutes. Je ne sais même pas comment j'arrivais à respirer. Et puis, son père a crié, à l'étage, il avait faim, et sa mère a répondu en allemand. J'ai compris que sa mère devait se trouver dans un coin de la pièce que je ne voyais pas. J'ai profité des cris du connard pour m'en aller sans faire de bruit. Quant à Elle, il pouvait bien crier toute la nuit, elle continuait de lire son magazine, elle faisait et défaisait avec deux doigts la même boucle de cheveux.

Évidemment, je ris de moi-même quand j'y pense, je me trouve stupide. Même quand j'étais gosse et que j'avais un béguin — pour Juliette, par exemple, qui a épousé mon patron, et que je raccompagnais en sortant de l'école —, il ne me serait pas venu à l'idée d'aller me bloquer la respiration derrière une haie pour regarder quelqu'un lire un magazine. Je n'ai jamais été un foudre de guerre pour séduire les filles, mais j'ai eu mes aventures. Je ne compte pas le service militaire — j'étais dans les marins-pompiers, à Marseille — parce qu'on ne se cassait pas la tête quand on avait un moment libre, on allait derrière le cours Belsunce et on choisissait la même à deux ou trois pour qu'elle nous fasse un prix. Mais avant et surtout après, je crois que j'ai connu autant de filles que tout le monde. Quelquefois c'était pour un mois, quelquefois pour une semaine. Ou alors l'occasion, à la fête dans un autre village. On le fait dans une vigne, on dit qu'on se reverra et on ne se revoit plus.

Une fois je suis resté plus d'un an avec la fille d'un maraîcher, Marthe, on devait presque se marier, mais elle a été nommée institutrice près de Grenoble, on s'est écrit de moins en moins. Elle était blonde et peut-être plus jolie qu'Elle — ce n'était pas le même genre — et très gentille. En tout cas, on s'est perdu de vue, elle s'est probablement mariée avec quelqu'un d'autre. Je vois son père, de temps en temps, mais il m'en veut, il ne me parle pas.

Même cette année, en mars et avril, juste avant Elle, j'étais avec Louise Loubet, la caissière du cinéma. On l'appelle Loulou-Lou, elle porte des lunettes mais elle a un corps superbe. Il n'y a que les hommes pour comprendre ça. Elle est grande et pas mal sans plus quand elle est habillée, et puis elle se déshabille et on ne sait plus où donner de la main. Malheureusement, elle a un mari pas commode — c'est le patron de Tessari — et il commençait à se douter de quelque chose, on a dû rompre. Elle veut mordicus rester caissière, malgré leur garage qui rapporte des fortunes, simplement pour éviter trois soirs par semaine qu'il la tripote en bavant partout. Elle a vingt-huit ans et toute sa tête. Elle l'a épousé pour ses sous — elle ne s'en cache pas — et elle dit qu'à force de ce-soir-je-peux-pas et de ce-soir-fais-moi-tout, il finira par prendre un coup de sang.

Après le film, c'est Loulou-Lou qui ferme les grilles du cinéma, le projectionniste dit que son syndicat le lui interdit et le directeur est couché depuis longtemps avec la caisse. Elle fermait donc les grilles, elle éteignait tout, sauf la rampe de la scène pour qu'on puisse au moins se retrouver, et moi, pendant ce temps, pour éviter que notre affaire soit dans les journaux le lendemain, je faisais le tour par-derrière et elle venait m'ouvrir. En général, quand elle venait m'ouvrir, elle s'était déjà à moitié déshabillée en route. On n'avait pas beaucoup de temps pour les serments d'amour. On le faisait dans la salle, parce que le bureau du directeur et la cabine de projection étaient fermés à clé. On s'allongeait dans l'allée centrale, où il y a un tapis, et la première fois, je ne sais pas si c'est à cause d'elle, qui était surprenante de partout, ou à cause de ces bataillons de fauteuils autour de nous et de ce plafond si haut, et nous si bêtes dans ce grand vide où on entendait le moindre craquement de bois, je n'ai rien pu faire.

Et puis, on a recommencé le mercredi soir — ils ont une séance et je venais lui tenir compagnie à la caisse, en rentrant de la caserne — et bien sûr le samedi. Le samedi soir, Mickey m'attendait avec son camion à la sortie de la ville. Il a une bonne amie lui aussi — une collègue de Verdier, à la poste —, ils se quittaient quand j'arrivais. Et quelquefois, je rentrais seul à vélo, en faisant à pied les derniers kilomètres qui sont trop raides, avec des lèvres en feu et le froid sur la route déserte, j'étais bien.

En fin de compte, son mari est venu attendre Loulou-Lou quand elle fermait les grilles, on a dû rompre. Le soir où je lui ai laissé mon casque à garder, elle a mis un mot dedans, coincé dans le cuir de protection, je l'ai trouvé le lendemain. Elle avait écrit : *Tu n'auras que du mal.* Je n'ai pas compris ce qu'elle voulait dire, je ne le lui ai pas demandé. Elle voulait dire la même chose que Mickey, quand on remplissait les seaux dans la cour. Elle avait deviné que j'avais honte de mon casque et pourquoi, elle faisait plus attention à moi que je croyais. Un après-midi, le mois dernier — il faudra que je le raconte dans l'ordre — on s'est retrouvé seuls, avec du temps devant nous, mais je n'ai pas pu faire davantage que la première fois. C'était trop tard.

Le samedi, la veille du bal à Blumay, j'ai téléphoné du garage pour qu'on envoie quelqu'un à ma place au cinéma. Pour le cinéma, ils sont tous volontaires. Je crois que je ne voulais pas y aller pour ne pas gâcher ma rencontre du lendemain avec Elle. Ou alors, je ne voulais pas la voir partir après le film dans la fourgonnette de Georges Massigne. Peut-être les deux, je ne sais pas. En tout cas, je l'ai regretté, j'étais à un doigt d'y aller quand même.

J'ai attendu le retour de Mickey et de Bou-Bou dans la cuisine, en nettoyant à l'essence des pièces de la Delahaye que j'avais ramenées dans un chiffon. J'ai bu presque une bouteille de vin. A un moment, Cognata, que je croyais endormie dans son fauteuil, m'a dit de ne pas tourner en rond comme je le faisais, je lui donnais le vertige. Notre mère, elle, était couchée depuis longtemps. J'en ai profité aussi pour nettoyer et graisser nos fusils de chasse, on les avait laissés dans un placard depuis la fermeture. Cet hiver, j'ai tué deux sangliers et Mickey un. Bou-Bou ne tire que sur les corbeaux, et encore il les manque.

Il était plus de minuit quand j'ai entendu le camion revenir et que ses phares ont balayé les fenêtres. Ils avaient vu un film de cow-boys avec Paul Newman, ils ont fait tous les deux le cirque avec les fusils qui étaient sur la table. Cognata riait, et puis elle avait peur parce qu'elle n'entend rien et que Bou-Bou fait le mort comme personne, une balle dans le ventre, les yeux à l'envers et tout le bazar. A la fin, j'ai dit à Bou-Bou d'aller mourir dans son lit et d'aider Cognata — il faut la soutenir pour monter à l'étage.

Quand j'ai été seul avec Mickey, je lui ai demandé si Celle-là était au cinéma. Il m'a dit oui. Je lui ai demandé si elle était partie avec Georges Massigne. Il m'a dit oui, mais qu'Eva Braun était avec eux. Il me regardait en attendant quelque chose d'autre, mais je n'avais plus rien à demander, ou alors beaucoup trop, il est allé ranger les fusils dans leur placard. Je lui ai servi un verre de vin. On a parlé d'Eddy Merckx et de notre père qui était un très bon chasseur. On a parlé aussi de Marcel Amont, le chanteur, qui passait à la télé le lendemain soir. C'est son préféré. Quand Marcel Amont passe à la télé, on ne peut plus rien avaler, à table, il faut écouter comme à l'église. Je lui ai dit que Marcel Amont est très bien. Il m'a dit c'est vrai, que ce qu'il fait, c'est perlé. C'est le grand mot dans la bouche de Mickey. Marius Trésor et Eddy Merckx ne font que des choses perlées. Marilyn Monroe, c'était pareil. Je lui ai dit qu'il faudrait absolument être revenus du bal avant le début de l'émission. Il ne m'a pas répondu.

Il est drôle, Mickey. J'avais peut-être la voix hésitante — je continuais à remplir mon verre en même temps que le sien —, mais ça n'était pas seulement ça. Il a beau être con comme un balai sans poils, il ne faut pas le prendre pour un con trop longtemps, il sait ce qui vous tracasse. On est resté un moment sans parler. Ensuite, il m'a dit que je n'avais qu'à être derrière lui, le lendemain, qu'il se chargeait de tout. J'ai répondu que je n'avais pas besoin qu'il drague une fille pour moi, je le ferais aussi bien que lui. Il m'a dit une chose très juste. Il m'a dit : « Non. Parce que moi, Celle-là, je m'en fous. »

Le lendemain matin, ce fameux dimanche, on a pris la douche dans la cour, les trois frères clochards. Il faisait un soleil fantastique et on a plaisanté Bou-Bou qui ne veut jamais montrer son zizi et qui s'enroule en criant dans le rideau à fleurs que j'ai installé. L'eau de la source est froide tout l'été, le cœur s'arrête de battre quand elle vous tombe dessus, mais on la fait monter avec une pompe à main dans une citerne et elle coule pendant mille ans, une fois qu'on est habitué, c'est le confort moderne. Mickey est descendu en ville faire le tiercé — à vélo, pour son entraînement — et quand il est revenu, je m'étais habillé comme je ne le fais jamais, ils étaient tous un peu bizarres, à table, de me voir avec une cravate.

Verdier devait me retrouver directement à Blumay, avec la voiture Renault de la caserne. Nous quatre — la bonne amie de Mickey, Georgette, nous accompagnait — nous y sommes allés avec la DS de mon patron. Il me la prête quand je la lui demande mais chaque fois, au retour, il dit qu'elle marche moins bien. Le plus étonné de me voir en civil, c'était

Verdier. J'avais mis mon costume beige, avec une chemise saumon et une cravate en tricot rouge de Mickey. Je lui ai expliqué que j'étais avec mes frères, que je n'avais pas eu le temps de me mettre en tenue, mais que s'il y avait n'importe quoi, mes affaires étaient dans la voiture.

Il était trois heures et il y avait déjà un vacarme à crever les tympans autour du *Bing-Bang* installé sur la grand-place, et des gens agglutinés à l'entrée de l'immense baraque, juste pour jeter un coup d'œil, et puis ils ne bougent plus de l'après-midi. J'ai dit à Verdier de rester en faction près de la caisse et de faire éteindre leur cigarette à ceux qui arrivaient. Il n'a pas posé de questions. Il n'en pose jamais.

On me connaît, on ne voulait pas que je paie ma place, mais j'ai insisté pour avoir mon ticket en cocarde comme tout le monde. A l'intérieur, c'était l'enfer. Tout était rouge, les guitares électriques et la batterie et les hurlements de ceux qui étaient déjà fous vous hachaient la tête, mais on ne pouvait voir personne, on ne pouvait entendre personne, et comme le soleil avait chauffé à blanc les tôles qui servaient de toit, on étouffait sans pouvoir mourir. Bou-Bou est parti chercher à tâtons ses copains, puis Mickey m'a poussé vers Georgette pour que je danse avec elle et il est parti lui aussi, à travers les ombres qui gesticu-laient autour de nous. Georgette s'est mise à rouler des hanches et à donner des coups de reins dans le vide, j'ai fait pareil. Le seul endroit bien éclairé, dans la salle, c'était une petite scène circulaire où se défoulait l'orchestre, cinq jeunes en pantalon à franges, au visage et au torse bariolés de toutes les couleurs. Bou-

Bou m'a dit, plus tard, qu'on les appelle les Apaches et qu'ils sont très bons.

En tout cas, j'ai dansé sur place, avec Georgette, pendant une éternité où les morceaux s'enchaînaient les uns aux autres, j'étais en nage, je croyais vraiment que ça ne finirait jamais, quand tout à coup, les projecteurs se sont arrêtés, la lumière est redevenue presque normale, les Apaches exténués jouaient un slow du bout des doigts. J'ai vu des garçons et des filles qui allaient s'asseoir contre la cloison de la baraque, à même le plancher, les cheveux collés aux tempes, et puis j'ai vu que Mickey l'avait trouvée, Elle, et qu'elle était avec Georges Massigne, comme je l'avais craint, mais ça m'était presque égal, les choses sont comme ça.

Elle portait une robe blanche, très légère, elle aussi avait les cheveux collés aux tempes et sur le front, et de l'endroit où je me trouvais, à quinze ou vingt pas d'elle, je pouvais voir sa poitrine se soulever et ses lèvres ouvertes pour reprendre son souffle. Je sais que c'est idiot, mais elle me plaisait tellement que j'ai eu honte de moi, ou peur, je ne sais pas, j'ai failli partir. Mickey parlait avec Georges. Je savais, parce que je connais mon frère, qu'il était en train d'inventer n'importe quoi pour le faire sortir du bal et me laisser le champ libre, et à un moment, il a fait un geste vers moi, il lui a dit quelque chose, à Elle, et elle m'a regardé. Elle m'a regardé plusieurs secondes, sans bouger la tête, sans tourner les yeux, je ne me suis même pas aperçu que Mickey s'en allait avec Georges Massigne.

Et puis elle est allée rejoindre d'autres filles, dont

deux ou trois habitent le village, et elles riaient, et j'avais l'impression qu'elles riaient de moi. Georgette m'a demandé si je voulais encore danser, j'ai dit non. J'ai enlevé mon veston et ma cravate, et j'ai cherché des yeux un endroit où les ranger. Georgette m'a dit qu'elle allait s'en occuper, et quand je me suis retourné, les mains libres, avec ma chemise que je sentais trempée et plaquée dans mon dos, Elle était là, devant moi, elle ne souriait pas, elle attendait, simplement, et — on sait tout d'avance, on le sait.

J'ai fait une danse avec elle, et puis une autre. Je ne me rappelle pas ce que c'était — je suis un bon danseur, je ne m'occupe jamais de ce qu'on joue — mais c'était tranquille parce que je la tenais contre moi. La paume de sa main était moite, elle l'essuyait souvent sur le bas de sa robe, et son corps, à travers la robe, était brûlant. Je lui ai demandé pourquoi elle riait avec ses copines. Elle a rejeté ses cheveux noirs en arrière, ils m'ont balayé la joue, mais elle n'a pas tourné autour de la question. La première phrase que j'ai entendue d'elle, c'était déjà un coup de marteau. Elle riait avec ses copines parce qu'elle n'avait pas tellement envie de danser avec moi et qu'elle avait lancé, sans le faire exprès, un truc à se plier en deux à propos de pompier. Textuel.

Je sais ce qu'on va me dire, on me l'a dit un million de fois et répété : qu'il faut se méfier des gens bêtes encore plus que des gens méchants, qu'elle était bête à faire fuir, que j'aurais dû fuir, qu'en une seule parole elle montrait exactement ce qu'elle était — et ce n'est pas vrai. C'est justement parce que ce n'est pas vrai qu'il faut tout le temps que je m'explique. Dans les

bals, toutes les filles rient comme des juments pour des
vulgarités interdites à la maison. Elles connaissent
certainement moins de choses qu'elles en ont l'air,
mais elles ont peur d'être ridicules si elles ne hennis-
sent pas plus fort que les copines. Ensuite, c'est moi
qui avais posé la question. J'ai demandé pourquoi elles
riaient toutes et elle me l'a dit. Elle aurait pu mentir,
mais elle ne mentait jamais quand sa vie n'en dépen-
dait pas, c'était trop de travail. Si la réponse ne me
plaisait pas, tant pis pour moi, je n'avais qu'à pas
demander.

Et puis, pendant que je dansais avec elle, il y avait
autre chose. C'est un détail et je l'ai déjà dit, mais c'est
plus vrai et plus important que tout le reste. Sa main
était moite. Je déteste serrer la main des gens qui
transpirent, même pour dire bonjour en vitesse, je
déteste. Mais pas la sienne. J'ai dit qu'elle l'essuyait
sur sa robe. N'importe qui d'autre, en faisant ça,
m'aurait dégoûté. Mais pas elle. Sa main humide était
celle d'un bébé qui a chaud, elle me rapprochait de
quelque chose que j'ai toujours aimé, je ne sais pas
quoi, quelque chose qui est dans les bébés et les
enfants, et qui vous fait penser à vous, à votre père et à
son piano mécanique pourri, qui vous rappelle au
milieu d'une danse que vous et vos frères, vous n'êtes
pas allés sous les fenêtres du Crédit Municipal pour
leur jouer *Roses de Picardie* — oui, je sais ce que je veux
dire : quelque chose qui n'a rien à voir avec ce qui est
bien ou ce qui est mal, mais qui peut aussi sûrement
vous conduire où j'en suis que faire pleurer une bonne
fois un Verdier à grosses larmes et l'empêcher d'être
un pauvre type. Moi aussi, quand on me parlait d'elle,

pour m'en séparer avant qu'il soit trop tard, j'ai toujours répondu : « Je vous emmerde. »

J'ai remarqué aussi, à sa première phrase, qu'elle parlait avec un accent qui n'est pas de chez nous. Il était loin d'être aussi fort que celui d'Eva Braun, mais on l'entendait, même à travers le tam-tam. Je lui ai demandé si elle parlait allemand avec sa mère. Elle m'a répondu ni français ni allemand, qu'elle n'avait rien à lui dire. A son père encore moins. Elle était plus petite que moi — je mesure 1 m 84 — mais assez grande pour une fille, et toute en longueur. Elle était très mince, sauf pour la poitrine, que je sentais contre la mienne et dont on découvrait le haut par l'échancrure de sa robe blanche. Pendant que nous dansions, ses longs cheveux lui cachaient le visage, elle les rejetait souvent en arrière. C'était les plus beaux cheveux qu'on ait jamais vus. Je lui ai demandé s'ils étaient noirs naturels. Elle m'a répondu tu parles, Charles, que ça lui coûtait soixante-quinze francs par mois pour avoir cette teinte et que ça lui donnait des croûtes sur la tête, un de ces jours elle allait attraper une maladie.

Les projecteurs se sont remis soudain à tourner, rouges et orange, aveuglants, et les Apaches sont repartis sur le sentier de la guerre. C'est au moment où on ne s'entendait plus que je lui ai demandé si elle voulait venir boire quelque chose. Elle a quand même compris, elle a juste soulevé son épaule gauche, elle m'a suivi. A l'entrée, j'ai dit à Verdier d'aller faire une danse ou deux, que je restais un moment dehors. Je ne l'ai pas dit d'une voix normale, il a bien compris que je jouais les adjudants parce que je parlais devant Elle.

J'ai honte de ces choses. Il n'a rien répondu, il y est allé.

Nous avons traversé le rideau de gens qui encombraient les marches de la baraque. Sur la place, tandis qu'on se dirigeait sans un mot vers le café, j'ai pris sa main, elle me l'a laissée. Elle l'a d'abord retirée pour l'essuyer à sa robe mais elle l'a remise dans la mienne. Au comptoir, elle a pris un vittel-menthe et moi une bière. On était entouré de gens qui parlaient du tiercé — j'avais perdu et Cognata aussi — et elle regardait partout dans la salle en plissant les paupières. Je lui ai demandé si elle cherchait Georges Massigne et elle a répondu non, qu'elle n'était pas mariée avec lui.

Il faisait frais, dans le bar, après l'étuve dont nous sortions, et je sentais ma chemise coller à ma peau en plaques froides. Elle aussi transpirait. Je pouvais suivre une goutte de sueur qui glissait de sa tempe le long de sa joue, puis sur son cou, et là, d'un doigt, elle l'a effacée. Elle avait le nez court et, entre ses lèvres entrouvertes, des dents très blanches. Elle s'est aperçue que je ne faisais que la regarder, elle a ri. J'ai ri moi aussi. Elle m'a assené aussitôt un coup de marteau. Elle m'a dit que j'avais l'air d'un imbécile à la regarder comme ça, que j'avais *quand même* le droit de parler.

Il y a un hôtel sur la route de Puget-Théniers, une mine de cuivre qu'ils ont transformée. Ils ont une piscine et une salle à manger avec des nappes à carreaux rouges et les gens dînent à la lumière des bougies. Je ne sais pas bien expliquer, mais cet hôtel a beaucoup d'importance pour moi. J'y suis allé un jour pour ramener une voiture qui était tombée en panne, je me suis toujours dit que j'y reviendrais et que je mettrais l'argent sur la table, et que je serais avec une fille belle et bien habillée, comme les hommes que j'ai vus ce jour-là. Et avant d'avoir réfléchi, avant d'avoir récupéré après le coup de marteau, je lui ai dit, à Elle, que je voudrais l'emmener dîner un soir dans ce restaurant, et je lui aurais probablement, d'une seule traite, déballé tout le reste, si elle ne m'avait pas scié d'un autre coup, encore plus violent que le premier. Elle m'a coupé la parole pour me dire que ce n'était pas parce que je l'emmènerais dîner qu'elle coucherait avec moi, j'étais prévenu.

Je crois que j'ai ri, n'importe quoi. Il y avait tous ces gens autour de nous, et le bruit de la machine à sous et les Apaches qui se déchaînaient sur la place, je savais que c'était un après-midi idiot, une fille idiote, j'étais K.O. debout, quand presque aussitôt elle m'en a mis un autre, pour me finir. Elle a soufflé droit devant elle — elle ne soupirait pas, elle soufflait carrément, sans vous regarder — et elle m'a dit qu'on n'allait pas rester plantés là toute la journée comme des pots de fleurs, elle n'avait que le dimanche, elle, pour danser.

Nous sommes revenus vers le *Bing-Bang*. Je ne lui tenais plus la main. C'était plus fort que moi, déjà je lui faisais la tête. Quand quelque chose me blesse, je ne sais pas le cacher. Je l'ai laissée devant les marches en bois où les mêmes gens, depuis un million d'années, étaient agglutinés comme des abeilles, je lui ai dit bêtement que je ne rentrais pas, qu'il fallait que je m'en aille. Je ne sais pas pourquoi j'ai dit ça. Je n'avais rien à faire, je coupais les ponts et je savais que j'allais le regretter tout de suite. Je voulais même lui faire

croire que je devais retrouver une autre fille, quelque
part, mais elle ne m'en a pas laissé le temps. Elle m'a
dit « Ah, bon », et c'est tout, elle m'a tendu la main.
Elle est partie danser, en se penchant en avant pour se
faufiler entre les gens assis sur les marches, tout le
monde, par-derrière, pouvait se payer le jeton de sa
vie, mais moi, je savais que je ne l'aurais jamais,
jamais. Quand elle a disparu, je me suis rappelé que,
de toute manière, il fallait que je retourne à l'intérieur
pour reprendre mon veston.

Je suis donc revenu dans la baraque, j'ai retrouvé
Georgette qui dansait avec deux copines — ou qui
dansait toute seule, si l'on préfère — et qui n'entendait
rien à ce que je lui disais au milieu du cataclysme. Je
crois que je ne voulais plus la voir, Elle, que j'évitais de
regarder du côté où elle devait se trouver, mais je l'ai
vue quand même. Elle dansait en face d'un garçon qui
se donnait du mal à suivre son rythme, elle avait les
bras en l'air et les yeux fermés, tous les mouvements de
son corps partaient du ventre, à grandes secousses —
j'ai pris mon veston et je suis parti.

Je suis retourné au café boire une autre bière. J'ai
senti pour la première fois une chose que les autres ont
toujours eu du mal à comprendre. Je ne parle pas
seulement de notre mère, ou de Mickey, ou de Bou-
Bou, mais de tout le monde. Quelques minutes
auparavant, quand je m'étais accoudé au même comptoir, des clients s'étaient tournés vers nous, simplement parce qu'elle m'accompagnait, tout était plus
vivant, et moi aussi. C'est bête, je le sais. Je n'ai jamais
éprouvé cet orgueil avec une autre fille — cette sorte
d'orgueil — même si une fois, comme je l'ai dit, j'en ai

connu une encore plus jolie. J'étais fier de ses cheveux lourds et de sa manière de marcher et de ses yeux qui s'ouvraient tout grands sans voir personne et de son air de poupée. Elle était comme une poupée que j'aurais vue quelque part, quand j'étais petit, et que je retrouvais, et qui aurait grandi en même temps que moi. Maintenant, j'étais un pauvre con devant un demi.

Je suis allé m'asseoir un moment dans la DS de mon patron, que j'avais rangée à l'ombre. Je ne savais pas quoi faire. Et puis, Mickey est venu, il m'avait vu traverser la place. Il avait des boules dans les mains, il faisait une partie avec des gens de Blumay. Il m'a dit qu'il était avec Georges Massigne et qu'ils menaient de trois points après avoir perdu la première. Il joue aux boules comme il conduit les camions. Il veut toujours tirer mais c'est les boules de son partenaire qu'il enlève. Il m'a dit que si je voulais rentrer, il se débrouillerait avec Georgette pour trouver une autre voiture. Je lui ai dit que je pouvais attendre. Il m'a dit qu'il y avait une fête foraine dans un autre village, et que sa partie finie, si je voulais, on pourrait aller y faire un carton. Je lui ai demandé qui il voulait tuer. Il tire à la carabine comme il joue aux boules. Une fois, il a appuyé sur la détente juste au moment où on lui donnait son arme, il a failli tuer la bonne femme qui tenait le stand.

En fin de compte, on a décidé qu'on rentrerait après sa partie de boules, pour voir Marcel Amont à la télé, et qu'on irait peut-être à la fête après le dîner. C'est ce qu'on a fait, lui, Georgette et moi — Bou-Bou est resté avec ses copains, ils reviennent tout un bataillon sur une moto — mais on n'est pas allé à la fête parce qu'on était lancé dans un rami avec Cognata. Elle se prend de bec avec tout le monde, elle met quatorze ans pour jeter une carte, ça n'en finit plus.

Vers minuit, avec Mickey, on a ramené Georgette chez elle et puis on est revenu pour laisser la DS devant le garage de mon patron. Il n'était pas couché, il est descendu me dire qu'il ne me la prêterait jamais plus. On a bu de la poire sur les marches de l'escalier, dehors, et ils ont fumé un cigare en racontant tous les deux un tas d'idioties, j'ai retrouvé le moral. Je me suis dit qu'il n'y a pas qu'une fille sur la terre, il y en a même tellement qu'il faudrait des millions de vies pour les avoir toutes. Je me suis dit que j'avais bien fait de quitter le bal. Au moins, c'était clair : je ne lui courais pas après.

Le lendemain soir, c'est Elle qui est venue au garage.

Quand elle est entrée avec son vélo à la main, juste après un orage qui avait inondé la rue, j'étais sous une voiture montée sur cric. Je ne voyais que ses jambes, mais j'ai su tout de suite que c'était elle. Ses jambes se sont approchées de la voiture jusqu'à la toucher, elle a levé la voix pour demander s'il n'y avait personne. J'étais allongé sur le dos, et quand j'ai déplacé le chariot que j'avais sous moi, j'ai vu que, contrairement à ce que tout le monde devait penser, elle portait une

culotte. Blanche. Elle me regardait tranquillement
d'en haut, elle m'a dit que son vélo était crevé, mais
elle n'a pas bougé d'un centimètre. Je lui ai demandé
de s'éloigner pour pouvoir sortir. Elle a pris plusieurs
secondes pour le faire. J'essayais de mon mieux d'avoir
la tête d'un dur de cinéma, de la regarder dans les
yeux, pas autre chose. En fin de compte, elle a reculé
d'un pas mais je me suis propulsé si fort qu'elle a très
bien compris qu'elle m'intimidait.

Elle a trouvé le chariot formidable. Elle a dit qu'elle
aimerait monter dessus, et elle l'a fait. Je n'ai même
pas eu le temps de réagir. Je n'ai même pas eu le temps
de rattraper son vélo, qu'elle a simplement laissé
tomber par terre, là où il était. De toute manière, plus
ce qu'elle voulait faire était idiot, moins on pouvait l'en
empêcher. Allongée à plat ventre, un peu comme on
nage, elle a roulé un moment d'un côté et de l'autre, en
s'aidant des mains et en poussant des cris chaque fois
qu'elle risquait de se casser la tête contre quelque
chose. Le patron était parti faire des courses, mais
Juliette était là-haut, dans sa cuisine, et elle n'a pas
tardé à sortir pour voir ce qui se passait.

Juliette ne l'aimait pas — aucune femme, sauf Eva
Braun, ne pouvait l'aimer —, elle l'a traitée de tous les
noms, elle lui a dit d'aller montrer son cul ailleurs. J'ai
compris que le patron, une fois, avait dû laisser
échapper une phrase maladroite ou quelque chose.
Juliette est folle de son mari, elle a toujours peur qu'on
le lui prenne. Elle est repartie dans sa cuisine en me
disant : « Casse-le en quatre, son vélo, mais qu'elle
s'en aille ! » et elle a claqué la porte vitrée qui sépare le

garage de l'appartement. Quand il y a une vitre qui manque, je sais qu'ils se sont disputés.

Cette fois, les vitres ont tenu bon. Quant à Elle, j'ai dit qu'elle ne répondait jamais si on lui criait après. Elle s'était remise debout, elle époussetait sa jupe salie avec des mains encore plus sales, elle me regardait comme les enfants se regardent à l'école, l'air de dire : « Elle est pas commode, la patronne. » J'ai démonté la roue avant de son vélo, j'ai examiné la chambre à air. Je n'ai pas eu besoin de la passer à l'eau, elle n'était pas crevée mais déchirée. Sur plus de trois centimètres. Je lui ai demandé comment c'était arrivé, mais elle a soulevé son épaule gauche, elle n'a pas répondu.

Je lui ai dit que je n'avais pas de chambre à air pour remplacer la sienne. J'en avais chez moi, des vieilles de Mickey qui étaient encore bonnes, mais quand je lui ai proposé d'aller voir notre mère et de s'en faire donner une, elle n'a pas voulu. « Pour me faire attraper, merci. » Elle m'a demandé à quelle heure je finissais mon travail. Je lui ai dit que j'avais encore un bon moment à passer sous la voiture. Elle m'a dit qu'elle attendrait dehors. J'étais torse nu, il avait fait très chaud jusqu'à l'orage, et elle m'a dit que j'étais drôlement costaud. Je me faisais moins de souci pour mes chances, depuis que j'avais vu la déchirure de son pneu, mais c'était le premier mot agréable qu'elle me disait, j'étais content. Je me trompais d'ailleurs. Elle n'aimait pas les costauds. Ceux qui lui plaisaient, c'était les garçons minces comme des soupirs, plus ils étaient minces, plus ils lui plaisaient.

J'ai fini mon travail, je me suis lavé au fond du garage, j'ai passé ma chemise et j'ai crié à Juliette que je m'en allais. Comme Juliette avait vu par la fenêtre qu'Elle m'attendait, elle m'a répondu d'aller me faire pendre.

Elle m'attendait près de son vélo, assise sur le talus, les deux mains posées bien à plat sur l'herbe, parfaitement immobile. Je n'ai jamais vu personne qui sache rester immobile comme Elle. C'était stupéfiant. On pouvait croire que son cerveau même était bloqué, qu'il n'y avait plus rien au fond de ses grands yeux ouverts. Une fois, à la maison, elle ne m'a pas entendu venir, je suis resté immobile moi aussi, pour l'observer. Elle était véritablement une poupée. Elle était une poupée qui ne sert pas, qu'on a laissée assise entre deux murs dans un coin de la chambre. Dix siècles. A la fin, c'est moi qui ai bougé, j'allais devenir fou.

Nous avons traversé le village côte à côte, moi tenant son vélo d'une main et sa roue avant de l'autre. Plus exactement, nous avons descendu la rue — il n'y en a qu'une — et au fur et à mesure que nous avancions, tout le monde était sur le pas de sa porte pour nous regarder passer. Je dis bien tout le monde. Même un nouveau-né dans son landau. Je ne sais pas s'ils étaient là à cause de cet instinct animal qui pousse les gens à rester dehors après un orage ou s'ils avaient peur de manquer le spectacle de Pin-Pon avec la fille d'Eva Braun. En tout cas, nous ne pouvions pas parler. Brochard, devant son café, m'a fait un signe de la main et j'ai vaguement répondu. Les autres se sont contentés de nous suivre des yeux, avec des visages figés, sans se parler non plus. Même quand j'essayais la Delahaye, je n'avais jamais eu cette haie d'honneur.

Notre maison est un peu en dehors du village,

exactement à l'opposé de celle de ses parents. C'est
une ferme avec des bâtiments en pierre et en bois, des
toits affaissés mais increvables, et une grande cour. A
part la vigne que j'ai achetée avec Mickey et un
hectare de prairie que nous louons, l'été, à des
campeurs, nous n'avons pas de terrain. Nous n'avons
pas d'animaux non plus, sauf quelques poules et
quelques lapins. Notre mère, qui tient la maison très
propre, n'a même jamais voulu de chien. Notre père ne
nous a laissé que les murs et son piano mécanique. On
vit avec ce que je gagne et ce que Mickey ne dépense
pas de son salaire pour remporter le sprint du peloton,
trois heures après le vainqueur. Il ne se refuse rien.
C'est, comme on dit, un coureur en soie. Il a tout le
matériel du parfait champion et, s'il en trouvait en
ville, il gonflerait ses boyaux à l'hélium comme Eddy
Merckx. Quand on lui fait une réflexion, il prend l'air
d'avoir avalé son chewing-gum, il vous fait honte
d'être avare.

En tout cas, dès que nous sommes sortis du village et
que nous avons pu parler, Elle m'a dit que je n'aurais
pas dû la quitter comme ça, la veille. Elle avait bien vu
que quelque chose me chiffonnait mais elle n'avait pas
compris quoi. Elle m'avait regretté parce que j'étais
bon danseur. Je lui ai dit — c'était en partie vrai —
que j'avais des scrupules à rester avec elle, à cause de
Georges Massigne. Elle m'a répondu dis donc, Gaston,
qu'elle n'était la propriété de personne, surtout pas de
Georges Massigne, et que, d'ailleurs, avec lui, c'était
fini. Ensuite, elle marchait sur la route en hochant la
tête, comme pour se répéter à elle-même ce qu'elle
venait de dire.

Il devait y avoir quelque chose dans l'air, cet après-midi-là — le ciel était comme lavé, d'un bleu intense — parce que notre mère, elle aussi, quand nous sommes entrés dans la cour, se tenait sur le pas de sa porte pour nous voir arriver. Je lui ai dit, de loin, que j'avais un vélo à réparer, je me suis dirigé tout droit vers l'appentis où je range le matériel de Mickey. Elles, elles ne se sont rien dit, même pas bonjour. Celle-là parce qu'on ne lui a jamais appris, et notre mère parce qu'elle se renferme devant tout ce qui porte jupe — y compris Georgette. Je crois que même un Écossais dans notre cour lui glacerait le sang.

Pendant que je remplaçais la chambre à air, Elle est allée s'asseoir sur le bac en bois de la source, à quelques pas de moi. Elle laissait sa main jouer dans l'eau mais elle ne me quittait pas des yeux. Je lui ai demandé si elle avait déchiré son pneu exprès, pour me voir. Elle m'a dit oui, « avec un taille-rosiers ». Je lui ai demandé si elle était venue exprès contre la voiture parce qu'elle savait que j'étais dessous. Elle m'a dit oui. Elle se rendait compte, depuis plusieurs jours, que je regardais ses jambes quand elle passait devant le garage. Avant d'entrer, elle avait même pensé à enlever sa culotte, rien que pour voir ma tête, mais Juliette la suivait des yeux par la fenêtre, elle n'avait pas pu.

Elle n'a pas ri, ni baissé la voix ni rien, en disant cela, elle l'a prononcé exactement comme le reste, avec son petit accent boche. Ensuite, j'ai remonté sur sa roue la mauvaise chambre à air, celle qui était déchirée, il m'a fallu tout recommencer. J'avais le cœur qui pesait dix tonnes. Je lui ai dit qu'une fille ne devrait pas parler comme ça. Elle m'a répondu que toutes les filles sont pareilles, les autres sont des hypocrites, c'est tout. Je travaillais le dos tourné pour ne pas lui montrer que je m'étais trompé de caout-chouc. Je n'osais pas la regarder non plus. Elle m'a dit alors : « Pin-Pon, c'est pas un nom, comment vous vous appelez ? » Avant d'avoir réfléchi, je lui ai dit Robert.

Son vélo réparé, elle ne s'est pas pressée de se lever. Elle est d'abord restée assise comme elle était sur le bac de la source, un pied accroché au rebord et l'autre par terre pour que je voie bien ce qu'elle voulait me montrer, mais avec quelque chose dans les yeux qui était plus que de la déception, qui était triste, peut-être parce qu'elle sentait que son manège ne me faisait plus rien, qu'il m'écœurait même un peu. Je l'ai appris plus tard : quand elle sentait qu'elle perdait, à un jeu quelconque — elle jouait assez bien aux cartes —, elle avait le même air. Finalement, elle a rabaissé sa jambe pliée, puis sa jupe sur ses jambes, et ce n'est qu'après qu'elle s'est mise debout. Elle m'a demandé combien elle me devait. J'ai haussé les épaules. Elle m'a dit — et ce n'était plus sa voix habituelle, il m'a semblé qu'elle avait même perdu son accent : « Vous ne me raccompagnez pas ? » Je l'ai raccompagnée. Elle vou-lait traîner le vélo, cette fois, mais j'ai dit non, que ce n'était pas gênant, je l'ai gardé.

Nous n'avons pas beaucoup parlé, en route. Elle m'a dit qu'elle aimait bien Marilyn Monroe et qu'elle avait gagné un concours de beauté, l'été d'avant, à Saint-Étienne-de-Tinée. Je lui ai dit que j'y étais avec mes frères, qu'elle était nettement la gagnante. Ensuite, tout le village se tenait à nouveau sur le pas de sa porte pour nous regarder passer, sauf le bébé dans son landau qui devait en avoir vu d'autres. Brochard m'a fait le même signe hésitant et j'ai répondu. J'avais l'impression que c'était le 1er avril et qu'on m'avait accroché un poisson dans le dos.

On s'est dit au revoir devant chez elle. Elle a repris sa bicyclette, elle m'a serré la main. Eva Braun était dehors, au fond de la cour, à redresser les fleurs que l'orage avait massacrées. Elle nous a regardés de loin, sans rien dire. Je lui ai crié bonsoir madame, mais je m'adressais à une statue. Je me suis écarté d'Elle, à reculons, quand tout à coup elle m'a demandé si je l'invitais toujours à dîner au restaurant. Je lui ai dit bien sûr, quand elle voudrait. Elle m'a dit : « Alors, ce soir, tout de suite ? » La première chose qui m'est venue à l'esprit, c'est qu'il lui serait difficile de s'échapper. Elle m'a répondu : « Elle se débrouillera. » J'ai cru d'abord qu'elle parlait de sa mère, j'ai mis un instant à comprendre. Je ne savais pas encore qu'elle utilisait, quand ça lui chantait, la troisième personne pour parler d'elle-même ou de ceux à qui elle s'adressait. Avec elle, un simple « Passe-moi-le-sel » devenait un casse-tête.

Eva Braun nous observait, immobile de l'autre côté de la cour. Il était plus de sept heures. Il y avait encore de grandes taches de soleil en haut des montagnes, mais il faut une heure et demie, en allant le diable dans les virages, pour se rendre au restaurant où je voulais l'emmener. Je ne pouvais pas y aller en vêtements de travail et j'avais pensé à elle, dans la lumière des bougies, autrement qu'en jupe et en polo. Je ne parle même pas des taches de graisse qu'elle avait récoltées en faisant la folle dans le garage. Elle a compris cela sans que je lui dise. Il suffisait que je lui indique ce qu'elle devait mettre et elle en avait pour cinq minutes. J'allais faire le tour par-derrière — sa chambre donnait sur la pâture de Brochard — et elle me montrerait ses robes par la fenêtre. Voilà pourquoi je ne pouvais plus, à la fin, me passer d'elle. Elle donnait à la vie des coups d'accélérateur comme je n'en connaissais pas.

J'ai dit oui avec la tête. Elle m'a touché le bras, avec un brusque sourire et une détente dans le haut du corps qui était comme un petit saut, elle a laissé tomber son vélo où il était, elle est partie vers la maison en courant. Elle courait vite, parce qu'elle avait de longues jambes, mais elle courait comme une fille, avec ce balancement particulier du derrière et les pieds rejetés de côté. Je déteste qu'une fille coure comme ces bulldozers qu'on voit sur les stades, à la télé. Ça m'irrite, je ne sais pas pourquoi.

J'ai fait le tour de leur maison en longeant le mur du cimetière, comme un soir de la semaine précédente, mais je n'avais plus à me cacher. Il n'y avait rien ni personne dans la pâture, ils amènent les vaches plus tard dans l'été. Derrière la haie de ronces, à travers un bourdonnement d'abeilles, j'ai entendu Eva Braun qui parlait fort, en allemand, et Elle qui répondait. Je ne comprenais pas les mots mais je me doutais bien de ce qu'elles devaient se dire. Et puis, le silence.

Un moment après, Elle a ouvert sa fenêtre. Ils ont trois fenêtres, à l'étage, et c'était celle de droite. Elle m'a montré une robe rouge, une noire et une rose. Sur la robe noire, elle a plaqué une grosse fleur, pour me faire voir, puis une broche. Elle tendait chaque robe sur elle et, en me montrant la rouge, elle l'a lâchée d'une main pour relever la masse de ses cheveux noirs sur la tête. J'ai fait signe que non. Les deux autres me plaisaient bien, surtout la rose, qui était très courte, avec de fines bretelles. J'ai ouvert les mains comme un Napolitain pour dire que je ne savais pas laquelle choisir. Alors, elle a passé son polo par-dessus sa tête. Elle avait les seins nus et ils étaient comme je les avais devinés, fermes et gonflés, superbes pour sa minceur. Elle a enfilé d'abord la robe rose. Je n'en voyais que la moitié, à cause du rebord de la fenêtre. Puis, elle l'a enlevée, elle a voulu essayer la noire, mais il n'y avait pas à hésiter, j'ai agité désespérément l'index pour dire que c'était celle d'avant, la rose, que je préférais. Elle a compris, elle m'a fait un petit salut militaire. C'était un bon moment, l'un des meilleurs de ma vie. Quand j'y pense, j'aimerais tout recommencer.

Je suis allé au garage pendant qu'Elle se préparait. Le patron était là-haut, avec Juliette, et je suis entré si brusquement dans leur cuisine que j'ai coincé la porte vitrée avec celle du réfrigérateur qu'il venait d'ouvrir. On ne peut pas ouvrir deux portes en même temps chez eux, c'est trop petit. Le garage grignote peu à peu l'appartement, ils utilisent le moindre recoin pour ranger les stocks d'huile et les dossiers, bientôt ils coucheront à la belle étoile.

J'ai dit à mon patron — il s'appelle Henri, on l'appelle Henri IV parce qu'il vient du même pays — que j'avais besoin de la voiture. Il m'a dit de prendre la vieille 2 CV. C'était pour jouer le râleur devant Juliette. Elle avait dû le mettre au courant de ce qui s'était passé. Je lui ai demandé s'il avait besoin de la DS. Juliette, qui préparait le dîner, n'a pas manqué l'occasion d'ajouter du poivre. Pour faire mes saletés avec Celle-là, merci, je n'avais qu'à aller dans les bois, pas dans *sa* voiture. Heureusement, le patron sait la prendre. Il lui a dit que ce n'était pas une raison, parce que j'avais été son amoureux à l'école, pour qu'elle doive me poursuivre toute ma vie. Elle a haussé les épaules, mais elle est retournée à sa moulinette et à sa purée.

Comme il avait ouvert le réfrigérateur pour mettre un glaçon dans son pastis, il m'en a servi un à moi aussi. Je l'ai bu en vitesse. Il a dit que Juliette n'était pas contente parce qu'elle voulait garder les sièges de la DS pour leur propre plaisir, ce soir-là. Elle a dit : « Ah bien, toi, alors ! » et elle a piqué un fard de première classe, mais au fond, elle n'était pas fâchée qu'il parle d'elle comme ça. Il sait la prendre. Quand je leur ai dit au revoir, elle m'a recommandé de faire quand même attention. Je lui ai dit que je conduisais sagement. Elle m'a répondu évidemment qu'il ne s'agissait pas de ça.

J'ai sorti la DS du garage. Je me suis dit que je n'avais plus le temps d'aller me changer avant de revenir chercher mon invitée, qu'elle devait être prête, et je suis allé directement chez elle. Elle n'était pas sortie, mais j'ai continué jusqu'au cimetière pour faire demi-tour et quand je suis repassé devant la cour, elle venait à ma rencontre Elle s'était coiffée, maquillée, elle portait des chaussures blanches à hauts talons, qui n'étaient, sur le dessus, que deux minces lanières — j'ai cru, de loin, qu'elle arrivait pieds nus —, elle avait couvert ses épaules d'un châle en tricot, blanc aussi, et sa robe était comme celles qu'on voit sur les magazines.

Eva Braun était sortie de la maison derrière elle et lui criait après, en allemand. Je pouvais entendre son père qui criait lui aussi, dans une chambre, mais sans distinguer les mots. Elle ne s'est pas retournée. Elle est venue jusqu'à moi et elle m'a demandé avec un sourire indécis, d'une voix très douce, si Elle était comme Robert voulait. Je ne savais plus qui était Robert. J'ai fait signe que oui, plusieurs fois. Quand elle s'est assise près de moi, en faisant attention à ne pas froisser sa robe, elle m'a dit de rouler à toute allure, qu'elle n'avait pas envie de jouer la reine d'Angleterre à travers le village.

Malheureusement, on ne peut pas aller vite pour descendre la rue et nous avons eu droit au troisième service. Les gens qui étaient dehors appelaient ceux qui étaient dedans. Brochard devait être fatigué de me dire bonsoir, il n'a pas levé la main, mais sa fille Martine, qui a dans les dix-sept ans, a agité la sienne en voyant sa copine dans la DS et elle arrondissait la bouche pour siffler. Georges Massigne était attablé devant le café avec d'autres clients. Il s'est contenté de nous suivre des yeux sans montrer ce qu'il pensait, mais j'étais mal à l'aise. Elle, non. Elle a tiré la langue à la fille de Brochard.

Je me suis rangé devant notre portail. En route, elle m'avait dit qu'elle resterait dans la voiture pendant que je me changeais. J'ai fait aussi vite que je pouvais. Mickey et Bou-Bou étaient rentrés. Je leur ai dit que je dînais dehors, ils n'ont pas posé de questions. Notre mère non plus, mais c'était bien autre chose, elle n'a pas desserré les dents de tout le temps que j'étais là.

Je me suis rasé dans la cuisine. On n'a pas de salle de bains et le rasoir électrique de Mickey ne vaut rien. Cognata, dans son fauteuil, a fini par demander pourquoi je me faisais beau. Mickey le lui a expliqué avec des gestes et en criant comme un perdu. Il m'a suivi à l'étage pour me prêter son eau de Cologne et un tricot à manches courtes. Il a des tricots extraordinaires, un Italien qui travaille avec lui les ramène de Florence, quand on les touche, c'est du duvet. J'ai passé un pantalon noir, son tricot noir à bordures blanches, et Bou-Bou est monté à son tour pour me donner son ceinturon de cuir verni, noir également, qui va avec mes mocassins. Ils m'ont dit que j'étais terrible. J'ai expliqué à Mickey que s'il y avait quelque chose et qu'on m'appelle de la caserne, il pouvait me téléphoner au restaurant de Puget-Théniers, qu'il trouverait le numéro dans l'annuaire de mon patron. En partant, j'ai dit à notre mère que je rentrerais peut-être assez tard, qu'il ne fallait pas qu'elle s'inquiète, mais elle a continué à mettre la table comme si je n'existais pas.

Quand j'ai repris le volant, Elle n'avait pas bougé, elle était assise bien droite sur le siège et le soleil avait

quitté les montagnes. Elle a remarqué que je m'étais
mis en frais. Tout ce qu'elle a trouvé à dire, c'est que
j'avais l'air de Zorro, mais dans ses yeux et dans sa
manière de s'écarter pour me laisser la place — j'avais
toute la place du monde — j'ai vu que cette soirée,
pour elle, était à marquer du même caillou que le
mien.

En route, elle m'a raconté que c'était sa mère qui
faisait toutes ses robes, qu'elle se contentait de les
raccourcir quand elles étaient finies. Elle n'allait
jamais nulle part sans du fil et une aiguille, parce que
sa mère, chaque fois, lui défaisait son ourlet. Elle a
ouvert un petit sac blanc et elle m'a montré le fil et
l'aiguille. Elle m'a dit que, sauf raccourcir ses robes
n'importe où, en allant au bal, elle ne savait rien faire
de ses dix doigts, qu'elle n'était pas un bon parti pour
un homme. Elle le disait avec une sorte de fierté.
Ensuite, elle a parlé de son père, avant son attaque,
mais je n'écoutais pas bien, je coupais les virages pour
aller plus vite, je mettais toute mon attention à la
route.

En allumant mes codes, sur la nationale d'Annot à
Puget-Théniers, je me suis rendu compte qu'il y avait
presque une heure que nous étions silencieux. Elle
s'était rapprochée de moi, je sentais parfois son épaule
contre la mienne. Dehors, c'était la clarté traître de la
nuit qui s'installe. Je lui ai demandé si elle était bien.
Elle a fait oui de la tête, rien de plus, mais d'une
manière si sérieuse, si appliquée que j'ai pensé que les
virages lui avaient donné mal au cœur. Je le lui ai dit.
Elle m'a répondu que je comprenais les filles, moi.
C'était exactement le contraire. Elle aurait voulu

passer toute sa vie à rouler en voiture. Elle n'en ferait jamais assez voir à son abruti de père qui n'avait même pas été capable de s'en payer une.

Je lui ai dit que j'avais une Delahaye. Elle ne savait pas ce que c'était, sauf, comme tout le village, que ça ne marchait pas. Je lui ai parié que je finirais par la faire marcher. Ce n'était qu'un problème de pièces qu'on ne fabriquait plus. Je lui ai parié qu'un jour, je l'emmènerais en voyage. Elle m'a demandé où. Je l'ai laissée choisir. Il n'y avait qu'un endroit où elle voulait aller. C'est sur cette phrase qu'une chose incroyable est arrivée.

Je me suis soudain rendu compte qu'elle était complètement tournée vers moi, avec un visage animé, plus vieux de dix ans, ou bien c'était la pénombre qui me le faisait croire. Elle m'a dit d'une voix nerveuse — et cette fois-ci, sans trace d'accent, j'en étais sûr — que si je faisais marcher ma saleté de voiture, je l'emmènerais à Paris, à Paris, et que je pourrais la tringler tant que je voudrais, parce que c'est ça que je voulais, non ? C'est le mot qu'elle a employé. Elle tendait vers moi une main de défi, bien ouverte, elle me donnait de petits coups secs dans la poitrine pour que je parie : « Eh bien, dis-le, Ducon, que tu veux me tringler ! » J'ai compris que si je ne la calmais pas, elle allait m'attraper par un bras ou quelque chose et que nous allions avoir un accident, j'ai stoppé sur le bord de la route.

Depuis, j'ai retourné cent fois ce que nous avions dit, dans tous les sens, je n'ai jamais compris ce qui l'avait mise dans cet état, mais quelque chose, si c'était possible, m'a stupéfié encore plus. Quand je me suis arrêté sur le bord de la route, elle s'est écartée de moi d'un brusque sursaut et elle a levé les bras devant son visage pour parer les coups.

Je ne pouvais pas parler. Je n'aurais d'ailleurs pas su quoi dire. Nous sommes restés plusieurs secondes comme ça. Tout d'abord, elle ne me regardait pas, elle attendait, tête baissée. Et puis, elle me fixait avec des yeux attentifs, à l'abri de ses coudes. Je les voyais très bien, ses yeux. Il n'y avait ni regret ni peur dedans, c'étaient les yeux de quelqu'un qui surveille les mouvements de son adversaire, qui connaît tous les trucs. En fin de compte, je me suis détourné vers le pare-brise, j'ai posé mes mains sur le volant, elle a baissé lentement les bras. Elle a arrangé sa robe sur ses jambes. Elle a écarté une mèche de ses cheveux. Pas un mot. Je lui ai demandé ce que j'avais bien pu dire pour que les choses tournent de cette façon. Elle ne m'a pas répondu. Je lui ai demandé pourquoi elle n'avait pas d'accent quand elle s'énervait. Elle m'a dit qu'elle le prenait exprès pour se donner un genre. Comme ça.

Je m'étais un peu calmé, moi aussi, j'ai ri. Elle m'a dit de ne pas rire. Elle m'a dit que si je le répétais à quelqu'un, elle raconterait partout que je couchais avec la femme de M. Loubet, Loulou-Lou. Je lui ai demandé ce qui lui faisait croire ça. Elle m'a répondu que tout le monde le savait, je prenais l'air d'un agent secret quand je faisais le tour du cinéma. Je lui ai dit que si tout le monde le savait, elle pouvait le raconter partout, ça n'avait plus d'importance. J'ai senti à nouveau, sans même la regarder, ce découragement qui, plus tard, tombait sur elle quand elle commençait à perdre aux cartes. Elle m'a demandé, un ton plus

bas, de lui jurer que je ne répéterais rien. Je le lui ai
juré. Je lui ai dit que le restaurant n'était plus très loin
mais que je pouvais la ramener au village, si elle
préférait. Elle m'a saisi le bras, elle a jeté sa tête et la
masse de ses cheveux noirs sur mon épaule, en disant :
« Ça va pas, non ? » J'ai remis la voiture en marche.
Elle est restée appuyée contre moi.

A l'*Auberge des Deux Ponts* — c'est ainsi que l'endroit
s'appelle, il y a une rivière qui coule en contrebas —
certaines choses se sont passées comme je l'imaginais
et les autres, malgré ce qu'on pourra dire, encore
mieux.

Il y avait beaucoup de monde, pour un lundi soir,
surtout des pensionnaires, mais on nous a indiqué une
bonne table, près d'une fenêtre qui donnait sur la
piscine éclairée. En entrant, Elle s'est débarrassée de
son écharpe. Elle avait les épaules et les jambes déjà
bronzées, elle marchait en me tenant la main comme si
elle était à moi, sans regarder personne, l'air d'être
ailleurs et en même temps partout chez elle, les yeux
des hommes la suivaient comme pour lui enlever le
bout de tissu rose qui l'empêchait d'être nue, et les
yeux des femmes, par contrecoup, se portaient sur moi.
Je sais que c'est bête, je l'ai déjà dit, mais on ne
comprendra rien si je cache ce genre d'orgueil que
j'avais de nous, quand on était ensemble.

On s'est installé en face l'un de l'autre. A l'abri de la

grande feuille du menu — on regardait la même — elle m'a dit que c'était la première fois qu'elle venait dans un endroit pareil, avec toutes ces bougies et les couverts en argent et les larbins du pape. Ses parents l'avaient emmenée au restaurant, à Grenoble, quand elle était petite, « pour montrer ses yeux à un docteur », mais c'était de la toile cirée et du papier tue-mouches, minable, minable, sauf un gros chien qui s'appelait Lucifer et qui mangeait les morceaux de viande qu'elle lui donnait sous la table, et pour finir, son père avait fait toute une histoire pour quatre sous dans l'addition.

Elle a répété, je ne sais pourquoi, qu'elle était petite et que le gros chien s'appelait Lucifer, « comme le diable », et qu'il avait mangé sa viande. Ensuite, elle a ri, elle m'a dit que j'avais un ticket avec une blonde pas mal au milieu de la salle, mais que je ne me retourne surtout pas, que je la laisse crever de rage avec son vieux type. Ses yeux ne suivaient pas le sourire de sa bouche, il y avait comme une ombre dedans, et j'ai remarqué qu'elle traçait sans arrêt des traits sur la nappe avec le bout de sa fourchette. Enfin, elle m'a dit de ne pas me fâcher si elle me demandait quelque chose. J'ai fait non de la tête. Elle m'a demandé de lui montrer l'argent que j'avais sur moi.

Je l'ai sorti de ma poche. Je n'ai jamais de porte-feuille. Avant de quitter la maison, j'avais pris quelques billets, je les avais roulés en une petite liasse. Je les lui ai donnés. Sous son maquillage, elle était pâle comme une morte. Elle ne les a pas comptés. Elle les a simplement gardés entre ses doigts. Dans la voiture, je n'avais pas trouvé d'explication à son attitude, mais là,

même si c'était stupide, je croyais comprendre. Elle
venait de se rappeler son père qui avait renâclé sur une
addition, elle avait sans doute eu honte ce jour-là — je
sais ce que ça fait, moi aussi — et pendant qu'elle
continuait à me parler, une sorte de méfiance lui était
venue. Elle avait peur qu'il y ait des histoires en
sortant.

Quand elle m'a rendu l'argent — elle m'a ouvert
une main et l'a placé dedans avec douceur, sans me
regarder en face — je lui ai demandé le mieux que je
pouvais si c'était bien ce qu'elle avait ressenti. Avant
qu'elle réponde, j'ai vu dans ses yeux que je me
trompais. Ses couleurs lui revenaient, il y a eu un éclair
d'amusement, ou de ruse, dans son regard. Elle m'a
répondu non, que simplement elle ne comprenait pas
pourquoi j'étais gentil avec elle, les autres garçons ne
se donnaient pas tant de mal pour lui en faire voir.

Le maître d'hôtel s'est approché de nous — elle
disait « le chef d'orchestre » —, j'ai ravalé mes
questions, nous avons repris une figure normale. Elle
voulait un melon sans porto, une glace et des fraises,
moi je ne me rappelle plus. Le chef d'orchestre lui a
montré une grande table, au fond de la salle, où il y
avait un million et demi de hors-d'œuvre différents, et
il lui a dit que Mademoiselle regretterait de ne pas y
goûter. Elle a fait oui de la tête. Il m'a demandé ce que
j'avais choisi comme vin. J'ai regardé Mademoiselle,
mais elle m'a répondu par une mimique d'arriérée.
Elle n'en buvait pas. Je crois que, sauf ce soir-là, je ne
l'ai jamais vue boire une goutte d'alcool. Elle disait
qu'elle se mettait à pleurer comme une Madeleine,
qu'on ne pouvait plus l'arrêter. J'ai répondu au

bonhomme : « Du champagne. » Le salaud a doublé
la mise : « Lequel ? » C'est elle qui m'a tiré d'embarras. Elle s'est levée pour aller vers la table aux hors-
d'œuvre, en disant avec son accent boche : « Ça fait
des années qu'on vient ici et on prend toujours le
même. » Il a hoché la tête, l'air de gamberger à cent à
l'heure, et j'en ai profité pour la suivre.

En fin de compte, il nous a donné une bouteille dans
la moyenne des prix, Elle a vérifié. Elle vérifiait
toujours d'un coup d'œil les additions, avec une
précision incroyable — c'est la seule qualité que notre
mère lui reconnaissait, elle était plus rapide que la
machine enregistreuse du supermarché — et elle
faisait remarquer sans honte une erreur de cinq
centimes, ce qui était bien la preuve qu'un peu plus
tôt, je m'étais trompé. Elle ne savait pas qui était
Louis XVI ni même Mussolini — Hitler oui, à cause
du surnom de sa mère —, elle n'avait jamais pu
apprendre quelle ville, en dehors de Paris, était la
capitale de quoi, elle ne pouvait pas écrire un seul mot
sans s'arranger pour faire quatre fautes d'orthographe,
mais pour les chiffres, c'était Einstein, on n'a jamais vu
quelqu'un comme ça. Bou-Bou devenait fou, il lui
disait : « 1494 + 2767 » et elle répondait, avant qu'il
ait fini, ce que ça faisait. Il fallait qu'il prenne un
papier, un crayon, et c'était toujours juste, il devenait
fou. Un dimanche, il a mis *une* minute, montre en main
devant nous tous, pour lui expliquer les racines
carrées, et aussitôt elle était plus forte que lui. Peut-
être que la bouteille de champagne n'était aussi que
dans la moyenne, pour la qualité, je n'y connais rien.
Quand le chef d'orchestre nous l'a apportée, avec un

serveur en veste rouge, le seau en argent et tout le bazar, Elle a vu qu'il y avait des dorures sur l'étiquette et elle a dit que ça irait.

Je lui ai demandé ce qui s'était passé pour qu'elle veuille voir mon argent. Elle m'a répondu qu'elle ne savait pas. Elle m'a répondu que si je voulais coucher avec elle, je n'avais pas besoin de faire tout ce cinéma, elle était prête à décoller tout de suite, au milieu des assiettes, devant tout le monde. Quand elle était arrivée au village, cinq ou six mois auparavant, elle s'était dit que ce serait moi et pas un autre. Elle m'avait vu dès le premier jour. J'avais une salopette vraiment salope, un tee-shirt blanc taché de graisse et une casquette rouge sur la tête. Voilà.

Ce pouvait être vrai pour la casquette, j'en ai longtemps porté une de Mickey. Il l'avait quand il a gagné sa première course à Draguignan, un critérium sur soixante kilomètres. J'ai revu la longue enfilade d'un boulevard, à Draguignan, et le peloton multicolore d'une vingtaine de coureurs qui sprintaient pendant mille ans, dans des vapeurs de bitume, au loin sous les banderoles, et Mickey que je reconnaissais soudain à sa casquette rouge et qui déboulait en grimaçant cinquante mètres avant la ligne, couché sur son vélo, et j'ai crié comme un cinglé, je ne pouvais même plus regarder, j'avais comme froid dans le soleil, et puis les haut-parleurs ont donné le nom du gagnant, et c'était lui, c'était mon con de frère.

Elle a parlé du piano mécanique dans la cour. Je ne comprenais plus rien à ce qu'elle racontait. Elle avait un visage très doux et très attentif, mais je voyais à nouveau des ombres dans son regard, j'ai pensé à un vol d'oiseaux perdus comme on en voit en automne, entre les montagnes. Je crois que j'avais peur, tout simplement, peur qu'elle entre encore en transes, peur de la croire. Je lui ai dit qu'elle mentait. Elle m'a dit pauvre andouille. On buvait du champagne — elle, très peu, elle reversait la moitié de son verre dans le mien — et on ne mangeait pas. Quand un serveur est venu pour reprendre nos assiettes pleines, elle lui a dit sans le regarder : « Toi, casse-toi, on parle. » Il s'est éloigné, en se demandant s'il avait bien entendu, mais nous sommes restés silencieux. Elle a seulement pris ma main sur la table, elle secouait la tête pour nier qu'elle était une menteuse.

Plus tard, j'ai parlé de la piscine. On venait d'éteindre les lampes qui l'éclairaient. Tout le monde, ou presque, était parti. Il ne faut pas croire que j'étais mal. J'étais comme je ne m'étais jamais senti. Elle m'a dit qu'elle ne savait pas nager et qu'elle avait horreur de l'eau. Elle mangeait ses fraises, elle voulait m'en donner une dans sa cuillère. J'ai écarté sa main. Je lui ai dit qu'on m'avait raconté avec qui elle couchait. Je n'ai pas nommé Tessari, j'ai dit on. Elle m'a répondu : « On est un con. » Le vacancier, c'était vrai mais personne ne l'avait vue faire. Le pharmacien, c'était faux, et le Portugais en haut du col encore plus faux. Celui qu'elle aimait le mieux, c'était le Portugais, parce qu'il était mince et « drôlement beau ». Il l'avait même demandée en mariage, mais il ne s'était jamais rien passé, sauf qu'une fois, pour faire l'intéressant devant ses copains, il l'avait coincée contre un arbre et embrassée sur la bouche.

J'ai levé le bras pour demander l'addition. Elle m'a

dit : « Mais qu'est-ce que ça fait, puisque je ne te connaissais pas ? » Alors, je l'ai regardée. Il faut bien que je dise la vérité sur moi aussi pour qu'on comprenne. Je ne voyais plus qu'une fille avec de faux cils et des cheveux peints, dans une robe froissée, une pute comme les autres, je n'en avais même plus envie. Et elle a compris ça aussi. Sans doute, c'était le quart de champagne qu'elle avait bu, mais elle a fait ce qu'il fallait, elle a brusquement laissé tomber sa tête sur la table et elle s'est mise à pleurer. Oui, on est un con. C'était ma poupée de merde, c'était ma poupée.

Quand nous sommes sortis du restaurant et qu'on lui a rendu son écharpe, je supportais de mon mieux la retraite de Russie, j'avais l'impression d'être dans un film, Marlon Brando sous la neige, il n'y avait plus de clients ni personne mais des cosaques en veste rouge qui nous disaient bonsoir, et encore une fois elle n'avait pas menti : elle avait beau utiliser toute son astuce pour le cacher, quand elle était partie dans les larmes, on ne pouvait plus l'arrêter. Si quelqu'un avait eu un sourire, je crois que j'aurais tout cassé — c'était cassé, de toute manière, et superbe — mais ils se tenaient tous bien droits devant la porte, ils avaient le regard loin au-dessus des steppes glacées, ils nous demandaient de revenir.

Dans le parking, la DS blanche de mon patron était seule sous la lune. J'ai ouvert la portière d'Elle, je l'ai installée sur le siège, j'ai fait le tour pour me mettre au volant, et puis elle est venue contre moi, elle m'embrassait avec des lèvres mouillées, elle disait qu'elle m'avait prévenu, elle était paf, mais qu'il ne fallait pas que je la quitte. Elle disait : « Il ne faut pas que tu fasses la croix. »

En route, elle a pleuré encore un long moment, sans bruit. Elle essuyait ses joues avec un petit mouchoir roulé en boule, je ne voyais que son profil au nez court et, quand une voiture nous croisait, des éclats dans ses cheveux noirs. Ensuite, je crois qu'elle a dormi, ou fait semblant. J'allais de virage en virage en pensant à une chose qu'elle m'avait dite : que dès le premier jour où elle était arrivée au village, elle m'avait vu avec la casquette rouge de Mickey sur la tête.

Il me semblait que j'avais abandonné cette casquette bien avant leur installation chez nous, cet hiver, mais je n'étais pas sûr. J'ai essayé de retrouver le souvenir de leur déménagement. C'est un événement qu'on remarque dans un village comme le nôtre, une nouvelle famille qui débarque. J'ai revu seulement l'ambulance qui amenait son père et qui patinait dans la neige pour faire demi-tour devant chez eux, mais j'ai compris ce qui me gênait. Un tee-shirt et une salopette, ce n'est pas ce que je porte, en décembre, sauf si je voulais qu'on m'enterre et qu'on n'en parle plus. Elle se trompait ou elle n'avait pas voulu dire exactement le premier jour, ni même les premières semaines. Elle avait voulu dire ce printemps, mais ce printemps, j'en étais sûr, je ne portais plus la casquette pourrie de Mickey. En fin de compte, ça n'avait pas d'importance, sauf qu'elle avait dit quelque chose pour me faire plaisir et que ce n'était pas tout à fait vrai.

Il n'y avait personne, en ville, et j'ai traversé les rues tous phares allumés. Quand nous avons passé le pont et pris la route du col, elle a parlé à nouveau, tout à coup, d'une voix qui sortait de la nuit. Comme si elle avait lu dans mes pensées, elle m'a dit que la première fois qu'elle m'avait vu, c'était dans la cour de ma maison et qu'il y avait un piano mécanique sous un gros tilleul, avec un M peint dessus et presque effacé. Elle m'a dit : « Tu vois que je ne mens pas. » Je lui ai expliqué que ce ne pouvait pas être le jour de son installation au village, ni après. Elle n'a pas bien compris, elle est restée muette plusieurs secondes, je pouvais presque entendre un tic-tac dans sa tête. Et puis, brusquement, elle m'a dit qu'elle m'avait raconté tout ça au restaurant, que je n'avais pas écouté : ce n'était pas au moment de leur déménagement qu'elle m'avait vu, c'était l'été dernier, quand elle était venue pour la première fois au village. Il fallait qu'ils quittent Arrame et ils cherchaient un endroit où habiter. Le piano était dans ma cour sous un gros tilleul — je l'ai abattu depuis, elle ne pouvait pas inventer ça — et elle m'a dit : « Je ne pourrais pas inventer ça ! »

J'ai répondu non, c'est vrai, mais qu'alors je ne comprenais pas pourquoi, la veille, au bal, « elle n'avait pas tellement envie de danser avec moi ». Si elle me tenait en joue depuis presque un an, elle aurait dû sauter sur l'occasion. Elle m'a répété, comme à l'aller, que je comprenais les filles, moi — un caïd. Elle crevait d'envie de danser avec moi et de tout le cirque, mais il fallait bien qu'elle ait l'air de quelque chose vis-à-vis des copines, non ? Nous n'avons plus parlé jusqu'au village. Elle se tenait à nouveau très droite, sur le siège, je la sentais très loin et, en même temps, je savais qu'elle remuait un tas de choses dans sa tête qu'elle aurait voulu me dire.

Quand nous sommes arrivés devant chez moi et qu'elle a compris que j'allais continuer jusqu'à sa maison, elle m'a saisi un bras et elle m'a demandé de m'arrêter. Je l'ai fait. Tout était plongé dans la nuit, dehors, et nous, il n'y avait que le tableau de bord qui nous éclairait. Elle m'a dit qu'elle voulait rester avec Celui-là. Je lui ai rappelé qu'elle m'avait averti, la veille, que ce n'était pas parce que je l'invitais à dîner qu'elle coucherait avec moi. Elle m'a répondu qu'on n'était plus le même jour. J'ai regardé la montre, sous le volant, et c'était vrai, il était une heure du matin.

J'ai allumé l'intérieur de la voiture pour voir son visage. Elle a eu un recul, parce qu'elle ne s'y attendait pas. C'était un visage défait mais merveilleux, un visage d'après la pluie. Le rimmel, le rouge à lèvres, tout était parti. Il ne restait que la douceur, et un peu de chagrin ou de crainte ou de Dieu sait quoi au bord des lèvres, mais la douceur était terrible, elle était comme un entêtement de gosse au fond du regard. Je pense, aujourd'hui, qu'à ce moment elle voulait tout arrêter, qu'il aurait suffi d'un mot pour qu'elle pleure encore et qu'elle me demande de la raccompagner chez elle et que rien n'arrive, mais j'ai fait un geste, juste pour éteindre, parce que je ne pouvais pas supporter qu'elle me regarde comme ça, et j'ai éteint, et j'ai dit la connerie de ma vie.

J'ai dit d'accord.

La victime

Moi, je danse avec Pin-Pon parce que Mickey me l'a demandé. Ce n'est pas que j'aime Mickey plus que ça, non. Je ne le déteste pas non plus. Je sais ce que je dois, c'est tout. Ça vaut pour tout le monde. Une fois, Mickey voit ma mère sur la route et il stoppe son camion jaune. C'est en février, cette année. C'est elle qui raconte. Il dit : « Où vous allez par ce temps de merde ? » Elle dit : « En ville », et qu'elle va porter toutes ses paperasses à la Sécurité Sociale et toucher ses quatre sous. Dans la neige, tout ça. Si on voit un truc pareil dans un film, on peut vendre des Kleenex à l'entracte. Il dit : « Bon, laissez-moi faire demi-tour et je vous emmène. » Elle dit : « Oh ! non, c'est trop de tracas. » Ma mère, tu lui craches à la figure, elle va encore trouver que c'est trop de tracas. Mais entendons-nous. Lui, Mickey, il rentrait chez lui, il monte. Et elle, la pauvre andouille, elle descend, même si elle doit se casser les jambes sur la patinoire. Ou le col du fémur, je sais pas. Et Mickey dit : « Vous parlez, qu'est-ce que ça fait, un détour de plus ou de moins ? » Et le voilà qui tourne son camion dans tous les sens, et qui glisse, et qui dérape, et qui reste comme la lune en travers de la route.

Deux heures Ils ont passé deux heures à ramasser des branches et un tas de saletés pour faire repartir le camion. Mickey, il se bilait mais pas pour lui, c'est elle qui raconte : « Merde, quand on arrivera, ils seront fermés, à la Sécurité Sociale. » A un moment, il en avait tellement marre qu'il a donné un coup de tête dans la portière. De rage. Probablement que ma mère a dit : « Vous voyez, c'est trop de tracas. » Bref, il l'a embarquée en ville. Et il a encore attendu le restant de sa vie, devant la mairie, qu'elle ressorte en comptant les sous de sa pension, et il l'a rembarquée au village. Moi, je sais toujours ce que je dois à quelqu'un. En bien ou en mal. Après, je suis quitte.

A Blumay, Mickey me demande de danser avec son frère. Il veut faire une partie de boules avec Georges Massigne. Bon. Je danse avec son frère. C'est un grand type encore plus fort que Mickey, il transpire de partout, il me dit qu'il a soif. Bon. On va boire au comptoir du café, sur la place, on reste une éternité pour que je comprenne bien ce qu'il a envie de me faire et quand je lui dis de ne pas se fatiguer, que j'ai déjà compris, il se vexe. Bon. On retraverse la place, sans se parler, il a une figure en lame de couteau, il me laisse devant le *Bing-Bang* et il me dit qu'il doit partir. Bon. Ensuite, je danse une heure ou deux, et voilà brusquement Bou-Bou, le plus jeune, qui m'attrape par un bras et qui me lance avec des yeux mauvais : « Qu'est-ce que tu lui as fait, à mon frère ? » Alors, merde. Je lui dis sans faute d'orthographe où ils peuvent aller, lui, son frère, et toute sa famille. Le temps de remonter deux générations, il est sur ses grands chevaux, il crie comme un fou.

Je vais dehors, sur les marches, avec tous les gens qui nous regardent, et il y a Martine Brochard avec moi et Gigi, Arlette et Moune, et les copains de Bou-Bou, et Georges Massigne, et les copains de Georges Massigne, et les couilles de mon oncle. Quelle histoire. Je lui dis à lui, Bou-Bou, que je n'ai rien fait à son frère, rien. Il me crie : « Alors, pourquoi il est parti avec cette tête ? » Quand on crie, tout ce que j'ai appris à faire c'est de penser à autre chose pour me retenir. Je ne sais pas de quoi. De frapper ou de me rouler par terre ou de pleurer. Je déteste les gens qui sont contre moi. Je me dis : « Attendez, mes salauds, attendez un peu que je sois plus forte, et que ce soit juste l'endroit, et juste le moment, vous verrez qui c'est, Celle-là. »

Je suis assise sur les marches, la tête dans mes mains, et Georges Massigne dit : « Qu'est-ce qui s'est passé ? » Et Martine dit : « Elle n'a rien fait, vous l'entendez pas ? » Un copain de Bou-Bou dit : « Elle a insulté sa famille, ça je l'ai entendu. » Enfin, tout le monde dit quelque chose. Moi, je regarde l'autre bout de la place, les platanes, la fontaine, je m'en fous. Alors, Georges Massigne veut prendre Bou-Bou par l'épaule, juste pour le calmer, rien de plus, mais Bou-Bou se dégage comme si l'autre avait la peste et il lui dit, tout rouge : « Toi, me touche pas. Tu le ferais si mes frères étaient là ? Ils te péteraient la gueule, mes frères. » Georges balance la tête avec un air de fatigue et il s'assoit près de moi et il dit : « Bon sang, on s'amusait bien, qu'est-ce qui s'est passé? Moi, je comprends rien à vos histoires. »

Je regarde Bou-Bou, qui est long et droit, et beau d'ailleurs comme c'est pas permis, et il me regarde lui aussi à travers des larmes de colère. Il me regarde comme s'il me détestait, avec des yeux noirs incroyables, et tout d'un coup, moi je comprends. Je ne sais pas comment, ni d'où ça vient, de la tête ou d'ailleurs, mais je suis sûre que je comprends. Tout ce cirque qu'il me fait parce que son Pin-Pon de frère est parti avec une figure d'enterrement, cette manière méchante qu'il a de me regarder, c'est pour cacher autre chose ou pour me dire autre chose, je ne sais pas. Et puis, au revoir. Je ne comprends plus, c'est venu, c'est parti.

Bou-Bou, lui, il se retourne d'un bloc et il s'en va tout seul, les mains dans les poches, à travers la place. Georges Massigne dit : « Il a sûrement bu. C'est ça. Est-ce que quelqu'un l'a vu boire ? » Moi, je me lève et je dis : « Je vais lui parler, je vais arranger ça. » Fin de l'épisode. Je les entends derrière mon dos qui retournent danser, sauf peut-être Georges Massigne qui reste assis sur les marches de la baraque ou peut-être même pas, à cause des gens qui le regardent et il a honte. Moi, je m'en fous, des gens. Je fais juste attention à marcher sur les cailloux sans me tordre les chevilles.

Je retrouve Bou-Bou immobile contre un platane. Il fait semblant de regarder les bonshommes qui jouent aux boules. Je dis : « Tu sais, Bou-Bou, je lui ai rien fait à ton frère, je peux tout te raconter. » Une héroïne dans un film. Douce comme le miel, juste un peu d'accent made-in-ma-mère. Mais tout ce qu'il trouve à répondre c'est qu'il ne s'appelle pas Bou-Bou. Bernard. Il va vers le petit mur qui entoure la place, et derrière c'est à pic. Il s'assoit, il ne veut pas me regarder, mais je m'assois à côté de lui. De travers, bien sûr, et en m'appuyant d'une main, parce que j'ai horreur de partir à la renverse et de me retrouver cent mètres plus bas. On ne parle pas pendant le restant de notre vie. Et puis, tout d'un coup, il dit : « C'est un brave type, mon frère, tu ne le connais pas. » Je dis que justement, je ne le connais pas. Il dit : « Il voulait que tu le connaisses, mais tu n'as pas compris. » Et le voilà parti pendant mille ans à me parler de son frère. Il dit Pin-Pon comme tout le monde. J'écoute même pas. Je le regarde, lui. Il a les cheveux clairs, assez longs, le nez assez long, les yeux grands, sombres avec des paillettes d'or, des cils d'un kilomètre, une bouche de fille qu'on a envie d'embrasser, un menton pointu avec une fossette au milieu, un cou très long, un torse très long, des jambes très longues, je me dis qu'il doit falloir s'y prendre à dix fois pour l'aimer en entier.

Et puis, voilà. C'est là, sur le mur, que ça arrive. Il dit des choses et des choses et tout d'un coup, il est en train de parler d'un piano mécanique. Je dis : « Quoi ? Je n'ai pas entendu. » Il dit : « Quoi ? Qu'est-ce que tu n'as pas entendu ? » Je dis : « Tu parles d'un piano mécanique. » Il lance des graviers dans le vide, derrière nous, il est tourné de mon côté, il se demande où il en était. Il me dit : « Ah ! oui. Le piano de mon père. On l'avait laissé sous un tilleul, dans la cour. Avec la pluie, c'était terrible. J'ai gueulé, à la fin. C'était l'année dernière. Pin-Pon a rentré le piano dans la grange et quand il est sorti, il a regardé le tilleul comme s'il le remarquait pour la première fois.

Le même jour, il a pris la tronçonneuse et il l'a coupé Tu ne trouves pas ça drôle ? » Je bouge la tête pour dire non, pour dire oui, je ne sais pas. Je souris comme une idiote, ou je fais quelque chose, n'importe quoi. Oui, les graviers. Je ramasse des graviers moi aussi.

Quand je regarde Bou-Bou, longtemps, longtemps après que mon cœur s'arrête de cogner fort, il s'occupe des joueurs de boules, en plissant les yeux, il ne fait pas attention à moi. Le soleil nous tue. Il n'y a plus que de grandes ombres noires sur la place, le choc des boules dans mes oreilles, et mon cœur est dans ma gorge. Je dis : « Comment il est, ce piano ? » Sans me regarder, il dit : « Tu penses, avec toute la tisane qui lui est tombée dessus. » Je demande : « Il y a un M doré sur le devant ? » Là, il me regarde. « Comment tu le sais ? » Je ne réponds pas. Il dit, pour me donner une explication : « On s'appelle Montecciari. » Chaque mot bien net dans ma tête. Les ombres noires sur la place au soleil. Le vide à se tuer sur ma droite. Les collines de terre rouge très loin. Tout bien rangé. Je dis : « Et ton père, il est mort il y a longtemps ? » Il dit : « J'avais cinq ans. » Il en a dix-sept, donc son père est mort en 1964. Je calcule plus vite que n'importe qui sur la terre. Ça et mon cul, c'est tout ce que le Bon Dieu m'a donné. Je me lève. Je jette les graviers sur le sol un à un pour avoir l'air de quelque chose. Je dis, malgré mon cœur qui tape dans ma gorge : « Il avait quel âge quand il est mort ? » Le fils de salaud de pourriture de merde me répond : « Quarante-neuf, même pas cinquante. » Et je me dis : « Eh bien, voilà. Tu n'y croyais plus, ma pauvre petite Éliane, mais voilà. » Je me détourne pour qu'il ne voie

pas ma tête. Je ne sais pas comment je tiens sur mes
jambes.

Le soir, on va manger une pizza en ville, avec toute
une bande. Je ris. Je n'arrête plus de me donner des
conseils pour continuer d'avoir l'air. A un moment,
Georges Massigne me dit : « Tu es toute pâle. » Je
dis : « C'est la fatigue. » Bou-Bou n'est plus là, mais
c'est pareil, j'ai toujours son image devant mes yeux,
assis sur le mur de la place, au bord du vide. Il aurait
suffi, quand je me suis levée, que j'appuie mes deux
mains sur sa poitrine, il serait tombé à la renverse,
comme moi dans mes rêves. Il serait étendu tout cassé
sur un lit, à l'heure qu'il est. On bâtirait son cercueil.
Ils auraient tous, déjà, commencé de souffrir.

A minuit, Georges et moi, on quitte les autres
devant les vélomoteurs et les voitures. On fait deux
kilomètres dans la camionette et puis Georges s'arrête
dans un chemin et il veut qu'on aille à l'arrière. Je dis :
« Pas ce soir, j'ai pas envie. » Il râle mais il me ramène
à la maison.

L'autre gourde n'est pas couchée. Elle est assise
dans la cuisine, en train de me faire une robe, son joli
visage dans la lumière de la lampe. D'abord, je dis :
« Merde, tu m'emmerdes », parce qu'elle me demande
d'où je viens. Et puis, j'attrape la robe qui est en tissu
comme de la soie, blanche avec des motifs bleus et
turquoise et je déchire tout, le tissu, les coutures, elle,

moi, tout. Elle murmure des conneries en allemand de
sa voix si tranquille, si belle, elle se tient droite près de
la table, comme elle est toujours, les deux mains
jointes sur son ventre, les mêmes larmes au bord des
yeux que j'ai vues toute ma vie. Je crie : « Mais
merde ! Remue-toi ! Qu'est-ce qu'il faut que je fasse
pour que tu me flanques une trempe, une fois, une
seule fois ! Tu comprends pas ? J'ai envie que tu me
frappes, j'ai envie que tu me frappes, tu comprends
pas ? » Et elle, la pauvre courge, elle ne comprend pas
plus que d'habitude, elle reste là, comme une statue,
avec des larmes dans les yeux, à se demander qui je
suis et ce qui nous est arrivé. A la fin, je la fais asseoir.
Je dis : « Sois gentille, viens. Viens. » Et je me mets à
genoux par terre, entre ses jambes, contre elle. Je dis :
« Ma maman. Ma maman. » Et comme elle aura
toujours honte de le faire, elle, je défais les boutons de
son chemisier et l'agrafe de son soutien-gorge. J'aime
son odeur plus que tout. Je prends son sein droit dans
ma bouche et puis le gauche, et puis le droit, mais elle
ne me regarde pas, elle a les yeux dans le vide, elle
caresse mes cheveux avec un murmure très doux, et ça
y est, je suis un petit bébé, je suis un petit bébé qui tète
sa maman chérie.

Elle se lève toujours la première. Elle accompagne
toujours ma tête, pour que mon front repose sur la
chaise sans me faire mal. J'entends son pas qui
s'éloigne, qui monte les marches vers sa chambre. Je
ne pleure plus. Je me mets debout et je vais à l'évier,
j'ouvre le robinet pour me passer de l'eau sur la figure,
je me vois dans la glace au-dessus, avec des yeux
rouges, et cet air minable, les cheveux tout défaits,

moi. Je dis à moi, tout bas : « Ne te fais pas de souci. Je suis têtue. Je suis plus têtue que tout le monde ensemble. Je vais leur faire payer cher, tu verras. » Le robinet coule toujours. C'est de l'eau fraîche qui jaillit comme une seule colonne brillante et qui s'écrase en mille étincelles. Je dis à Elle, dans la glace : « Tu vas redevenir calme, tu vas réfléchir. Il faut que tu sois maligne. Nous avons tout notre temps. »

Je me réveille, je revois Bou-Bou sur le petit mur de Blumay, je reste immobile dans mon lit, je réfléchis. Une mouche vient tout près de mon œil, sur l'oreiller. Je lève un doigt et je la fais partir. Je pense à Pin-Pon. D'abord, c'est le plus âgé des trois. Trente ans, trente et un ? Mickey, lui, il était trop jeune quand c'est arrivé. Bou-Bou, n'en parlons pas, il n'était pas né. Le seul qui puisse me mener quelque part, c'est Pin-Pon. Il a de grandes mains fortes. C'est ce que je revois le mieux de lui.

Ma mère ouvre la porte de la chambre et elle dit : « Je vais te monter le café. » Je tends le bras pour qu'elle vienne, et elle s'approche, elle s'assoit près de moi. Elle ne m'embrasse pas. Elle regarde dans le vide. Je dis : « Quel jour c'était ? » Elle dit : « Quoi, quel jour ? » Mais elle sait bien de quoi je parle. Je dis : « Tu sais bien de quoi je parle. C'était en novembre 1955. » Elle murmure des trucs en allemand, l'air abattu, balançant la tête, et elle veut se lever. Je l'attrape par le poignet, je dis plus fort : « Quel jour c'était ? » Elle me supplie des yeux, elle a peur que le connard entende, de l'autre côté du couloir. Elle dit : « Je ne me souviens pas du jour. Vers le milieu du mois. C'était un samedi. » Je dis : « Je retrouverai un calendrier de 1955. » On reste comme ça toutes les deux et je prends sa main, mais elle continue de regarder dans le vide. Elle a mis son tablier bleu marine, elle doit faire le ménage chez Mme Larguier dans la matinée. Et puis, elle retire doucement sa main et elle s'en va.

Un moment après, je la rejoins dans la cuisine, dans **mon** peignoir éponge blanc qu'elle a commandé aux Trois Suisses, parce que sinon je lui aurais fait une maladie. Elle dit : « Je voulais monter ton café. » Je l'entoure de mes bras par-derrière, mignonne comme je sais faire, et je dis très bas : « Si je les attrape tous, et que je les punis, tu seras d'accord, n'est-ce pas ? » Elle est comme du bois tremblant entre mes bras. J'aime son odeur plus que tout. Quand j'avais douze ans, treize ans, je chipais sa combinaison et une de ses culottes dans le linge sale, je les mettais sur moi, la nuit, pour sentir elle. Je dis : « Tu seras d'accord, oui ou non ? » Elle fait oui avec la tête, sans se retourner, mais je la retourne, et elle n'ose pas me regarder dans les yeux. Je dis : « Tu as honte ? Tu n'as pas à avoir honte. » C'est une femme très belle, avec une peau douce et tiède, et de longs cheveux clairs qu'elle ramène sur la nuque et qui lui encadrent le visage comme une madone. Il n'y a que ses mains qui sont crevassées et dures, à cause des lavages, et qui disent qu'elle a quarante-huit ans. Je dis : « Le père des

Montecciari, avant qu'il meure, tu ne l'as jamais vu ? »
Elle est d'abord étonnée, elle secoue la tête pour
répondre non. Il y a plus de dix ans qu'il est mort et
moins d'un an qu'on habite le village. Et puis, elle
comprend, elle s'écarte de moi avec la crainte dans les
yeux. Elle dit d'une voix sourde : « Tu es folle ! Je
connais Mme Montecciari et ses trois garçons. Ce sont
de braves gens. » On reste là, toutes les deux, à se
regarder, je me dis que je dois me taire, faire tout par
moi-même ou elle m'en empêchera, et elle répète :
« Ce sont de braves gens. » Je dis : « Je n'ai accusé
personne. Tu n'as pas compris ce que je voulais dire. »
Il suffit toujours d'un mot, d'un mensonge, pour la
rassurer. Elle me regarde encore dans les yeux trois
secondes et puis elle se détourne, elle remplit de café
mon bol marqué *Elle,* au bord de la cuisinière. Elle met
un sucre et demi en cassant le deuxième sucre dans sa
main.

Le restant de la matinée, elle est partie. Je réfléchis à
la manière de me débrouiller. A un moment, je prends
mon bain dans la cuisine, et une mouche vient se poser
sur le bord de ma baignoire en tôle galvanisée, tout
près de mon œil. Je tends un doigt et elle s'en va,
rapide. Je pense à Pin-Pon, qui a de grosses mains
fortes.

Bon. Je prends le taille-rosiers dans une main, la
roue avant de mon vélo dans l'autre, et je me dis :

« Fais attention. Après, tu ne pourras plus revenir en arrière. » Je frappe un bon coup et rien que pour sortir l'instrument, c'est un massacre.

Ensuite, Elle va voir Pin-Pon au garage pour qu'il répare le vélo. Ensuite il l'emmène dans sa cour. Elle a mis sa jupe beige évasée, son polo bleu marine avec un petit dauphin cousu sur la poitrine. Elle a mis une de ses culottes blanches en dentelle pour qu'il la voie jusqu'en haut. Elle a les jambes déjà bien bronzées, et l'intérieur des cuisses si doux, il se trompe de chambre à air, il ne sait plus où il en est. Ensuite, à la fenêtre de sa chambre, elle enlève son polo et elle lui montre ses beaux seins nus, il est droit comme un soldat de plomb derrière la haie de ronces, et elle se demande si c'est un fils de salaud ou simplement un pauvre crétin qu'elle devrait laisser tranquille. Quand je faiblis, je me déteste, je me tuerais. Ensuite, il y a la route, le restaurant. Pin-Pon bouge tout le temps. Dans la DS d'Henri IV, quand on monte une côte, il pousse sur son volant comme s'il voulait aider la saleté de voiture.

A table, il gamberge tant qu'il peut, mais toujours dans le même sens. Ce n'est pas comme je le croyais : « Est-ce qu'elle se laissera tringler ou non ? » C'est autre chose. Je ne sais pas quoi. Ça me fait plaisir et ça me rend triste. En plus, il n'a pas le serre-billets en or, il garde simplement ses sous en vrac, dans une poche de son pantalon. Je me dis : « C'est Mickey qui en a hérité, ou Bou-Bou. A moins que la mère l'ait gardé dans une armoire, à cause de la valeur. » Je ne l'ai jamais vu, ce serre-billets, mais je suis sûre que si je le voyais, je le reconnaîtrais. C'est une pièce de vingt francs, un napoléon, monté sur deux cercles en or qui se referment comme un piège. Je crois que j'ai toujours eu peur de le voir.

Pin-Pon est brun, large d'épaules, avec des bras musclés. Il a une figure naïve, des yeux plus jeunes que son âge, j'aime bien sa manière de marcher. Ce qui me remue le plus, ce sont ses mains. Je les regarde pendant qu'il mange, je pense que dans une heure, ou même pas, elles vont me tenir, se crisper partout sur moi, je voudrais que ce soit répugnant et c'est le contraire. Je me déteste. Ou bien, alors, c'est l'effet du champagne. Je n'en ai pas bu beaucoup, mais je ne peux rien boire : ça me fait pleurer, ça me donne envie d'être une petite fille, je ne sais pas.

Dans la voiture, au retour, j'ai déjà pleuré toutes mes larmes. Je me dis qu'il va s'arrêter quelque part en route, abaisser le dossier des sièges et me le mettre soigné. Je me laisserai faire et puis, je prendrai une grosse pierre et je taperai sur sa tête et je taperai sur sa tête. Mais il ne fait rien de tout ça. C'est un brave Pin-Pon qui s'intéresse à Elle, qui essaie de comprendre ce qu'elle veut. Pauvre con. A un moment, il me cherche des poux pour la casquette rouge de Mickey. C'est un truc que m'a dit Martine Brochard, une fois, je ne sais même plus de quoi on parlait. Je réfléchis vite. Je lui dis que c'est l'an dernier que je l'ai vu avec cette casquette rouge sur la tête, que c'est lui qui n'a rien écouté au restaurant. Il avale tout. Je crois même que ça lui fait plaisir que je le prenne pour un con. Il n'a pas envie de me voir autrement qu'il m'imagine.

Et puis, on passe devant chez lui, mais il ne s'arrête pas, il faut que ce soit moi qui lui demande. Incroyable. Enfin, on traverse sa cour, en se tenant par la main, et je sens qu'il est embêté de m'emmener dans la maison, à cause de sa mère et de toute la sainte famille. On dit, lui et moi, en même temps : « Dans la grange. » A l'intérieur, c'est le noir. Il me dit : « Il y a une ampoule électrique, mais elle ne marche pas. » Un siècle. Et puis : « Ça vaut mieux d'ailleurs, qu'elle ne marche pas, parce que, quand elle marche, on ne peut plus l'arrêter. Il faut arracher les fils si on ne veut pas se ruiner. » Finalement, il me laisse là pour aller chercher une lampe à pétrole dans la maison.

Quand il revient, j'ai trouvé une échelle dans la clarté du dehors et un lit en haut, tout bancal et plein de poussière. Il me dit, en montant, que c'est le lit de mariage de sa tante. Dans le rond de sa lampe, pendant qu'il grimpe à l'échelle, je dois être comme un papillon au-dessus de lui, avec ma robe rose en corolle. Il a apporté une paire de draps blancs. Quand ils étaient petits, avec Mickey — c'est lui qui raconte —, ils venaient jouer dans la grange et le lit de la tante était censé représenter un bateau à roue, en Amérique. Il me dit : « En remontant le Mississippi, il a laissé deux pieds et pas mal de kapok dans la gueule des crocodiles. » Il se donne du mal pour tendre les draps, mais je reste sans bouger, les mains derrière le dos. La lampe à pétrole est posée sur une vieille chaise. Je peux voir en bas, près de la porte à double battant, la masse sombre du piano mécanique. Il me semble à la fois moins beau et plus grand, plus lourd que ma mère l'a décrit. Je ne veux plus le regarder, je veux oublier sa présence. J'ai envie que Pin-Pon me caresse et me prenne. Je suis si triste en dedans.

Pin-Pon s'assoit sur le lit et m'attire devant lui. Il a

les yeux levés vers moi, il y a beaucoup de gentillesse dans son regard. Il veut dire quelque chose et puis non, il ne le dit pas. Il passe ses mains sous ma robe. Je reste debout et je me laisse caresser. Il descend ma culotte et je soulève un pied, et puis l'autre, pour qu'il me l'enlève. Quand il met sa main entre mes jambes, il sait bien que j'ai envie. Alors il me fait basculer sur lui, sans que ses doigts me lâchent, il tire de l'autre main la fermeture de ma robe, il cherche mes seins. Celle-là est sur le ventre, par-dessus lui, le derrière nu comme pour la fessée, elle se voit comme ça, si excitante et sans défense, elle part une fois. Et tout le temps où elle est secouée, où elle a besoin de se plaindre et de gémir, je la regarde avec mon esprit immobile, ni dégoûtée ni méprisante, rien, et je lui dis : « Oh! qu'est-ce qu'on te fait, ma petite Éliane, qu'est-ce qu'on te fait? » Sans même me marrer, seulement comme ça, mécanique-ment, pour qu'elle aille au bout de son plaisir et qu'on n'en parle plus.

J'aspire l'air par la bouche. La grange sent le vieux bois, les vieilles plantes qu'on fait sécher. Pin-Pon dort à l'autre bout du lit, la tête tournée vers moi. Il ne ronfle pas beaucoup. Juste un peu. Il a des poils sur la poitrine. Il a de jolies lèvres, comme ses frères. Je suis nue sous le drap, comme lui, et j'ai mal derrière la tête. Ma mère n'a pas dû dormir, je la connais. L'autre connard, n'en parlons pas. J'ai envie de faire pipi et je me sens sale.

Je me lève doucement, sans réveiller Pin-Pon. Le jour tombe sur nous par une lucarne. La lampe est éteinte. Je descends l'échelle, toujours sans bruit. Maintenant, je le vois bien : c'est un piano mécanique pourri. Il a dû être vert, comme l'a dit ma mère, on le devine encore à des écailles de peinture. Mais il est tout noir et craquelé de partout d'être resté dehors. Sa grande manivelle a dû être dorée, mais elle est noire, elle aussi. On distingue le M gravé sur le couvercle. Un M fantaisie, avec des boucles de chaque côté, que je touche du bout des doigts.

Dehors, c'est un matin bleu. Mme Montecciari est immobile sur le seuil de sa cuisine, en tablier noir, et elle me regarde. On reste longtemps à se regarder, moi toute nue. Et puis, je sors dans la cour, en faisant attention aux cailloux sous mes pieds. J'ai un peu froid mais c'est agréable. Quand je me baisse pour faire pipi, au bout du mur en bois de la grange, Mme Montecciari se détourne brusquement et disparaît.

Un peu plus tard, je suis allongée près de Pin-Pon, et il se réveille en entendant le camion qui a du mal à démarer, dans la cour. Il dit : « C'est Mickey. Il va user toute la batterie avant de s'apercevoir qu'il a oublié de mettre le contact. C'est tous les jours pareil. » Un siècle après, le camion s'en va. Pin-Pon ne peut pas voir sa montre, qu'il a posée quelque part pendant la bataille, mais il dit : « Mickey emmène Bou-Bou au collège, il doit être huit heures, ou huit heures et quart, quelque chose comme ça. » Il m'embrasse l'épaule et il dit : « D'habitude, j'ouvre le garage à sept heures et demie. » Ensuite, il enfile son pantalon et il va chercher du café chez lui. Je me lève quand il est parti, je passe ma robe rose. Elle me fait honte, maintenant. Je roule ma culotte en boule dans mon petit sac, parce que je l'ai portée toute la soirée. Je n'aime pas remettre des affaires que j'ai portées même cinq minutes, sauf celles de ma mère, quand j'étais petite, mais elles étaient toujours trop propres, elles ne sentaient jamais assez son odeur.

Pin-Pon remonte avec un plateau, une seule tasse, et le café chaud. Il me dit que lui, il l'a déjà bu dans la cuisine. Je dis : « A quoi tu as pensé pendant que tu t'occupais du café ? » Il rit, il a le torse nu. Il dit : « J'ai pensé à toi, tiens. » Je dis : « Et qu'est-ce que tu penses ? » Il soulève les épaules, assis sur le lit. Il me regarde remplir ma tasse sur la chaise où il a posé la lampe. A la fin, il demande, d'une drôle de voix que j'entends à peine : « Tu reviendras, dis ? » J'ai envie de répondre qu'il faut voir, que je réfléchirai, mais à quoi ça sert ? Je dis : « Si toi, tu veux. » Je viens vers lui et, comme la nuit, il passe ses mains sous ma robe. Il est surpris de ne pas trouver de culotte. Il a envie de me prendre encore, je le vois dans ses yeux. Je dis non, qu'il est en retard. Il insiste mais j'écarte ses mains, je dis non. Ensuite, il enfile son tricot noir, il me ramène chez moi en DS. Je reste devant la cour pendant qu'il fait demi-tour au cimetière, et quand il repasse, qu'il me regarde, je reste immobile, je ne lève pas la main ni rien.

Ma mère est dans la cuisine, debout près de la porte, et dès que je pose les pieds à l'intérieur, j'en reçois une qui me projette contre les casseroles pendues au mur.

Il y a au moins trois ans qu'elle ne m'a pas touchée. Il faut dire aussi que c'est la première fois que je passe la nuit dehors. Le temps que je me remette d'aplomb, j'en reçois une autre, et puis une autre. Elle me frappe coup par coup, sans rien dire, je me protège des bras comme je peux, je l'entends respirer fort, et je tombe à genoux, et elle s'arrête. Je ne sais plus si c'est sa respiration ou la mienne. J'ai mal derrière la tête et le sang coule de mon nez. Je dis : « Pute. » Elle me frappe encore et je suis par terre sur le carrelage. Je dis : « Pute. » Elle va s'asseoir sur une chaise, sa poitrine se soulève à chaque respiration, et elle me fixe des yeux en se massant un poignet, elle a dû se faire mal. Je la regarde à travers mes cheveux, sans bouger, la joue sur le carrelage. Je dis : « Pute. »

Pin-Pon revient avec Elle trois nuits de suite dans la grange Il la déshabille, il lui écarte les jambes sur le lit de la tante, il fait entrer par secousses son sexe de cheval dans son ventre, il met une main sur sa bouche pour l'empêcher de crier. Voilà. Ensuite, il plane trois journées au-dessus de la terre, dans son garage. Il croit, comme Elle le lui dit, qu'elle n'a jamais connu de sensations pareilles, que c'est trop bon, qu'elle meurt. Chaque matin, je descends par l'échelle avant qu'il se réveille, je touche du bout des doigts le piano. Mme Montecciari est toujours au rendez-vous, qu'il soit six heures ou sept heures. Elle se tient sur le seuil de sa cuisine, dans son tablier noir ou dans son tablier bleu, elle me suit des yeux jusqu'au bout du mur de la grange, où je me baisse pour faire pipi. Alors, elle se retourne d'un coup et elle rentre dans sa cuisine.

Quand je reviens chez moi, ma mère ne me frappe plus. Elle est assise à la table, en train de recommencer la robe que j'ai déchirée. Elle me connaît bien, puisqu'elle m'aime. Elle a peur pour moi, mais elle sait comme je suis entêtée, que je peux aller à droite ou à gauche si l'on m'oblige à changer de route mais que j'arriverai quand même où j'ai voulu. Je n'ai jamais eu à le prouver comme maintenant. Il faudra que je retrouve les deux autres salauds. Je serai patiente. Ils auront ce qu'ils méritent. Leurs familles souffriront.

Je dis à ma mère : « Regarde-moi. » Mais elle ne veut pas. Elle pense qu'il y a longtemps et que j'aurais dû oublier. Je l'entoure de mes bras par-derrière, je pose ma joue contre son dos. Je dis : « Tu sais, je crois que je m'entends bien avec Pin-Pon. C'est uniquement pour ça que je vais avec lui. » Je ne sais pas si elle me croit. En haut, le connard m'a entendue rentrer. Ça fait un quart d'heure qu'il crie. Il veut sa soupe. Il veut qu'on le change de position. Il veut qu'on lui parle. N'importe quoi. Ils seront punis, oui, et leurs familles souffriront.

C'est comme ça jusqu'au vendredi. Le vendredi, au petit matin, on entend Mickey qui se marre, en bas, et qui frappe à coups de poing sur la porte de la grange. Il dit : « Écoute, quoi, elle ameute tout le village. » Il ne doit pas être seul, on le sent à son rire et à sa voix. Pin-Pon est sur Elle, le sexe dans son ventre, et il est redressé sur les bras. Il dit à son frère : « Merde !

Attends que je descende, tu vas voir ce que tu prends ! » On entend des rires, puis Mickey se tire et c'est le silence. Pin-Pon donne encore quelques coups de reins pour se finir, mais il n'y arrive plus. Il se laisse retomber sur le dos, à côté de moi, et il dit : « Merde, qu'est-ce que j'ai fait au Bon Dieu ? » Je lui dis que Mickey voulait rigoler. Il ne répond pas, il reste à râler contre ses frères, un bras sous sa tête.

Un peu plus tard, j'ai dormi. Il me dit : « Viens. C'est trop bête, à la fin. » Je ne demande rien, je passe ma jupe, mon polo, mes nu-pieds, je roule ma culotte en boule dans ma main et nous voilà partis. Il me fait traverser la cour. Il doit être sept heures, sept heures et demie. Dans la cuisine, ils sont tous là, Mickey, Bou-Bou, la mère et la tante Sourdingue. Pin-Pon dit : « Salut », comme un défi. Personne ne répond. Il me dit : « Toi, assieds-toi là. » Je suis à côté de Bou-Bou qui trempe une tartine dans son café sans me regarder. La mère Montecciari est debout près de la cuisinière. Le silence dure un million d'années. Pin-Pon met devant moi un bol de café. Il ouvre des placards. Il met devant moi du beure, du miel et des confitures. Il lance à Mickey : « Si tu as quelque chose à dire, vas-y. » Mickey ne le regarde pas, ne répond pas. Pin-Pon se tourne vers sa mère et il lui dit : « Et toi, tu as quelque chose à dire ? » Elle répond, en regardant ma main : « Qu'est-ce qu'elle a pris dans la grange ? » Je dis, fière : « Je n'ai rien pris. C'est ma culotte. » Je tends même le bras pour qu'elle la voie bien. Elle pince les lèvres et se retourne vers son fourneau. De dos, on l'entend dire : « Les claques qui se perdent ! »

Pin-Pon s'assoit à côté de moi avec son bol de café.

Il dit à sa mère : « Écoute, laisse-la tranquille. » Elle demande : « Elle va rester ici ? » Il dit : « Elle va rester ici. » Fin de l'épisode. Bou-Bou me jette un coup d'œil et il continue son déjeuner. Mickey dit : « Dans cinq minutes, il faut qu'on parte. » La tante me sourit comme si j'étais en visite, elle est complètement hors du coup. Pin-Pon me prépare une tartine de confitures. Il dit : « Je vais aller chez ses parents leur demander. »

Un quart d'heure après, quand il est debout devant ma mère, qui se tient sur le pas de notre porte, déjà lavée et habillée, il se balance d'un pied sur l'autre, il dit : « Madame Devigne, je ne sais pas comment vous expliquer. » Comme si la pauvre femme avait besoin qu'on lui explique. Je dis, autant pour lui que pour elle : « Je vais habiter chez les Montecciari. Je vais emporter mes affaires. Viens, Robert. » On monte à l'étage, tous les trois. Il m'aide à enlever les punaises qui tiennent mes photos sur les murs, et mon poster Marilyn. Ma chambre est toute blanche, entièrement arrangée par ma mère, et il dit : « Chez moi, tu n'auras pas ça. » J'embarque des robes et du linge dans deux valises. Ma mère a les sangs retournés, mais elle ne dit pas une parole.

Quand on sort de la maison, je dis : « Merde ! Ma baignoire. » Je vais la chercher dans le cellier. Je dis à Pin-pon : « Tu ne pourras pas porter tout. » Il répond : « Tu penses. » Et le voilà parti avec la baignoire en tôle galvanisée sur la tête et les deux valises dedans. Je dis à ma mère : « Je t'aime plus que tout. » Elle répond : « Oh non, oh non, sûrement pas. Moi, je t'aime plus que tout. Je pardonne à ceux qui

nous ont fait du mal, parce que tu es vivante, et je
remercie Dieu parce que je t'aime plus que tout. » Je
lui dis en tendant le bras, énervée : « Je serai là, au
bout du village. Tu sais où me trouver, non ? » Elle
secoue la tête, elle dit non.

Quand on descend la rue avec Pin-Pon, c'est un
poème. Tous. Ils sont tous sortis sur le pas de leur
porte, avec des figures enfarinées, soi-disant pour
profiter du bon air. Pin-Pon marche devant, avec ma
baignoire sur la tête, et mes valises dedans. Moi, je le
suis à un mètre, avec mon ours, mes photos, mon livre,
et mon poster Marilyn entouré d'un élastique. Quand
on passe devant les Pacaud, je dis assez fort pour qu'on
m'entende : « Tu te rends compte, il faut vraiment
qu'ils se les brisent, chez eux, pour être dehors à une
heure pareille. » Au garage, le patron de Pin-Pon est
devant la pompe à gasoil, et il dit : « Prends la
fourgonnette, ça ira plus vite. » Mais Pin-Pon dit :
« Ça va, ça va. J'arrive dans un quart d'heure. » La
Juliette, évidemment, est à sa fenêtre, mais elle se
contente de refermer sa robe de chambre sur ses gros
seins et de me suivre d'un œil noir. Peut-être que Pin-
Pon le lui a mis, une fois. Ou alors, elle pense que c'est
son mari qui me l'a mis, va savoir. J'ai presque envie
de m'arrêter et de lui dire que je ne suis pas passée
loin, un soir de cet hiver, mais c'est un brave homme,
Henri IV, et elle doit assez l'emmerder comme ça.

Le plus con, c'est Brochard. Et la plus conne, c'est la
femme de Brochard. Il demande à Pin-Pon : « Alors,
on déménage ? » Pin-Pon lui dit : « Comme tu vois. »
A ce moment, c'est elle qui sort du bistrot et qui
demande à Pin-Pon : « Alors, on déménage ? » Pin-

Pon répond : « Demandez à votre mari. » Et la courge se tourne vers son mari et elle lui dit d'un air mauvais : « Pourquoi ? Qu'est-ce que tu as à voir, toi, là-dedans ? » Je vous jure, dans ce village, quand on veut entendre parler pour rien dire, pas la peine d'allumer la télé.

Chez les Montecciari, la mère est folle de rage mais personne n'ouvre la bouche. On monte à l'étage et Pin-Pon balance les deux valises sur son lit et la baignoire dans un coin de la chambre. Il y a un papier minable aux murs, les meubles datent d'avant Jésus-Christ, mais c'est propre. Je ferme la porte derrière moi, pour bien montrer à la mère qui nous a suivis dans le couloir qu'elle ne fera pas la loi plus loin. Pin-Pon dit : « Bon, je te laisse t'installer. Il faut que j'aille au garage. » Je demande : « Je peux mettre mes photos aux murs, et mon poster ? » J'ai l'air tellement gentille avec ma voix sans accent et mon ours dans les bras, il rit, soulève ma robe avec les mains pour me palper les fesses. Il dit : « Tu peux faire tout ce que tu veux. Tu es chez toi. » Je sens qu'il hésite à partir, que quelque chose le chiffonne, et puis il se décide, avec quatorze arrêts-buffet avant d'arriver au bout : « Seulement, tu vois, quand tu es avec moi, ça me plaît, bien sûr, que tu n'aies pas de culotte, mais que tu traverses le village comme ça, on ne sait jamais, on pourrait te voir, ça me dérange. » Je dis que je n'ai guère eu le temps d'en mettre une propre, de culotte. Il reste planté là, l'air embêté. Je dis : « D'accord, je vais le faire tout de suite. » Il est heureux, il sourit, et quand il sourit, il paraît plus jeune que trente ans, il me remue, et je regrette qu'il soit le fils de salaud de son père. Alors, je me déteste aussitôt et je me dis : « Attends, si ça le dérange, il n'a pas fini d'en baver avec tes fesses à l'air. » Mais je lui souris quand même, une vraie enfant de la paroisse, et je serre bien fort mon ours contre moi.

Le restant de la matinée, je punaise mes photos, je libère un tiroir de la commode et un côté de l'armoire à glace pour ranger mes affaires. Je ne trouve pas le serre-billets en or dans le linge de Pin-Pon, ni ailleurs. Je lis des lettres sans importance. Des copains de régiment. Des filles. Une nommée Marthe, surtout, qui est institutrice dans l'Isère. Ils ont couché ensemble et elle parle avec des phrases de cinquante wagons plus une voiture de queue du souvenir qu'elle en a. Pour lui faire comprendre qu'elle se touche en pensant à lui, elle délire sur tout un bloc de l'Éducation Nationale, et au moins quatre fois, parce que l'enveloppe était trop lourde, c'est Pin-Pon qui a dû payer la surtaxe. Dans une lettre, elle lui dit que ça commence à bien faire et qu'elle ne lui écrira plus. Ensuite, c'est un torrent. Je n'ai même pas le courage d'enlever la ficelle du deuxième paquet. Je place ma coupe « Miss Camping-Caravaning » sur la commode et me voilà descendue.

Dans la cuisine, la mère et la tante écossent des petits pois. Je dis : « Je voudrais de l'eau chaude pour ma baignoire. » Silence. Je m'attends à ce que la mère me réponde que tout le monde, ici, se lave à l'évier pour les mariages et les premières communions, mais pas du tout. Elle se lève de sa chaise sans un soupir, sans me regarder, elle attrape une bassine et elle me la donne. Elle dit : « Débrouille-toi. » Je fais chauffer de l'eau sur la cuisinière. J'ai du mal à soulever la bassine pleine. Elle s'en rend compte sans même tourner la tête et elle dit : « Tu n'as pas fini d'en faire, des voyages, pour remplir ta baignoire. » Je réponds que chez moi, je prends mon bain dans la cuisine, mais qu'ici j'ai peur de gêner. Elle hausse les épaules. Je reste sans bouger le restant de ma vie. Alors, elle dit : « Ce qui me gênerait le plus, c'est que tu mettes de l'eau partout dans la chambre. Je pourrais plus ravoir mon parquet. »

Je descend donc ma baignoire, en tapant dans tous les murs parce que l'escalier est étroit, et je la remplis devant la cuisinière. Quand on ouvre un robinet dans cette maison, tous les murs tremblent. A la quatrième bassine, la bourrique dit : « Encore heureux qu'on la paie pas, l'eau de la source. » Toujours sans tourner la tête, en écossant ses petits pois. Et puis, je me déshabille, et c'est la tante Sourdingue qui tombe de la lune : « Dieu du Ciel, elle va se laver devant nous ? » Et elle déplace sa chaise pour ne pas me voir. La mère, par contre, m'inspecte des pieds à la tête quand je suis nue. Elle hausse les épaules et revient à ses légumes, mais elle dit : « Ça, on ne peut pas nier, tu es faite comme une diablesse. » Ensuite, plus un mot.

En sortant pour porter les cosses de petits pois aux lapins, elle referme la porte de la cuisine, par habitude ou pour que je ne prenne pas froid, va savoir. Elle revient, elle monte à l'étage et elle me ramène une serviette-éponge. Je dis : « J'en ai à moi, dans la chambre. » Elle répond : « Puisque de toute manière c'est moi qui ferai la lessive. » Et pendant que je me sèche, debout dans la baignoire : « Ta mère, c'est une

brave femme. Mais elle ne t'a pas faite bien courageuse. Il n'y a qu'à voir tes mains. » Elle me regarde
dans les yeux, les siens sont tout plissés autour, mais
pas vraiment méchants, froids. Je dis : « Ma mère m'a
faite comme elle a pu. Mais elle ne vous aimerait pas
de me parler tout le temps comme ça. Elle vous dirait
que si vous ne me vouliez pas chez vous, c'était pas la
peine que votre fils vienne me chercher. » Elle ne
répond pas pendant les quatre heures que je mets à
sortir de la baignoire et à m'essuyer les pieds. Et puis,
elle dit : « C'est pas pour longtemps, va. »

Elle prend la bassine et elle s'en sert pour vider l'eau
dans l'évier. Moi, je ravale ce que j'ai envie de lui
répondre, je ramasse mes affaires et je monte dans la
chambre. Je passe le restant de ma vie sur le lit, les
yeux au plafond, à la traiter dans ma tête de vieille
peau. Avant qu'elle puisse se débarrasser de moi, c'est
décidé, elle va me la payer, la robe de mariée.
Démente, des dentelles partout. Je la lui ferai laver
avec ses larmes.

L'après-midi, vers cinq heures, je suis dehors, assise
près de la source à regarder un *Marie-Claire* d'avant
ma naissance, et je mange du pain et du chocolat. La
vieille peau s'en va dans son manteau noir. Elle me
crie, de loin : « Je vais porter des œufs à ta mère. Tu as
quelque chose à lui dire ? » Je fais non en secouant mes
cheveux. J'attends cinq minutes, pour être sûre qu'elle
est bien partie, et je rentre. Je sais que ma mère lui
offrira le café, qu'elle insistera comme une perdue pour
payer les œufs, qu'elle voudra lui faire rapporter une
connerie que j'ai oubliée, des mouchoirs ou mon bol
marqué *Elle,* ou la médaille de mon baptême, va

savoir. En tout cas, Mme la Directrice n'est pas près de revenir. Dans la cuisine, la tante s'est endormie, les yeux ouverts, les mains croisées sur le ventre. Je monte à l'étage.

La première chambre dont je pousse la porte, c'est justement celle de la mère Pisse-froid, avec un énorme lit à édredon que si tu en tombes, tu te tues. Il y a le portrait du défunt sur un mur, dans un cadre ovale. On l'a photographié debout sur le seuil de la cuisine, avec des moustaches à la gauloise et un fusil en bandoulière. Il a l'air très fort, bel homme, mais on ne peut lui donner d'âge. J'ai envie de lui cracher dessus. J'ouvre tous les tiroirs en faisant attention à ne rien déranger. Elle n'a pas gardé les vêtements de son mari quand il est mort. Le serre-billets n'est nulle part. Il y a des papiers, des photos d'eux tous dans une grande boîte en haut de l'armoire, mais je ne peux pas tout regarder pour cette fois.

Ensuite, je vais dans la chambre de la tante, qui est plus désordre. Je ne trouve rien non plus, sauf qu'il y a un vieux poêle en faïence et que je jette un coup d'œil dedans. Glissé entre la paroi du fond et une plaque, exactement au même endroit que chez nous, je sens du papier sous mes doigts. Ce n'est pas une enveloppe comme celle où ma mère range ses économies et sur laquelle tout est inscrit, même l'heure du jour-du-mois-de-l'année où elle a pris trois francs pour acheter le stylo-bille qui lui sert à l'inscrire. C'est un de ces portefeuilles en carton bleu qu'on fabrique, quand on est gosse, avec le fond des boîtes à sucre. Je n'ai jamais vu tant d'argent à la fois. Il y a huit mille francs à l'intérieur, en billets de cinq cents tout neufs. Je remets tout en place. Je vais dans la chambre de Mickey, puis dans le cagibi au bout du couloir où dort Bou-Bou. Ils n'ont pas le serre-billets en or, eux non plus, à moins que l'un des deux le garde sur lui. Dans un tiroir, chez Bou-Bou, il y a une photo de moi, découpée dans le journal, quand j'ai gagné le concours à Saint-Étienne-de-Tinée. Je m'embrasse et je remets les choses où elles étaient.

Quand je redescends, la tante tourne les yeux et me dit : « Tu es une bonne petite. » Je ne sais pas pourquoi. Elle me demande : « Tu as mangé du chocolat, tout à l'heure ? C'est ma sœur qui te l'a donné ? » Je fais oui de la tête. Elle dit : « Je savais bien que tu n'es pas une voleuse. » Et elle se rendort.

Ensuite, je vais à la cave, juste pour visiter. Ça sent la vinasse et j'entends des bêtes qui courent se cacher. Il n'y a rien à voir. Quand ma future belle-mère revient, je suis assise bien sage à la table de la cuisine, les joues dans mes mains, je regarde les informations régionales à la télé. Elle pose devant moi mon bol marqué *Elle,* ma boîte d'ampoules Activarol que je dois prendre avant les repas et, bien sûr, mes lunettes, que je mets jamais. Elle me dit : « Je me demandais aussi pourquoi tu as toujours l'air de vouloir sentir avec ton nez, quand tu regardes quelque chose. » Elle ne me parle pas de sa conversation avec ma mère, mais je m'en fiche. Pour ce que ma maman peut raconter de moi à des étrangers, je suis bien tranquille.

Ensuite, c'est le premier dimanche, le second, le troisième, pendant mille ans. On est en juin. Toute la sainte journée, dans la semaine, Pin-Pon et ses frères sont partis. Je descends le matin avec ma grande serviette-éponge marquée « Elle » et mon bikini rose, je m'allonge au soleil, près de la source, avec des magazines de grand-mère piqués dans la grange, et mon flacon pour brunir et mes cigarettes mentholées. Je ne fume pour ainsi dire jamais, sauf pour emmerder le monde, et je sais que ça emmerde la mère Ronchon. Elle trimbale son linge pour l'étendre et elle me dit : « Où tu te crois, sur la plage du *Negresco* ? Tu as fait ton lit, au moins ? » Quand elle ne me voit pas, j'enlève mon soutien-gorge. Mais peut-être qu'elle a toujours un œil sur moi, va savoir. Ce n'est pas qu'elle me gêne, bien sûr, mais je n'ai pas envie pour le moment qu'elle fasse des réflexions à Pin-Pon.

Vers une heure, il vient manger un morceau en vitesse, on n'a guère l'occasion de se parler. Ensuite, tout l'après-midi, je traîne. Je fais des réussites sur le lit de notre chambre. Je change trois fois de robe en me regardant dans l'armoire à glace. Je recolle mes faux ongles et je les vernis. Je pense à des gens que j'ai connus. Mlle Dieu, ma maîtresse d'école du Brusquet, le village au-dessus d'Arrame. Elle disait que les filles qui se rongent les ongles, c'est qu'elles se touchent dans leur lit. Elle disait ça pour me faire honte devant toute la classe. Je lui répondais qu'avec sa tête, elle devait se toucher encore plus. Pan ! Une beigne. Elle était folle de moi, voilà la vérité. J'étais la plus belle de toutes. Tout le monde le disait. A quatorze ans, et même avant, j'avais déjà tout ce qu'il faut, on peut me croire. Et un jour, qu'est-ce qu'elle a fait ? Elle m'a gardée en punition après la classe et elle m'a suppliée à genoux. Oui, à genoux. Et moi, qu'est-ce que j'ai fait ? Je lui ai jeté mon encre Waterman à la figure. Son visage, sa robe, tout, c'était un désastre. J'étais la seule à avoir de l'encre. C'est mon père qui m'avait offert un stylo pour que j'apprenne mieux. Un vrai con. En fin de compte, je suis allée chez elle, un soir, soi-disant pour lui rapporter mes livres, après qu'ils m'aient donné la dispense parce qu'ils n'en pouvaient plus de me garder. Elle tremblait des pieds à la tête. Elle avait au moins vingt-six ans et probablement même pas l'expérience de la plus tarte des petites salopes à qui elle faisait la classe. Elle a vu du pays, avec moi. Quel cirque. Je lui aurais demandé de ramper, elle m'aurait dit merci.

Ou alors, bien sûr, je pense à l'autre connard. A cause du stylo ou de n'importe quoi. Je m'arrête net dans ce que je suis en train de faire et je me retrouve comme ça, immobile, une heure après. Quand il marchait dans la prairie à côté de moi, par exemple, et qu'il me tenait la main et que j'étais toute petite. Cinq ans peut-être. Je ne me rappelle rien de ce jour, ni des autres avec lui, sauf qu'on marche dans la prairie et que je suis contente et qu'il y a des fleurs jaunes partout. Quand je me retrouve comme ça, ma brosse à cheveux à la main, immobile devant la glace de la chambre, je dis bien une heure après, il faut que je sorte, j'en ai marre. Des fois, je vais chercher Martine Brochard et on descend toutes les deux à la rivière, on se fait bronzer intégral. Ou bien je traverse le village jusqu'à notre maison mais je n'entre même pas. Je me demande si mon andouille de mère est à l'intérieur et ce qu'elle fait, puis je repars.

Une autre fois, je m'arrête au garage et je m'avance jusqu'au seuil de l'atelier. Pin-Pon travaille avec Henri IV sur un tracteur en morceaux. Ils sont pleins de graisse et tout transpirants. Henri IV se retourne pour voir qui arrive et je dis : « Je voudrais parler à Robert. » Il dit tranquillement, comme si j'étais là depuis la veille : « Qui c'est Robert ? » Je désigne Pin-Pon, qui ne s'appelle pas Robert. Je l'ai lu sur ses lettres, et sa mère, devant moi, l'appelle Florimond. Henri IV soupire et il se penche sur son moteur. Il dit : « Ça va bien pour cette fois, mais pense qu'il me coûte cher de l'heure, ton Robert. »

Pin-Pon me rejoint dehors et me dit : « C'est vrai, quoi. Il ne faut pas que tu viennes pendant les heures de travail. » Je reste à regarder mes pieds, comme si je retenais mes larmes, douce comme le miel. Il dit : « Eh bien, parle, qu'est-ce qu'il y a ? » Je réponds sans lever les yeux : « Je voulais t'écrire une lettre, et te la laisser, pour ne pas te déranger. Mais je fais des fautes, j'avais peur que tu ries de moi. » On reste comme ça jusqu'à nos noces d'or, et puis il dit : « Moi aussi, je fais des fautes. Qu'est-ce que tu aurais mis dans cette lettre ? » Pas une voix énervée, au contraire. C'est dommage qu'il soit le fils de son ordure de père, Pin-Pon, et que son ordure de père soit né pour me faire souffrir, et que je sois née pour les faire tous souffrir encore plus. Je réponds : « Ta mère me dit que je ne vais pas faire long feu avec toi. Tout le monde me le dit. En plus, on parle mal de mes parents, au village, comme si j'étais

devenue je ne sais quoi. Voilà. » Il met ses mains dans
ses poches, il fait trois tours en disant : « Merde !
Merde ! Merde ! » Et puis : « Qui parle mal de tes
parents ? Je lui fais vite passer le goût du pain, à celui-
là. » Je réponds : « Les gens. »

Il a tout son sang qui bout de me voir comme ça,
malheureuse devant lui, il n'ose même pas me toucher
à cause de la graisse qu'il a sur les mains, et il dit
« Écoute, je ne suis pas comme les autres que tu as
connus. » Cette fois, les larmes me viennent facile au
bord des paupières. Je réponds : « Justement. » Je fais
demi-tour, je marche sur le bord de la route et il me
rejoint. Graisse ou pas, il m'attrape par le bras, il dit :
« Ne t'en va pas comme ça. » Je reste où je suis. Il dit :
« Je ne sais pas encore ce qu'on va devenir, tous les
deux. Mais moi, je suis bien avec toi. Je les emmerde
tous. » Je le regarde dans les yeux et puis je l'embrasse
sur la joue, juste un bec de petite fille. Je fais signe avec
la tête que je le crois et je m'en vais. Je l'entends
derrière mon dos qui dit : « Je rentrerai tôt. » Au
moins, je sais ce qui m'attend : exactement comme
tous les soirs.

Quand il revient à la maison, le soir, tout ce qu'il
veut, c'est me retrouver au plus vite dans la chambre.
Les premiers temps, il me fait voir le plafond avant le
dîner, après le dîner, et encore le matin avant de
partir. Et toute la saleté de journée, au garage — c'est
lui qui raconte —, il ne pense qu'à me le faire voir
encore. La chambre de sa mère est à côté de la nôtre, et
la nuit, quand je crie, elle tape au mur. Une fois, c'est
Mickey qui sort dans le couloir et qui vient frapper à
notre porte, et il dit derrière : « C'est pas possible, on

peut plus dormir ! » Pin-Pon me met la main sur la bouche dès que ça vient, mais il sent qu'il m'étouffe, et de toute manière, il marque midi encore plus quand je crie. Le moment où je l'aime le mieux, Pin-Pon, enfin où je l'aimerais presque, c'est quand il est en moi et qu'il meurt. Et aussi quand je me déshabille et qu'il est impatient et qu'il me touche partout comme s'il avait peur de ne pas avoir assez de ses deux mains.

Je me rappelle très bien ce que m'a dit la vieille peau. Je sais que ça ne durera pas, qu'au bout de quelque temps, il va se calmer comme tout le monde, mais pour l'instant, je le tiens de cette façon. Je me mets sur le dos, sur le ventre, à quatre pattes. La copine à côté frappe au mur comme une enragée. Et puis, à mon heure, j'y vais d'un bon coup de scie, rien que pour voir. Exemple : un samedi soir, le troisième chez eux. Je vais au ciné *Le Royal* en ville, avec Mickey, la Georgette de Mickey, Bou-Bou et une vacancière que je trouve tarte, et lui, Pin-Pon, il est debout au fond de la salle pendant la première partie, avec sa vareuse et son casque de pompier. A l'entracte, je le rejoins et je lui dis : « C'est la dernière fois que tu fais le clown quand je suis là. Je veux que tu restes près de moi et que tu me touches pendant le film si j'ai envie. » Je crois que les yeux vont lui sortir de la tête. Il regarde comme un dingue autour de lui, de peur que les gens m'aient entendue, et je dis : « Tu veux que je répète plus fort pour que tout le monde entende ? » Il fait non de la tête, non, et il se tire en quatrième vitesse, avec sa saleté de casque à la main.

Au retour dans la chambre, il me dit : « Il faut que tu me comprennes. » Toutes les pourritures de bons-

hommes veulent qu'on les comprenne. « Je rends
service aux gens. Quand il y a le feu ou un accident, je
ne fais pas le clown, je rends service. En plus, ce n'est
pas par intérêt, je touche quatre ronds. » Je ne réponds
même pas. Il me fait asseoir près de lui, sur le lit. Il me
dit : « Demande-moi ce que tu veux, mais pas ça. Pas
d'abandonner le métier. Je ne peux pas. » Je le laisse
mariner jusqu'à la fin du monde, et puis je dis en me
relevant : « Je t'ai demandé de te faire remplacer par
un autre, le samedi soir, et de rester avec moi, rien de
plus. Ou bien alors, c'est moi qui te remplacerai par
un autre. » Je le vois dans l'armoire à glace, et lui
aussi, il me voit. Il baisse la tête, il murmure :
« D'accord. » Je reviens vers lui. Je reste debout entre
ses jambes. Je défais le haut de ma robe pour qu'il
l'embrasse comme Elle aime. Ensuite, il la prend sur le
lit plus fort que les autres nuits, et ça tape au mur à
réveiller la tante.

C'est le lendemain, je crois, ce troisième dimanche
de juin, que je n'en peux plus de me faire suer toute la
semaine et que je coule à pic une fois encore. D'abord,
je laisse dormir Pin-Pon, je descends en peignoir
éponge dans la cour. Il y a des jeunes au portail qui
discutent avec la mère la Douleur. Je l'entends dire,
avec une voix qu'elle aurait si elle avait le téléphone :
« Il faut demander à mon fils, c'est le chef de famille. »
Ils sont deux garçons et deux filles avec une Volkswagen blanche couverte de conneries adhésives, plus un
canoë sur le toit. Un moment après, ils sont partis. La
mère me dit : « C'est des campeurs. » Quand elle est
rentrée dans sa cuisine, j'essaie de faire marcher la
douche qu'ils ont installée entre la source et la grange,

et l'eau froide éclabousse d'un coup mon peignoir et mes cheveux. A une fenêtre, Bou-Bou et Mickey me regardent. Mickey se marre. Je sais ce que Celle-là devrait faire, à ce moment, je le sais bien. Mais c'est encore trop tôt. Ou autre chose. Ma photo découpée dans un journal, va savoir. Le cafard me prend, je laisse tout en rade, je remonte dans la chambre. Pin-Pon se réveille pendant que je m'habille et dit : « Qu'est-ce que tu fais ? » Je réponds : « Je vais voir ma mère. » Il dit : « Mais on va déjeuner chez elle. » Je dis : « Eh bien, tu me rejoindras. Moi, je vais la voir tout de suite. »

Quand j'arrive chez nous, j'ai fait vinaigre, mon cœur bat la chamade. Elle est en haut avec l'autre connard, elle doit le raser ou le changer de linge, et je crie au plafond : « Tu descends, oui ? J'ai besoin de te voir ! » Elle descend tout de suite. Je pleure contre le mur, le front sur mon bras. Lui, dans sa chambre, il hurle comme un fou. Elle me prend doucement par les épaules, elle m'emmène au cellier comme elle faisait autrefois, quand on voulait parler tranquille. Je dis en pleurant : « Tu comprends, dis ? Tu comprends ? » Elle murmure d'une voix triste : « Mais oui. Tu veux te faire plus mauvaise que tu es. C'est ton malheur. » Elle s'assoit sur les marches, elle aide mes doigts qui s'énervent à défaire les boutons de sa robe, je sens son odeur, j'ai son sein tiède dans ma bouche, je suis dans les bras de ma maman chérie, de ma maman chérie.

Dans l'après-midi, ce dimanche-là ou un autre, Pin-Pon nous emmène en balade dans la DS de son patron. Il y a Mickey, sa Georgette et moi. Mickey devait faire une course cycliste, mais la dernière fois, il a frappé un commissaire avec sa tête, pour une histoire de numéro qu'il avait mal accroché dans son dos, et il est suspendu pour deux semaines. Évidemment, c'est le commissaire qui avait tort. Tout juste s'il n'a pas envoyé sa figure contre la pauvre tête de Mickey.

On s'arrête un moment devant le lac qui recouvre Arrame, le village où je suis née. Ils l'ont englouti pour faire le barrage. Ils ont tout fait sauter à la dynamite, sauf l'église, par respect ou va savoir, et ils ont lâché les eaux. On en a parlé à la télé. Maintenant, c'est calme, et il y a même des gens qui se baignent. Pin-Pon dit que c'est défendu mais qu'on n'y peut rien. Il dit qu'il y a des jours, quand le soleil tombe sur le lac en oblique, on voit l'église au fond. Pas le clocher, il a été emporté. Juste les murs. Ensuite, Georgette se rend compte, en me regardant, que j'ai le cœur dans la gorge, elle m'emmène en me prenant par la taille et elle dit aux autres : « Venez. C'est pas tellement marrant, ce truc. »

On continue vers un village qui s'appelle Douvet-sur-Bonnette. J'ai mis ma robe à grosses fleurs bleues et à col russe, j'ai mes cheveux superbes, mais je ne sais pas, je me sens moche, je me traîne, il y a des années comme ça. Pin-Pon, lui, est fier comme un soleil de me promener au milieu des touristes, avec un bras passé autour de ma taille pour remplacer celui de Georgette et des doigts qu'il égare plus bas pour bien

montrer aux autres bonshommes à qui ça appartient.
Quant on a fait quatorze fois le tour du monument aux
morts et appris tous les noms par cœur, Mickey parie
un franc le point avec deux vacanciers qu'il connaît de
l'année dernière et il embarque Pin-Pon pour une
partie de boules. Je passe le restant de ma vie avec
Georgette devant un vittel-menthe. Elle essaie, bien
sûr, de me faire parler — si je vais me marier avec Pin-
Pon et tout ça — mais je savais avant d'avoir ma
première dent qu'il ne faut rien dire aux filles, sauf si
tu veux économiser une petite annonce dans le journal.
Elle me demande aussi comment ça se passe chez les
Montecciari, si ce n'est pas gênant de vivre sous le
même toit que des garçons, moi qui n'ai pas de frère, et
des choses hypocrites du même genre pour savoir si
son Mickey a l'occasion de me voir à poil et de faire la
comparaison avec elle. La meilleure façon de l'emmerder, c'est de la laisser imaginer ce qu'elle veut, et c'est
ce que je fais.

Le soir, après le dîner à la maison, on joue tous les
quatre au rami avec la tante Sourdingue, et je gagne
vingt francs, la tante soixante. Pendant que Pin-Pon et
Mickey ramènent Georgette en ville, je dis à la mère,
qui est seule avec moi dans la cuisine, en train de
repriser des chaussettes ou autre chose : « Il l'a
toujours eu, votre mari, le piano mécanique qui est
dans la grange ? » Elle répond : « Il l'a ramené
d'Italie. A pied, si tu veux le savoir. » Je dis :
« Pourquoi ? » Elle abaisse ses lunettes sur son nez
pour me regarder. Elle met des lunettes quand elle
reprise. Au bout de quatre heures, elle répond :
« Pourquoi quoi ? C'était son piano qui le faisait vivre.

Il s'arrêtait dans les villages et les gens lui donnaient des sous. » Encore quatre heures sans cesser de me fixer des yeux, comme si j'étais un hanneton, et elle dit : « En quoi il t'intéresse tellement, ce piano ? Depuis le premier matin où je t'ai vue le regarder dans la grange, tu tournes autour, tu poses des questions à Mickey, tu m'en poses à moi. » Je me rebiffe, inno-cente : « Moi, j'ai posé des questions à Mickey ? » Elle répond aussi sec : « Tu lui as demandé si le piano était tout le temps resté chez nous, si on ne l'avait pas sorti quand il était petit. Ne me fais pas croire que mon Mickey est un menteur. »

Je vire sur l'aile en vitesse, je dis : « Ah ! Ça ? C'est vrai que je lui ai demandé. » Quatre heures encore, minute par minute, elle fixe les yeux sur moi par-dessus ses lunettes. A la fin, ça tombe d'une voix beaucoup plus basse, beaucoup plus entre toi et moi : « Pourquoi ? » Je dis : « Il me semble que j'ai vu un piano pareil à Arrame, quand j'avais deux ou trois ans. » Elle répond avant que j'aie fini : « Arrame, c'est loin. Il n'est sûrement jamais allé jusque-là. En plus, la dernière fois qu'il est sorti de notre cour, tu n'étais même pas née. » J'ai le cœur qui bat, mais je dis quand même : « Vous vous trompez peut-être. Il est sorti quand ? » C'est terrible, ses yeux sur moi. J'en arrive presque à croire qu'elle sait tout, depuis long-temps. Ça existe, les bonshommes qui racontent leurs saloperies à leur femme. Mais non. Elle répète : « Tu n'étais pas née. Mon mari l'a emmené en ville, pour le mettre au mont-de-piété, mais ils n'ont pas voulu le prendre. Alors, on l'a gardé » Je voudrais lui deman-der plus, mais je sais que je ne dois pas. Elle est attentive et pas bête. Elle finirait pas se méfier pour de bon. Je dis : « Alors, je me suis trompée. Ce n'est pas un crime. » Je ramasse les cartes sur la table et je fais une réussite. Elle reprend sa couture un moment, et puis, je l'entends dire : « Qu'est-ce que tu veux, c'est pas le fils de Rothschild que tu as choisi. On y allait plus souvent qu'à notre tour, au mont-de-piété. Ça oui. »

Bref, Pin-Pon et Mickey reviennent, avec Bou-Bou qu'ils ont ramassé en route et qui me dit à peine bonsoir. Mickey, lui, est partant pour une belote, mais Pin-Pon dit non, que demain tout le monde se lève. La vérité, c'est qu'il lui tarde d'être dans la chambre et de me faire voir du pays. Après la bataille, on est dans le lit, tous les deux, les draps rejetés parce qu'on a chaud, et je demande : « Qui l'a ramené, le piano mécanique, quand ton père a voulu le mettre au clou ? » Pin-Pon dit en riant : « Comment tu sais ça ? » Je dis : « C'est ta mère qui m'a raconté. » J'attends le reste de ma vie, et puis il dit : « Je ne me rappelle pas. Il faut le demander à elle. C'était un camionneur, un ami de mon père. J'étais petit, tu sais. » Il avait juste dix ans, il est né en novembre. Je prends mon livre et je fais semblant de lire. Il me dit : « Ils ont bu du vin et rigolé dans la cuisine, c'est tout ce que je revois. »

Je regarde les lignes de mon livre Marilyn. Je regarde les lignes. Pin-pon dit : « Il y avait de la neige. Pourquoi tu demandes ça ? » Je soulève une épaule pour dire que je m'en fiche, je regarde mon livre Marilyn. Une fois, j'étais dehors, sur les escaliers de notre maison, à Arrame, avec mon papa. J'étais sur les escaliers. Je crois qu'il me faisait jouer avec un

bouchon de bouteille. Je voudrais aller plus loin.
J'étais sur les escaliers. Un bouchon, oui, avec une
ficelle. J'essayais de l'attraper. Mon papa tirait la
ficelle. Sur la pierre des escaliers. Tout très précis. Pin-
Pon dit : « Qu'est-ce que tu as ? » Je réponds : « Je ne
sais pas. J'ai envie de vomir. » Il dit, en se redressant
dans le lit : « Tu veux quelque chose ? » Je dis :
« Non. C'est passé. » Il me regarde, son visage inquiet
au-dessus du mien. Moi, je regarde mon livre, toutes
ces lignes.

Les mercredis après-midi, Bou-Bou ne va pas au
collège, il traîne dans la cour. Une fois, après le
dimanche du barrage, j'entre dans la grange sans le
regarder. Il me suit jusqu'au piano. Il me dit : « Il faut
te faire soigner. Tu n'es pas normale. » Je ris. Je dis :
« Ah, bon. » Il me dit : « On a trouvé le chat de
Mme Buygues assommé dans un champ, la semaine
dernière. Et ce matin, celui des Merriot. C'est toi qui
les tues. » Je le regarde. Il ne plaisante pas. Il est long
comme un arbre et très beau. Il me dit : « Je t'ai
observée bien avant Pin-Pon. » Je ris. Je dis que je le
sais. On reste devant le piano de son fumier de père,
lui derrière moi. Il dit : « Tu ne sais rien du tout. Tu
n'as pas de cœur. Ou alors, tu l'as enterré si profond
qu'on ne peut plus le toucher. » Je réponds, en me
retournant, brusque ; « Dis donc, Ducon, de quoi tu
parles ? Qu'est-ce que tu en sais, toi ? D'abord, je n'ai

pas tué les chats. J'ai horreur de m'approcher des bêtes. » Je vais m'asseoir sur les dernières marches de l'échelle. Au bout d'un moment, il dit « Pourquoi il t'intéresse tellement, ce piano ? » Je dis : « J'aimerais l'entendre marcher, c'est tout. » Il fait ce qu'il faut sans plus me parler, il remonte la manivelle, et tout à coup, ça part dans toute la grange, ça tombe sur moi comme une grosse pluie. Je fais la forte, je chante : *Ta-lala, ta-lala, ta-lala-lala.* Et puis, je tombe en avant comme mon papa, net.

Quand j'ouvre les yeux, la musique joue toujours, Bou-Bou est penché sur moi avec un visage épouvanté. Je me rends compte que je suis tombée en travers de l'échelle, j'ai une joue par terre qui me fait mal, et les jambes au-dessus de ma tête. Il m'aide à basculer, à me mettre assise. Il n'y a pas assez d'air. Il dit : « Tu saignes, merde, tu saignes. » Je l'attrape par un bras, je dis que ça va, que c'est juste un malaise, que ça m'est déjà arrivé. La saleté de piano s'arrête. Je dis : « Ne le raconte à personne. Je ferai tout ce que tu veux, mais ne le raconte à personne. » Il dit oui avec la tête, il passe de la salive sur ses doigts avant d'essuyer ma joue. J'ai une belle écorchure.

Le soir, en rentrant de sa caserne et en me voyant à table, Pin-Pon dit aussitôt : « Qui t'a fait ça ? » Il doit croire que c'est sa mère ou un de ses frères, va savoir. Je dis : « C'est ta tante, avec la râpe à fromage. » Tu parles d'un cirque. Pin-Pon crie à la pauvre gâteuse : « Pourquoi tu lui as fait ça ? » Elle dit : « Quoi ? Quoi ? » Il crie encore plus fort : « Pourquoi tu lui as fait ça ? » Même la mère crie. Elle me crie : « Mais enfin, dis-le, pouffiasse, que c'est pas vrai ! » Pin-Pon devient fou. Tout le monde prend : sa mère parce qu'elle m'a appelée pouffiasse, Mickey parce qu'il ne veut pas qu'on crie contre sa mère, la sono cassée parce qu'elle n'arrête plus de demander quoi, et même moi parce que je veux me tirer. Il n'y a que Bou-Bou qui reste muet. A un moment, je croise son regard, et il me laisse ses yeux, et il ne dit pas un mot. On pourrait le tuer sur place.

A la fin, je dis à Pin-Pon qui respire fort, debout avec son casque à la main : « Si au moins tu me laissais parler. J'ai fait une plaisanterie, c'est tout. » Il a bien envie de m'en mettre une, et la mère de me coiffer avec la soupière, mais finalement, ils n'osent pas, ils s'assoient devant la table et on écoute un moment déconner quelqu'un à la télé. Ensuite, sans regarder Pin-Pon, je remets ça : « J'ai fait une plaisan-terie, c'est tout. Tu imagines ta tante en train de me courir après avec une râpe à fromage ? » Ça les tue tous, sauf la tante Sourdingue. Pour que ce soit bien évident, je me penche vers Pin-Pon et je répète : « C'est vrai, quoi. Tu n'as pas honte ? Tu la vois, la pauvre vieille, en train de me courir après avec une râpe à fromage ? » Mickey se lève, il n'en peut plus, et il a peur, s'il rigole, d'énerver son frère encore plus. Je leur laisse croire que c'est la fin de l'épisode, je mange, et puis je dis dans le silence : « J'ai eu un malaise, cet après-midi, je suis tombée. » Pin-Pon dit : « Un malaise ? Quel genre de malaise ? » Et la mère Soup-çon, en même temps : « Où ça ? » Je réponds : « Dans la grange. C'est Bou-Bou qui m'a ramassée. Si vous ne me croyez pas, demandez-lui. » Ils se tournent tous vers Bou-Bou, sauf la tante qui regarde bouger les images dans le poste, et Bou-Bou baisse la tête, l'air embêté, il continue de manger. Il est maigre comme un coucou, mais qu'est-ce qu'il avale. Alors, Pin-Pon me demande d'une voix inquiète : « Et ça t'arrive souvent ? » Je dis : « Jamais. »

Un peu plus tard, Bou-Bou aide la tante à monter dans sa chambre, Mickey s'en va planter le mai à sa Georgette, et je suis seule avec Pin-Pon et la mère qui fait la vaisselle. Pin-Pon me dit : « Ça fait trois semaines que tu restes confinée ici à te crever les yeux sur des magazines ou des films de merde. Pas étonnant que tu sois pas bien. » La mère dit sans se retourner : « Qu'est-ce que tu voudrais qu'elle fasse ? Elle ne sait rien faire. » Elle ajoute : « C'est pas entièrement sa faute d'ailleurs, on lui a jamais appris. » Pin-Pon dit : « Écoute, elle pourrait faire tes courses en ville. Au moins, elle prendrait l'air. » Ils continuent comme ça pendant une heure, l'une pour dire qu'elle n'a pas envie que je la ruine pour ramener du crabe, l'autre qu'on parle des sous qu'il gagne, qu'il est majeur et vacciné, des conneries. A la fin je me lève avec mon air victime pour emmerder le monde, et je dis : « De toute manière, mon malaise, c'est pas ça. » Ils ne répondent rien, ils se regardent. Et puis, la mère la Douleur pousse un drôle de soupir et reprend sa vaisselle, et moi, je les laisse là.

Au matin, j'attrape Pin-Pon par le bras. Je suis dans le lit et il vient de me faire une bise avant de partir. Je lui dis : « Je voudrais descendre en ville, aujourd'hui. Il faut que j'aille chez le coiffeur pour ma teinture. » J'ai deux bons centimètres à la racine qui sont plus clairs que le reste et il le sait. Je dis : « Seulement, je

n'ai pas de sous. » Ce n'est pas vrai, ma mère m'en a
donné avant que je parte, et encore dimanche dernier,
quand on était seules. Elle m'a dit : « Mais si, mais si,
moi je n'ai besoin de rien. » J'ai quatre cent quarante
francs et de la monnaie dans la poche de mon blazer
rouge qui est rangé dans l'armoire. Pin-Pon dit
seulement : « Bien sûr. J'aurais dû y penser. » Il sort
des billets de sa poche et il m'en donne un de cent
francs et un de cinquante. Il m'interroge des yeux pour
voir si ça va et je fais signe que oui. Il dit : « Il faut me
demander quand tu as besoin. » Il soulève le drap
pour me regarder en entier, il soupire et il s'en va.

Vers midi, je vais chercher mon vélo chez nous. Ma
mère me fait des œufs-coque, des carottes sautées que
j'adore et on boit le café sans rien dire. J'ai mis ma
robe bleu ciel qui coule sur moi et mon bandeau du
même tissu pour tenir mes cheveux. Quand je pars,
elle dit que ma robe est trop courte, que ce n'est plus la
mode. Je réponds : « Pour celles qui ont les jambes
moches, peut-être. Mais toi et moi, on a ce qu'il faut,
pas vrai ? » Elle rit un peu. Elle me tue quand elle rit,
on dirait qu'elle en a honte ou qu'elle n'a pas le droit
de montrer ses dents. J'enfourche ma bécane et me
voilà partie. Dès la sortie du village, ça descend
jusqu'en ville, on n'a pour ainsi dire pas un coup de
pédale à donner. Je vais d'abord à la scierie pour
laisser le vélo à Mickey et lui dire qu'il m'attende, le
soir, pour remonter. Il n'est pas là mais son patron,
Ferraldo, me dit qu'il lui fera la commission. Ensuite,
je vais chez le vieux Dr Conte.

Il y a du monde dans le salon d'attente, mais
personne que je connais. J'attends dix minutes en

regardant mes pieds. Quand le docteur ouvre la porte
pour s'envoyer le suivant, il me voit tout de suite et il
me fait passer comme si j'avais rendez-vous. Dans son
cabinet, il ne me demande même pas comment ça va, il
s'assoit à sa table et il me fait une ordonnance. Je lui
dis : « Je crois que je vais être enceinte. » Il me dit :
« Comment ça, tu vas être ? On l'est ou on l'est pas. »
Je dis que j'ai oublié plusieurs fois de prendre ma
pilule. « Et ça daterait de quand ? » Je reste debout
devant lui, comme une idiote. Je dis : « Peut-être trois
semaines. » Il lève les yeux au ciel et il me dit : « Bon.
Imagine-toi que j'ai autre chose à faire que d'écouter
des bêtises pareilles. Quand tu seras un peu plus
avancée, reviens me voir. » Ensuite, il me donne
l'ordonnance, le bonjour pour ma mère, un tube-
échantillon de pommade pour ma joue et il me met à la
porte. Il ne nous fait jamais payer.

Je traverse la place de la mairie et je vais chez le
coiffeur. C'est Moune qui s'occupe de moi. Elle est
bonne fille, mais c'est une conne. Sa conversation, c'est
zéro. Son travail, c'est zéro. Si Mme Ricci, la patronne,
ne venait pas me prendre en route et lui dire gentiment
d'aller nous chercher deux thés-citron au café d'à côté,
je sortirais de là comme un plumeau sur deux jambes.
Ensuite, je vais à la pharmacie de Philippe. Quand il
me voit entrer, il perd les pédales, comme toujours. Je
lui montre mon ordonnance pour le faire enrager.
Avant l'année des nanas, c'est lui qui me fournissait en
douce la pilule. Pin-Pon m'a dit que si on croit les
gens, j'ai couché avec Philippe. Ce n'est pas vrai.
J'aurais bien voulu d'ailleurs. Mais c'est un drôle de
bonhomme. Je ne sais pas comment il a pu faire des

enfants à sa femme. Il y a des vacancières à cellulite, dans le magasin, qui passent leur congé payé à choisir une brosse à dents, il ne peut guère me parler. Il me dit : « Tu sais, je ferme dans une demi-heure. » Mais je réponds que je n'ai pas le temps.

Je vais au supermarché, j'achète sans regarder trois pelotes de laine rose et deux aiguilles à tricoter. J'achète aussi une boîte de crabe pour emmerder la mère Grippesous et un cadeau pour Bou-Bou : quatre fois mon portrait dans la cabine du photomaton. La dernière fois, je ferme les yeux et je tends les lèvres pour un gros, gros baiser. En fin de compte, je me trouve moche et je déchire tout, je lui achète un tricot rouge, avec *Indiana University* marqué en blanc sur la poitrine. Je ne connais pas sa taille, je prends le plus grand, et ça va comme ça. Je déteste les supermarchés, j'ai la tête qui éclate.

En allant vers la scierie, je vois le camion jaune de Mickey qui vient à ma rencontre. Il m'appelle en agitant le bras par la portière et quand je monte, Bou-Bou est déjà dedans, avec son gros cartable. Ils trouvent tous les deux mes cheveux magnifiques. Sur la route, je me dis qu'évidemment Pin-Pon ou sa mère pourrait téléphoner au Dr Conte, mais que si on lui demande ce qui se passe, il enverra tout le monde sur les roses. C'est comme les curés, ils n'ont pas le droit de l'ouvrir. Dans les virages, et il n'y a que des virages, je suis renvoyée contre Bou-Bou. A la fin, il passe un bras par-dessus mes épaules pour me retenir. Je sens sa chaleur. Le soleil a disparu derrière les montagnes. Mickey n'arrête pas de nous faire rire et de déconner. Je me dis qu'il pourrait être mon frère, et Bou-Bou aussi. J'ai le cœur qui fond pour Bou-Bou encore plus. Je me déteste et, en même temps, je suis bien.

J'attends encore une semaine. Le plus difficile, c'est à partir du lendemain, pour cacher que j'ai mes affaires. Je ne parle pas de Pin-Pon. Pour qu'il me laisse tranquille, je lui dis exactement le contraire, je lui dis que ça ne vient pas et que j'ai mal partout. Il soupire les trois soirs, et moi je reste en bas, avec la tante et Mickey, à faire des belotes à cinq francs chacun pour soi. Quand je monte, Pin-Pon est une bonne nature, il s'est endormi. En plus, il n'a jamais vécu avec personne, et il est comme tous les garçons, les histoires de fille, moins on s'en occupe, moins ça vous dégoûte. Je me méfie beaucoup plus de la vieille chipie, et même de la tante. Elle n'a pas d'oreilles mais les yeux comptent double. Je vais chez nous trois jours de suite, soi-disant parce que l'autre connard est patraque ou que ma mère veut essayer sur moi ma nouvelle robe, et je m'arrange.

Bien sûr, la pauvre femme se rend compte de tout, elle. Mais elle ne dit rien. Elle me prépare mon linge propre — je n'ai jamais voulu qu'une autre lave même un de mes bandeaux à cheveux — et elle me fait un chocolat au lait ou de la bouillie Cérélac que j'adore, ça me rappelle quand j'étais petite. Ensuite, elle reste sur sa porte à me regarder partir. Elle a l'impression, pas la peine de me le dire, que rien ne sera jamais plus

pareil, et moi aussi. Au portail, je me retourne, mais ça
me donne envie de revenir, parce que ce qui m'attend
me semble d'un coup trop lourd pour moi, alors je
m'en vais vite. J'ai calculé une fois que je passe trois
dixièmes de ma vie à penser à elle, trois dixièmes à
penser à lui, quand il était mon papa, le reste à penser
à des conneries ou pour le sommeil.

C'est le samedi, quand je reviens de chez nous, que
je croise la Juliette d'Henri IV devant les pompes du
garage. Elle me dit : « Viens, j'ai à te parler. » Je
baisse la tête, avec mon panier sous le bras comme le
petit Chaperon Rouge, et je la suis. Pin-Pon n'est pas
là, ni son mari. Elle me fait monter dans leur
appartement. Elle me propose du café ou quelque
chose. Je dis que j'ai déjà pris. Elle s'assoit sur une
chaise, en face de moi, et elle me dit : « Je voudrais
être sûre que tu l'aimes vraiment, Pin-Pon. » Je ne
réponds même pas. Elle me dit : « Tu vas continuer à
vivre chez eux sans être mariée ? » Je montre avec mes
mains que je n'en sais rien.

Elle est assez grande, châtain clair, elle est vêtue
d'une robe de minette pour paraître plus jeune. Cela
dit, elle est bien en chair mais elle n'est pas mal. Je suis
sûre qu'elle crie, elle aussi, quand son mari ou un autre
le lui met. Elle me dit : « Je connaissais Pin-Pon
quand j'allais à l'école. C'était un amour très pur. »
J'ai l'impression qu'on joue dans *Le Docteur Jivago*. Je
fais quand même signe avec la tête que je comprends et
je reste immobile jusqu'à ce qu'on nous enterre toutes
les deux. Alors elle dit : « Si tu dois te marier avec lui,
je te donnerai ma robe. Je l'ai gardée comme la
prunelle de mes yeux. Ta mère a des mains de fée, elle

peut l'arranger exactement pour toi. » Comme je ne réponds toujours pas, elle dit : « J'étais mince comme toi, tu sais, quand j'étais plus jeune. » Elle se lève, elle m'embrasse sur la joue. Elle me dit : « Tu veux la voir ? » Je dis non, que ça porte malheur. Je me lève moi aussi, je suis plus grande qu'elle. Je dis avec mon accent made-in-ma mère : « Vous êtes gentille. Vous n'êtes pas comme les autres, au village » Ensuite, on descend les marches en bois. Dans l'atelier, je dis : « Bon, eh bien, au revoir. » Elle me regarde, les joues très rouges, elle voudrait dire autre chose, mais ça ne vient pas, et je m'en vais.

Le reste du temps, je suis mignonne avec tout le monde comme je sais faire. Par exemple, je vois la mère Montecciari qui transbahute la grande poubelle au portail, pour que les boueux du mardi la vident dans leur camion en nous réveillant tous à cinq heures du matin, et je dis : « Laissez-moi le faire, ça je peux, c'est pas compliqué. On vous prend vraiment pour une bonniche dans cette maison. » Elle ne répond rien, peut-être que ça la touche, ou peut-être pas, va savoir.

La tante Sourdingue, dans son fauteuil, c'est mon rêve. Une fois, je suis seule avec elle et je lui crie . « Vieille salope ! Elle dit : « Quoi ? » je lui crie encore plus fort : « Vieille salope ! » Elle me fait un sourire, elle tapote ma main, en disant : « Si tu veux. Tu es une bonne petite. » Je vais au buffet, je prends une barre de chocolat et je la lui rapporte. Elle dit, en roulant les yeux : « Si ma sœur s'en aperçoit ? » Je mets mon index sur ma bouche, pour qu'elle comprenne qu'on est copines, toutes les deux, et elle rit, elle croque son chocolat comme un petit signe. C'est fou ce qu'on est

vorace, à cet âge. Et laid, en plus. J'aimerais mieux
mourir à vingt ans. Mettons trente.

Mickey, lui, il s'en va le dimanche matin avec ses
gros mollets à l'air, en disant qu'il va gagner, merde. Il
fait une course quelque part, il n'est plus suspendu. Et
il revient le soir en disant qu'il a perdu, merde. Il dit
que c'est à cause de son vélo, et que Pin-Pon, qui s'en
occupe, n'y connaît rien. Mais rien Il lui explique :
« Quand on a emballé le sprint, je m'étais contenté de
sucer tout le monde, j'étais fort. C'est ton putain de
vélo qui pèse dix tonnes, je passe toujours la ligne
avant lui. » Pin-Pon râle comme une borne qu'on a
déplacée, mais il ne l'ouvre même pas. Il aime ses
frères comme s'ils n'étaient pas les siens. Pour lui,
Mickey, Bou-Bou, c'est sacré. Il gueule un peu contre
Bou-Bou, qui se lève trop tard, le matin, pour aller au
collège, et qui lit des science-fiction jusqu'au milieu de
la nuit. Il gueule un peu plus contre Mickey, qui ment
comme l'enfant qui vient de naître sur le nombre de
cigarettes qu'il fume par jour, et qui s'en va tringler
Georgette quatre fois par semaine. « Qu'est-ce que tu
veux gagner une course après ça ? » il lui dit. Mais
c'est sacré.

Bou-Bou, lui, il ne me regarde pas, il me parle à
peine, et il m'évite quand Pin-Pon n'est pas là. Je suis
allée dans sa chambre, j'ai posé mon cadeau sur son
lit. Le soir même, j'ai retrouvé la saleté de tricot sur le
mien. Je coince Bou-Bou à l'étage, un peu plus tard, et
je lui dis : « Je pensais te faire plaisir. Tu ne m'as pas
vendue, quand je suis tombée dans la grange. » Il reste
debout, très droit, le dos contre le mur, sans me
regarder. Il me répond : « Parle moins fort, ils vont

t'entendre, en bas. » Je chuchote : « Alors, prends-le. Je t'en prie. » Je lui mets le tricot sous le bras, et il le garde. Il soulève seulement l'autre épaule pour montrer qu'il s'en fiche, et il s'en va dans sa chambre. Quand je le vois comme ça, j'ai envie de le faire gémir entre mes bras, en embrassant sa bouche pendant qu'il meurt.

Enfin, je suis mignonne toute la semaine. Et puis, le mercredi soir, Pin-Pon revient de son entraînement à la caserne. On l'attend pour manger. Je tricote comme ma mère m'a montré, avec mes lunettes sur mon nez, en jetant de temps à autre un coup d'œil à la télévision. Mme la Directrice, qui sert la soupe, dit à son fils : « Les campeurs de l'autre jour sont revenus. Ils m'ont donné deux cents francs d'acompte. Ils se sont installés en bas de la prairie. » Mickey dit énervé : « D'accord, d'accord. On peut pas se taire un peu ? » Il regarde le film, lui. Deborah Kerr qui fait une dépression nerveuse parce qu'elle s'est laissé embrasser. Mais la seule chose que voit Pin-Pon, dans la saleté de cuisine, ce n'est pas Deborah Kerr, ni Bou-Bou qui se ronge les ongles, ni Mickey, la tante n'en parlons pas, c'est moi en train de tricoter, bien sage sur une chaise, avec mes lunettes sur le nez que je n'ai jamais mises.

Il se penche, il embrasse ma joue guérie, il me dit : « Mais qu'est-ce que tu fais ? » Je gonfle ma joue guérie, je souffle de fatigue, et je dis : « Tu le vois bien, ce que je fais. » Il me dit : « Qu'est-ce que tu tricotes ? » Je soulève mon épaule d'un coup sec, je continue mentalement à compter mes mailles, et je réponds : « Qu'est-ce que tu crois ? »

Il y a un drôle de silence dans la cuisine, après ça, on

n'entend plus que Deborah Kerr en anglais sous-titré.
Pin-Pon va éteindre le poste. La tante Sourdingue râle
en disant : « Pour une fois que je peux lire », et je sens
leurs regards à tous fixés sur moi. Je m'en fiche, je
tricote inexorable comme ma mère m'a montré, sans
penser à rien d'autre.

A la fin, Pin-Pon approche une chaise, il s'assoit
devant moi. Il dit : « Arrête. » Je le regarde à travers
mes lunettes. Il n'est ni embêté ni rien. Il me dit :
« Comment tu peux le savoir ? » Je réponds : « J'étais
en retard, je suis allé voir le Dr Conte. Il a dit que c'est
encore trop tôt, mais moi, je le sais. » Ensuite, je garde
les yeux sur mon bout de layette rose, à travers mes
lunettes. Des mailles bien rangées, comme des grains
sur un épi de maïs. Un silence où j'entends seulement
le bruit d'une fourchette que Bou-Bou déplace sur la
table. Et enfin, c'est elle, la pourriture de veuve, qui
l'ouvre et qui me laisse la première manche. Elle dit à
Pin-Pon, avec sa voix de constipée : « Cherche plus,
va. Pour ça, tu peux la croire. Elle t'a bien eu, mon
pauvre petit. »

Pin-Pon se lève en repoussant sa chaise et il répond :
« Tais-toi, tu veux. Personne n'a essayé de m'avoir.
C'est comme ça, c'est tout. » Je sais qu'il me regarde
pour que je sois d'accord avec lui, mais je reste les yeux
baissés derrière mes lunettes, je la boucle. Mickey dit :
« Bon, si on passait à table ? » Bou-Bou dit : « Toi,
tais-toi. » Ensuite, on attend tous le restant de notre
vie que Pin-Pon parle. A la fin, il dit : « J'en ai marre
moi aussi qu'elle traverse le village et que tout le
monde chuchote derrière son dos. C'est ma faute.
Alors, ce sera vite réglé. »

On se met tous autour de la table et on mange. Moi, j'ai mon bout de tricot sur les genoux. Mickey ne demande même pas qu'on rallume télé-Monte-Carlo. La tante dit : « Qu'est-ce qu'il y a ? Vous n'êtes pas contents après la petite ? » Sa sœur lui tapote la main pour qu'elle se calme et personne ne dit rien. Je pense trois dixièmes à ma maman, trois dixièmes à mon papa. J'avale ma soupe. Je suis plus têtue que le monde entier contre moi. Fin de l'épisode. Je persiste et je signe : Éliane Montecciari.

Le témoin

C'est une bonne petite. Je le sais à ses yeux. Elle ne les a pas dans sa poche, mais moi non plus. Parce que je n'entends pas, ils croient tous que je ne vois pas. Sauf Celle-là. Elle sait que je vois bien, parce que j'observe. Dès le premier jour, j'ai su que c'était une bonne petite. Elle n'a pas pris mon argent. Je le garde pour enterrer ma sœur et pour mon propre enterrement. Elle l'a trouvé, dans le poêle en faïence de ma chambre, mais elle ne l'a pas pris. Elle a seulement remis le portefeuille en place du mauvais côté, j'ai compris qu'elle y avait touché. J'ai l'œil.

Les portefeuilles qu'on fabrique avec des boîtes à sucre, j'en ai fait et j'en ai fait quand nous étions gosses, à Marseille. Quel beau temps c'était. Marseille, je l'ai dit à la petite, c'est la plus belle ville du monde après Paris. Je suis allée une seule fois à Paris, pour l'Exposition de 1937, avec mon mari. Une semaine. On habitait *Hôtel des Nations,* rue du Chevalier-de-la-Barre. On avait une belle chambre avec un réchaud pour faire le café le matin. Mon mari me faisait l'amour tous les jours, c'était comme un second voyage de noces. Je lui disais : « Ben, mon coquin, ça te fait de l'effet, Paris. » Il riait, il riait. Il avait dix ans de plus que moi et j'en avais vingt-neuf à l'époque. Il m'avait acheté deux robes avant de partir et il m'en a acheté une autre boulevard Barbès, à Paris, tout près de la rue du Chevalier-de-la-Barre. Il est mort le 27 mai 1944, dans le bombardement de Marseille. On habitait au coin de la rue de Turenne et du boulevard National, au troisième étage. La maison s'est écroulée avec nous. Il était à côté de moi quand les bombes tombaient, il me serrait la main en disant : « N'aie pas peur, Nine, n'aie pas peur. » Il paraît qu'on l'a retrouvé dans la rue, sous les décombres, et moi dans ce qui restait du premier étage, avec une vieille femme qui avait la tête arrachée. Celle-là, elle n'était pas de l'immeuble, on n'a jamais su d'où elle venait.

Très souvent, dans mon fauteuil, je pense à ce dernier moment, quand je tenais la main de mon mari. Je me demande comment c'est possible qu'on se soit lâché. Je me dis qu'on a dû perdre connaissance ensemble et que je devrais être morte avec lui. Je n'ai jamais connu un autre homme, je n'en ai même jamais regardé. Ni avant ni après. Pourtant, j'avais trente-six ans, quand il est mort, et même sourde, ce n'est pas les partis qui manquent. Ma sœur me disait : « Trouve-toi un travailleur de ton âge, remarie-toi. » Rien que d'y penser, je pleurais.

C'est une belle andouille, ma sœur. Elle n'a pas connu un autre homme que son mari, elle non plus. Elle ne s'est pas remariée, elle non plus. De quoi elle parle ? Elle était pourtant plus belle que moi. Une fois, dans la grange, Florimond et Mickey sont tombés sur les lettres que mon pauvre beau-frère lui écrivait en 1940, quand ils l'ont mobilisé et qu'il est devenu français pour de bon. On les a lues tous les trois pendant qu'elle n'était pas là. On était malades de rire, on ne pouvait plus s'arrêter. L'orthographe n'était pas son fort, au pauvre Lello, mais ma sœur devait bien lui manquer, parce qu'à part un bonjour de temps à autre aux gens du village, en espérant qu'ils étaient moins casse-valentins que d'habitude, il ne lui parlait que de ça. Bref, c'étaient des lettres d'amour. On avait un peu honte, ensuite, de les avoir lues, **mais** même le soir, à table, c'était plus fort que nous, on est reparti tous les trois dans le fou rire. Il lui parlait de son « corps d'albâtre ». Il avait dû lire ça dans un journal ou ailleurs et trouver que ça faisait bien. Malades. Ensuite, bien sûr, ma sœur s'est fâchée de ne pas savoir ce qui nous amusait tant. Elle a tout planté là et elle est montée se coucher. « Un corps d'albâtre. » Je vous demande un peu où il était allé chercher ça.

Ma sœur a plus de chance que moi. Le pauvre Lello est enterré au cimetière du village, elle peut aller nettoyer sa tombe le lundi après-midi et lui raconter ce qui se passe, mais mon pauvre mari est à Marseille, au Canet. Ces derniers dix ans, je n'ai pu m'y rendre que deux fois. Quand on a enterré son frère, qui était bijoutier-horloger, mais pas patron évidemment, et une autre fois, quand Mickey devait courir au stade vélodrome et que Florimond et Henri IV m'ont emmenée avec ma sœur. Le soir, Mickey avait gagné la course par élimination et je sais pas combien de primes, il nous a payé le repas de poissons sur la

Corniche. On est revenu dans la nuit. On était tous
drôlement contents, moi d'avoir vu la tombe de mon
mari, et tout nettoyé à la brosse, et mis des fleurs, et les
autres que Mickey soit vainqueur, et moi aussi. On
avait deux vélos accrochés sur le toit de la voiture, et
j'avais toujours peur qu'ils tombent en route.

Je voudrais gagner encore trois tiercés, maintenant
que mon enterrement et celui de ma sœur sont assurés.
La première fois, je donnerais tout à Florimond, parce
qu'il est l'aîné, et le plus courageux. La seconde fois, je
partagerais entre Bou-Bou et Mickey. La troisième, ce
serait pour le bébé qu'Elle doit avoir, mais sur un
livret de la Caisse d'Épargne. J'ai dit à ma sœur que
j'espère bien que ce sera une fille, on a trop d'hommes
dans notre famille, et qu'elle sera aussi jolie que sa
mère. Dieu du Ciel, heureusement que je n'entends
rien, qu'est-ce que j'aurais entendu. Ma sœur déteste
la petite. Elle ne la trouve pas franche et elle lui
reproche ses allures délurées. Surtout, elle lui reproche
de lui prendre son Florimond. Elle dit : « S'ils se
marient, où ira l'argent ? Il devra partager avec elle. »
Moi, je lui réponds : « C'est une bonne petite. Toi, il y
a trente ans que tu cries pour me parler, alors que tu
sais que je n'entends rien. Elle, au moins, elle ne crie
pas, elle parle lentement et je comprends tout. Ou
alors, si c'est trop compliqué, elle prend la peine
d'aller chercher du papier, un crayon et elle me
l'écrit. »

Si on voyait la tête de ma sœur, c'est terrible. On
dirait que tout son sang est retourné à l'intérieur. Et
puis, elle crie de plus belle, bien sûr, mais je ne
comprends rien. Alors, elle va au tiroir du buffet, elle

ramène elle aussi une feuille de papier, un crayon et elle m'écrit pour se venger : *Tu sais comment elle t'appelle ?* Je réponds : « Elle m'appelle la Sono Cassée, elle me l'a dit. » Et je ris, je ris. C'est vrai, la petite m'appelle la Sono Cassée, la tante Sourdingue ou le Petit Singe. Je le lui ai demandé. Elle me l'a dit. Elle m'a même expliqué qu'une sono, c'est des haut-parleurs pour les chanteurs. Et ma sœur dit que la petite n'est pas franche. Délurée, oui. Elle se montre toute nue aussi facilement que les autres sortent un parapluie quand il pleut. Mais je crois qu'elle est malheureuse. Je veux dire que sa vie n'a pas dû être drôle tout le temps, et que personne ne le sait, parce que ça, elle le montrerait moins volontiers que son derrière.

J'explique ce que je pense à ma sœur, mais elle hausse les épaules comme la je-sais-tout qu'elle était déjà quand elle avait dix ans et je lis sur ses lèvres : « Toi et tes histoires ! » Et elle fait un grand geste au-dessus de sa tête pour montrer que mes histoires, c'est des fumées. Elle écrit sur le papier : *Qu'est-ce qu'elle t'a demandé ?* Pour la faire enrager, je corrige d'abord ses fautes d'orthographe, comme à la petite, qui écrit presque en phonétique, c'est incroyable. Et puis je dis : « Rien. Elle aime que je lui parle, que je lui raconte. » Je lis sur ses lèvres : « Raconte quoi ? » Je dis : « N'importe quoi. Ce qui me vient. » Elle reprend son papier, elle écrit : *Le piano mécanique dans la grange ?* Je fais l'idiote. Je balance la tête pour dire non. Elle écrit : *Elle t'a demandé qui a ramené le piano quand Lello l'a mis au clou ?* Je dis : « Pourquoi tu demandes ça ? » Je me rappelle très bien qui a ramené le piano. Le grand

Leballech et son beau-frère. Le grand Leballech conduisait un camion de Ferraldo, le patron de Mickey. C'était en novembre ou décembre 1955, il y avait de la neige dans la cour. Avec Lello, après avoir descendu le piano du camion, ils ont bu une bouteille ici, dans la cuisine, je les revois comme si j'y étais encore. Ma sœur écrit : *Parce qu'elle veut savoir.* Je dis : « Elle ne me l'a pas demandé. » Ça, c'est vrai. La petite m'a parlé du piano mécanique, dans la grange, mais elle ne m'a rien demandé sur ce jour-là.

Ma sœur hausse les épaules et réfléchit en regardant ce qu'elle vient d'écrire. Ensuite, elle tourne brusquement la tête vers la porte vitrée, je comprends que quelqu'un s'approche, dans la cour. Elle fait exactement ce que la petite fait toujours. Elle enflamme la feuille de papier avec une allumette, elle la jette dans le foyer éteint de la cuisinière. Elle a le même geste, avec le tisonnier, pour soulever la plaque et la remettre en place. Quand elle ouvre la porte, je vois un des campeurs qui ont planté leur tente en bas de la prairie, et sa petite amie ou sa femme, une blonde avec des taches de rousseur. Je comprends, en voyant ma sœur qui sort, qu'ils sont venus chercher des œufs ou un lapin.

Je reste seule, je ferme les yeux. Je me rappelle très bien ce soir d'hiver 1955. Le grand Leballech et son beau-frère qui buvaient du vin dans la cuisine avec le pauvre Lello. Florimond était encore bambin, et toujours dans les jambes de son père. A cette époque, je n'étais pas toute la journée dans mon fauteuil, je marchais jusqu'au portail, je regardais les forêts, les maisons du village, la route. Le grand Leballech, je le voyais passer quelquefois dans son camion. Il faisait le même travail que Mickey maintenant. Il charriait du bois. Son beau-frère, je ne l'ai vu que ce soir-là. J'avais encore mon appareil, j'entendais un peu. On m'a expliqué qu'il était marié, du côté d'Annot, avec la sœur de Leballech.

J'ai les yeux fermés, dans mon fauteuil, mais je ne dors pas. Les autres croient toujours que je dors. Je ne dors que la nuit, et pas longtemps. Je pense à tous ces jours merveilleux. A Digne, quand j'étais petite et puis à Marseille. Le pont transbordeur, que les Allemands ont fait sauter pendant la guerre, et la rue du Petit-Puits où on habitait. Tout ce soleil. Je me demande si avec toutes les saletés qu'ils ont inventées, on ne s'éloigne pas du soleil. Les jours étaient plus longs, autrefois, et l'été plus chaud. L'Exposition de 1937, à Paris. Ma sœur garde le plateau que je lui ai rapporté. Il est derrière moi, sur le buffet. Il y a une vue de l'Exposition peinte dessus. Mon mari me disait : « Tu verras, on s'en souviendra longtemps. »

La petite était près de moi, un après-midi, et elle a écrit sur son papier, à sa manière : *Vous l'aimez toujours ?* J'ai fait oui avec la tête. Elle n'a pas ri, ni rien. On est resté là, simplement, comme deux cruches. C'est une bonne petite. Elle ne ressemble pas aux autres, voilà tout.

Le matin, c'est ma sœur qui m'aide à m'habiller. Un jour, ce sont les jambes qui me font mal, un autre jour les bras. Elle m'aide aussi à descendre dans la cuisine, à m'installer dans mon fauteuil. Florimond et Mickey s'en vont à leur travail. Bou-Bou a passé son bac de français, il dit qu'il a fait pour le mieux, on attend les résultats. Il peut dormir ou lire dans sa chambre toute la matinée.

La petite descend toujours vers les neuf heures, après avoir refait son lit. Elle va chercher sa baignoire dans l'appentis où elle la range, elle se prépare son bain. Ma sœur dit qu'elle va s'user à force de se laver. Ma sœur est une andouille. Elle est bien brave avec moi depuis que son mari est mort, mais andouille, elle l'a toujours été. Je dis à la petite : « Ça va ? » Elle penche sa tête de côté, elle dit : « Ça va. » La première fois qu'elle s'est mise dans sa baignoire, j'étais scandalisée, je n'osais pas la regarder. Maintenant, je me dis : « Pauvre vieille idiote, où veux-tu qu'elle se lave ? Elle n'est donc pas faite comme toi, quand tu étais jeune, et que ta grand-mère n'y faisait même pas attention ? » Ensuite, elle vide l'eau de la baignoire, bassine par bassine, dans l'évier. Elle a mis son peignoir éponge blanc. Elle a les cheveux mouillés, le visage lisse, on se rend compte alors qu'elle n'a pas vingt ans.

Quand elle me regarde, parfois elle ne me voit pas, parce qu'elle a autre chose à penser, mais quand elle me voit, je lis dans ses yeux qu'elle est contente que je sois là. C'est juste une manière de faire la moue avec sa bouche, ou de sourire, ou de soulever son épaule comme quand elle s'en fiche, parce qu'elle veut qu'on croie qu'elle se fiche de tout. Je n'entends ni le bruit qu'elle fait dans sa baignoire ni ce qu'elle répond à ma sœur quand ma sœur lui parle et que je vois son nez de rien du tout se pincer et ses yeux bleus se rétrécir. Mais je crois que je devine bien toutes ses pensées. Je n'ai jamais vu sa mère, qu'on appelle Eva Braun parce qu'elle vient d'Allemagne et que les gens sont bêtes. J'aimerais qu'elle nous rende visite. J'ai demandé à ma sœur de la faire venir, mais ma sœur m'a répondu en détachant bien les mots pour me faire comprendre : « Sa mère est comme Elle, une sauvage. »

Après son bain, la petite s'en va dans la cour, avec sa serviette et ses cigarettes à la menthe, pour prendre le soleil près du bac en bois de la source. Dès qu'elle est sortie, c'est Bou-Bou, en pyjama, qui descend. Il m'embrasse tous les matins, c'est le seul. Il me dit toujours la même chose : « Tu changes pas, toi. » Ensuite, il se prépare une quantité de tartines — une au miel, une au beurre, une à la confiture, une au Nutella —, et sa mère lui sert son café au lait. Quand c'est prêt, il rajoute une ou deux cuillerées de Nescafé, sinon c'est du jus de chaussettes, ça ne le réveille pas. Il avale tout en regardant droit devant lui, l'air de réfléchir à des choses très importantes, un peu comme Mickey. Sauf que Mickey n'a jamais mangé autant. Et puis, il lave son bol, comme on lui a appris, il hésite un moment devant la porte vitrée mais, à la fin, il écarte le rideau pour voir la petite allongée à côté du bac de la source, et il remonte dans sa chambre.

J'ai l'œil, et ce n'est pas nécessaire d'arriver à mon âge pour comprendre que la petite le retourne. Il tient avec elle, d'ailleurs. Je le remarque à table. Il sait toujours où prendre le sel quand elle le cherche. Elle n'y voit pas bien, elle. Il lui passe la salière avec l'air d'en avoir marre qu'elle ne la trouve pas, mais c'est toujours lui qui fait attention, les autres regardent la télévision. Je crois qu'elle le fait exprès, elle aussi. Elle m'a écrit, un après-midi qu'on était seules : *Mes yeux, c'est juste pour décorer. Je ne vois même pas jusqu'à mes pieds.* Je lui ai dit : « Alors, pourquoi tu ne mets pas tes lunettes ? » Elle m'a écrit : *Mes pieds, je m'en fous.* N'empêche qu'elle se rend très bien compte des choses, autrement qu'avec ses yeux. Et ça lui fait plaisir que Bou-Bou fasse attention à elle.

Dimanche dernier, il est descendu à table avec un tricot neuf, tout rouge, *Indiana University* imprimé dessus en blanc. Tout le monde lui a fait des compliments et il a gonflé les joues comme si on l'embêtait, il s'est assis sans regarder personne. Et puis, quelques secondes après, je l'ai vu glisser un regard vers Elle, juste un regard, et elle a baissé la tête avec un sourire rentré, on sentait qu'elle était contente et qu'il y avait un secret entre eux. Je pense que c'est elle qui lui a offert ce tricot, sans rien dire aux autres. Je pense aussi qu'elle ne voit pas le mal et que, pour elle, même s'ils n'ont pas trois ans de différence, Bou-Bou est simplement un petit frère. Elle n'en a pas, de frère. Moi, je peux comprendre. D'ailleurs, elle est très amoureuse de Florimond. Ma sœur m'a raconté que tout le monde l'entend, la nuit, quand elle est dans ses bras.

Je me méfierais davantage de Mickey, parce qu'il est plus de son âge et qu'il a toujours les yeux où il ne faut pas quand elle croise les jambes sur sa chaise ou qu'elle se penche pour ramasser quelque chose. Elle porte des jupes et des robes trop courtes. Je le lui ai dit. Elle a ri, elle a soulevé une épaule comme elle fait toujours. Quand elle met son blue-jean passé à l'eau de Javel, c'est pire, il est tellement serré qu'on ne verrait pas mieux son derrière s'il était nu. Enfin, il faut être juste. Elles ont une drôle de manière de s'habiller, les filles de maintenant, elle n'est pas la seule. Avant la guerre, quand on louait la villa, l'été, à Seausset-les-Pins, j'ai porté un pantalon moi aussi, mais large de partout, je nageais dedans. C'était la mode. Mon mari me disait que j'étais très chic. Quand on revenait de la plage, avec mes neveux et ma sœur qui était encore jeune fille, on s'installait dans le jardin plein de lauriers-roses et on faisait marcher le phono. Je sens encore le parfum des lauriers-roses quand j'y pense. Le disque que j'aimais le plus, c'était *Le Chaland qui passe.* Lys Gauty. Et la chanson de *Blanche-Neige :*

> *Un jour, mon prince viendra*
> *Un jour, il m'aimera...*

Je ne me rappelle plus qui la chantait. Élyane Célis, je crois. J'ai peur que, petit à petit, les souvenirs me quittent. J'ai peur de devenir comme ils croient tous que je suis déjà : gâteuse. Ma pauvre grand-mère, quand elle est morte, elle l'était. Elle riait tout le temps, heureusement. Elle ne se souvenait plus du tout de mon grand-père qui était mort vingt ans avant elle. Rien, pas un souvenir. Dieu du Ciel, que je ne sois jamais comme ça ! Je veux au dernier moment me rappeler mon mari, et qu'il me tienne la main et qu'il me dise : « N'aie pas peur, Nine, n'aie pas peur. » Ça ne doit pas faire mal, la mort, il n'y a pas de raison. Le cœur ralentit et puis s'arrête. Et de l'autre côté, c'est peut-être comme je croyais autrefois, quand j'étais petite et que ma grand-mère me le racontait dans notre appartement de la rue du Petit-Puits : on retrouve tous les gens qu'on a connus.

C'est une chose qui me tracasse, la nuit, quand je ne dors pas. Mon mari avait quarante-six ans quand il a été tué. J'en ai déjà soixante-huit. Si c'est vrai, tout ça, et que je le retrouve, l'année prochaine ou dans dix ans, il me verra comme je suis : une vieille. C'est affreux. Mais le Bon Dieu, s'il existe, a dû prévoir ça aussi, je suis bien tranquille. Peut-être que je me retrouverai d'un coup comme j'étais à Seausset-les-Pins, pendant ces étés merveilleux où on louait la villa. Je ne me rappelle plus la couleur du pantalon large. Blanc, sûrement. C'était la mode. Je ne me rappelle plus la marque du phono. C'est important, c'est un morceau de ces années qui tenait aux autres, il ne tient plus. Il y avait un chien sur l'étiquette. Voyons, tout le monde connaît cette marque. J'ai le nom sur le bout de la langue. Je ne me rappelle plus qui chantait l'air de *Blanche-Neige*. Élyane Célis, mais je ne suis pas sûre. Dieu du Ciel, je ne me rappelle plus la marque du phono.

La Voix de son Maître.
Maintenant, il faudra que je fasse attention. Penser à tout, ne rien perdre, ne pas laisser mes beaux souvenirs partir à la dérive. Quand j'ai demandé à la

petite, elle m'a dit en détachant les syllabes : « La Voix de son Maître. » J'ai dit : « Mais ça existe toujours ? » Elle a soulevé l'épaule, elle a répondu, la bouche à trente centimètres de mes yeux : « Le clébard, c'est la Voix de son Maître. Tout le monde le sait. » Elle a dit autre chose, mais trop vite, je n'ai pas compris. Je lui ai fait signe de prendre du papier dans le buffet. Elle a secoué la tête, elle a répété lentement et c'était comme si j'entendais à nouveau : « Tu perds la mémoire, ma vieille. Tu deviens conne. »

Elle m'a regardée me retenir de pleurer sans faire un geste, debout devant moi. J'ai dit : « Tu es bien méchante. Oui, tu es bien méchante. » Alors, elle s'est pliée sur les talons pour que son visage soit à la hauteur du mien et elle a articulé : « C'est toi que j'aime le plus dans cette maison. Seulement tu perds la mémoire, tu deviens conne. » Je ne savais plus si je devais être triste ou non, j'avais peur que ma sœur revienne brusquement dans la cuisine. La petite était habillée, prête à partir chercher son extrait de nais-sance pour le mariage. Elle m'a dit : « Ne leur fais pas voir que tu perds la mémoire. Demande-moi. » J'ai très bien compris, comme si j'entendais les mots. Et elle a mis une main sur ma nuque, elle m'a embrassé la joue. Elle m'a dit : « Je ne suis pas méchante. Moi aussi, je deviens conne. Tu saisis ? » J'ai dit oui avec la tête. Ensuite, elle est partie.

Je suis restée seule longtemps. Ma sœur est revenue, puis ressortie. Elle s'occupait de ses plantations ou de la vigne de Pin-Pon et de Mickey, je ne sais pas, et ça m'est égal. Je pensais à la petite. Je suis sûre que quand elle me parle, en formant bien les mots avec la bouche, elle n'y met pas sa voix, on ne l'entend pas. Elle dessine des mots dans le silence, juste pour moi. Il y a seulement quelques semaines qu'elle est là, et elle sait mieux me parler que les autres, qui m'ont toujours vue.

Bou-Bou rentre le premier, à la fin de l'après-midi. Il se prépare un sandwich énorme avec du jambon et du beurre et du roquefort. Ma sœur va hurler, comme tous les jours, en voyant ce qui reste pour les autres. Il revient de la piscine, en ville, il a encore les cheveux tout plaqués. Il a le visage d'un garçon de douze ans, comme ça. Il me dit quelque chose que je ne comprends pas, mais à voir sa tête, c'est gentil et sans importance, et il monte dans sa chambre pour lire ses livres sur l'avenir.

Un moment après, c'est Elle qui rentre. Je vois aussitôt qu'elle n'est pas la même que trois ou quatre heures avant. La peinture autour de ses yeux est partie. Elle est triste, ou pire que ça. Elle se lave les mains à l'évier. Elle ne me regarde pas. Je lui demande : « Tu as eu ton extrait de naissance ? Tu me le montres ? » Elle répond une grossièreté, très vite, je ne comprends pas mais je sais que c'est une grossièreté. Et puis, elle me regarde, elle soulève son épaule, elle tire le papier d'une poche de sa veste rouge, elle vient me le donner. C'est un extrait de naissance de la mairie du Brusquet-Arrame. Elle est née le 10 juillet 1956. Elle aura vingt ans dans quelques jours. Elle s'appelle Éliane, Manuela, Hertha, Wieck. Elle est née de Paula, Manuela, Wieck, naturalisée française, et de père inconnu.

Je reste sans parler un moment. Elle me reprend la

feuille. Elle la remet dans sa poche. Je dis enfin : « Tu portes le nom de ta mère ? » Le sang s'est retiré, j'en suis sûre, sous sa peau brunie au soleil, et son nez court est tout pincé. Ses yeux sont agressifs et pleins de larmes. Elle répond : « Ça vous dérange ? » J'entends presque les mots. Je dis : « Non, mais explique-moi. » Elle essuie ses yeux d'un revers de main, elle dit très clairement pour moi : « Il n'y a rien à expliquer. » Ensuite, elle s'en va. Je dis : « Ne t'en va pas. Je suis avec toi. » Mais elle ne m'écoute pas, elle monte.

Le soir, on est tous à table, elle a mis son blue-jean collant et son polo à manches courtes bleu marine, avec un poisson cousu sur la poche de poitrine. Florimond est à côté d'elle et la regarde. Et puis, il mange, il parle avec Mickey. Ensuite, il la regarde encore, et il voit qu'elle est préoccupée. Il attire sa tête vers lui et il l'embrasse dans les cheveux. On sent qu'il l'aime beaucoup, lui aussi. Je pense qu'il a vu son extrait de naissance et qu'il a demandé des explications. Et sans doute, elle a soulevé son épaule d'un coup sec, et il s'est dit : « Après tout, qu'est-ce que ça fait ? » Comme moi. Quand la petite est née, sa mère n'était pas mariée avec Devigne, voilà tout. Beaucoup de gens vivent toute leur vie ensemble sans être mariés. Mais bien sûr, le nom de Devigne devrait figurer sur l'extrait de naissance.

Je dis : « Florimond. Le mariage, c'est pour quand ? » Il me répond : « Le 17. C'est un samedi. » Ma sœur se penche vers moi et parle, et je ne comprends rien. La petite sourit de voir que ma sœur est une andouille, et elle répète avec ses lèvres : « Il faut dix jours, pour l'affichage à la mairie. » Les autres la regardent avec des têtes d'ahuris et je comprends que je ne me suis pas trompée : aucun son ne sort de sa bouche, elle se contente de dessiner les mots pour moi. Je fais oui, oui avec la tête, et je dis : « La Voix de son Maître. » Elle rit, elle rit. Et moi aussi. Et les autres nous regardent avec des têtes encore plus idiotes. Je dis à Florimond : « La Voix de son Maître. » Il ne comprend rien du tout, mais de nous voir rire toutes les deux, surtout elle, ça le gagne, il se met à rire lui aussi, et puis Mickey, qui n'attend toujours que la première occasion, et même Bou-Bou, qui garde sa fourchette en l'air et qui se demande ce qui se passe.

Il n'y a que ma sœur qui ne rit pas. Et moins elle rit, plus c'est drôle Si on voyait sa tête, à ma sœur, c'est à vous rendre malade. Et nous, on la voit. Je vous jure, elle avait dix ans à peine, une vraie pimbêche. Je crie : « Un corps d'albâtre ! » Là, Mickey crache le vin qu'il a dans la bouche, en plein à travers la table, et Florimond se retourne sur sa chaise en se tenant le ventre, plié en deux, et la petite et Bou-Bou qui ne sont même pas au courant rient encore plus. Ça leur fait mal mais c'est plus fort qu'eux, et moi, je tousse, et je tousse, mais je ne peux pas m'arrêter non plus. Enfin, voilà. Voilà comment ça se passe parce que ce pas grand-chose de Devigne, que je n'ai jamais vu, a fait un enfant à une pauvre femme et ne l'a pas reconnu. Et, bien sûr, ce n'est pas la peine d'arriver à mon âge pour le prévoir, la petite s'arrête d'un coup, alors que les autres rient encore, et elle en a trop sur le cœur, et elle laisse tomber sa tête sur ses bras croisés, au milieu des assiettes, et on voit ses épaules, son dos, secoués par les sanglots.

On reste là comme des statues de la pitié à la regarder, même ma soeur, cette andouille, et Florimond pose sa main sur les cheveux de la petite, et il lui parle doucement. Ensuite, il la fait lever, ils montent dans leur chambre, tous les deux. Ma sœur, et Bou-Bou, et Mickey me regardent comme si je devais leur expliquer. Je dis seulement : « C'est une bonne petite. Je voudrais aller dormir, moi aussi. »

Je dois attendre deux jours, trois jours peut-être, pour me retrouver seule, un après-midi, avec Elle. Quand on est vieille, l'impatience vous fait enrager encore plus. Elle a mis une nouvelle robe que sa mère lui a faite, blanche avec des dessins bleus et turquoise. Le bleu est exactement celui de ses yeux. Elle veut retourner voir sa maîtresse du Brusquet, elle prend le car de trois heures. Ma sœur lave des draps au bac de la source. Bou-Bou est parti après déjeuner avec Martine Brochard et une autre jeune fille qui n'est pas d'ici. Il m'a dit qu'il les accompagnait pour ramasser de la lavande dans la montagne. La mère Brochard, qui fait argent de tout, fabrique des sachets de lavande qu'elle vend aux touristes, pour mettre dans leurs armoires. Je ne sais pas laquelle lui plaît, à Bou-Bou, de Martine ou de l'autre jeune fille, mais je sais bien que ce n'est pas dans le souci d'enrichir la mère Brochard qu'il se donne le mal de grimper là-haut. Enfin, c'est la jeunesse.

Je dis à la petite : « J'ai beaucoup réfléchi, je voudrais te parler avant que ma sœur revienne. » Elle est en train de se laver les dents à l'évier, comme tous les matins et tous les soirs, et chaque fois qu'elle sort. Elle me fait signe qu'elle ne peut pas répondre. Elle est d'une propreté méticuleuse pour tout ce qui la touche. Elle a fait honte à ma sœur, une fois, en se mettant à table. Elle a regardé son verre à la lumière, en se tournant vers la fenêtre, et sans rien dire, elle est allée le relaver. Le reste, ce qui ne la touche pas personnellement, elle s'en fiche. On pourrait laisser toute la vaisselle sale dans la cuisine pendant un mois, elle irait manger dehors pendant un mois, sur ses genoux. Ma sœur la déteste encore plus. Moi, ça me fait rire.

Je dis : « Arrête de te laver les dents, viens près de moi. » Elle me regarde plusieurs secondes, avec du dentifrice qui mousse sur ses lèvres, elle jette un coup d'œil du côté de la source, en écartant le rideau de la fenêtre, puis elle se rince la bouche au robinet, elle s'essuie à la serviette, elle vient. Je jurerais qu'elle sait de quoi je veux lui parler. Je lui dis : « Assieds-toi. » Elle prend un coussin sur une chaise, juste le coussin, elle le pose par terre à côté de mon fauteuil et elle s'assoit dessus comme elle a l'habitude, les bras autour de ses genoux.

Je passe la main dans ses cheveux qui sont lourds, si beaux. Elle écarte la tête et je sais, sans l'entendre, qu'elle me dit : « Tu me décoiffes, j'ai mis quatre ans à les arranger, tout à l'heure. » Je sais maintenant comment elle parle. Je ne connaîtrai jamais sa voix et ce sera un regret de plus que j'emporterai. Ma sœur m'a expliqué sa voix. Les mots qu'elle a trouvés, c'est :

« acide », « fausse petite fille ». Elle m'a expliqué aussi que la petite parle avec l'accent allemand. Ça m'a surprise. J'ai demandé à la petite. Elle m'a répondu qu'elle le prend exprès, pour se rendre intéressante. Je vous jure, si elle n'existait pas, il faudrait l'inventer.

Je dis : « Je ne te décoiffe pas, va. » Elle répond quelque chose qui doit être : « D'accord, Hector, tu ne me décoiffes pas. De quoi tu voulais me parler ? » Je dis : « Je te raconte ma jeunesse, Marseille, Seausset-les-Pins, tu m'écoutes. Mais tu ne me demandes pas ce que tu veux savoir. Demande-le-moi. » Elle ne bouge pas, elle ne répond pas. Je dis : « Tu veux savoir qui était le camionneur qui a ramené le piano mécanique ici, en novembre 1955, huit mois avant que tu naisses. Je ne suis pas si bête que tu crois. J'ai tout mon temps pour réfléchir. »

Elle est tellement immobile, et ses cheveux sont tellement lourds et tellement vivants sous mes doigts. Je devrais lui dire simplement ce que je me rappelle, je n'ai pas besoin qu'elle me le demande. Moi aussi, je veux me rendre intéressante. Je sais que tant que je ne lui ai rien dit, je serai intéressante pour elle. J'ai peur qu'ensuite elle ne prenne plus la peine de s'asseoir près de moi, de m'écouter. Je ne pourrai plus raconter les souvenirs qui vont mourir avant moi, un par un, dans ma tête. Les autres, quand je commence à parler, ils ont tout de suite quelque chose à faire. Ma sœur, les chambres. Mickey, son vélo. Bou-Bou, ses devoirs. Florimond, lui, il n'est jamais là, ou pas assez. Il gagne l'argent pour faire vivre tout le monde, il n'a pas le temps d'écouter Cognata.

Je dis à la petite : « Regarde-moi. » Je prends son
visage dans mes mains pour l'obliger à se tourner. Elle
me regarde avec ses yeux bleus qui semblent vous
traverser sans accrocher les vôtres, mais elle vous voit
bien, vous pouvez en être sûr. Je murmure :
« Demande-moi. » Elle secoue doucement la tête sans
cesser de me regarder. Elle est oppressée, j'en suis
certaine, mais elle ne voudra pas en démordre.

Je me penche, je lui dis : « Une femme comme moi
qui n'a pas eu d'enfant, elle est plus attentive, parce
que c'est toi, maintenant, qu'elle aurait aimé avoir. »
Elle ne comprend pas ce que je veux dire, elle répond
avec fierté : « J'ai déjà ma mère. » Je dis : « Je sais,
idiote. Je veux t'expliquer que tu peux avoir confiance
en moi » Elle soulève une épaule, elle s'en fiche. Je
répète « Demande-moi. » Elle articule : « Demander
quoi ? Qui a ramené cette saleté de piano ? Qu'est-ce
que vous voulez que ça me fasse ? » Elle veut se lever,
mais je la retiens par le bras. Quand je veux, je suis
encore forte. Je dis : « Tu as demandé à Florimond, et
à Mickey. Ils étaient trop petits pour se rappeler. Tu
as demandé à ma sœur. Elle n'était même pas là, ce
soir-là. Elle était partie au Panier, pour aider la mère
Massigne, dont le mari venait de mourir. Tu sais
comment il est mort, le père Massigne ? Écrasé par son
tracteur. Ma sœur n'est rentrée que le lendemain, pour
nous faire à manger. C'est pour ça que je me rappelle
si bien. Il n'y a que moi qui peux te dire. Et tu ne veux
pas me demander. »

Elle réfléchit plusieurs secondes sans que ses yeux
bleus quittent les miens. Et puis, elle prend sa
décision, elle me dit avec les lèvres : « Je ne vous

demanderai rien. Je veux me marier avec Pin-Pon, c'est tout. » Elle se relève, elle arrange sa robe avec des gestes brusques, et elle ajoute, bien formé sur ses lèvres : « Patate ! » Et elle s'en va, en fermant brutalement la porte, prendre son car pour Le Brusquet.

Je me lève, je m'appuie d'une main à la longue table pour marcher. Je crie : « Éliane ! » Je ne l'ai pas vue passer derrière la vitre de la fenêtre, je ne sais pas si elle est vraiment partie. Je dis, assez haut pour qu'elle entende si elle se trouve encore près de la porte : « Il s'appelle Leballech. Il était avec son beau-frère. Leballech ! Tu m'entends ? » Je vois la poignée qui bouge et la porte qui s'ouvre à nouveau, et elle est là, sur le seuil. Elle me regarde avec un visage plus vieux, beaucoup plus vieux que vingt ans, et tellement froid, tellement sans cœur. Je dis : « Leballech. Il travaillait pour Ferraldo, le patron de Mickey. Ils ont bu du vin dans cette pièce, lui, son beau-frère et le mien. Il faisait nuit, et il y avait de la neige dans la cour, derrière toi. » La petite, instinctivement, tourne la tête pour regarder derrière elle. Je demande : « Ma sœur est là ? » Elle fait signe calmement que non. Je dis : « Leballech était assis au bout de la table, là, et son beau-frère, ici, et Lello à ma place. Ils avaient descendu tous les trois le piano du camion. Ils l'ont laissé dans la cour. Florimond était contre les jambes de son père. Ils sont restés peut-être une heure à parler et à rire, comme les hommes ensemble. Ensuite, le grand Leballech et son beau-frère sont partis. »

Elle n'ouvre pas la bouche. Elle se tient droite dans sa robe neuve, le visage vieilli, l'air de n'avoir plus de cœur. Je dis doucement : « Rentre. Referme cette

porte. » Elle referme la porte. Mais elle ne rentre pas.
Elle la referme sur moi et elle s'en va. Je crie :
« Éliane ! » Mais elle ne revient pas, cette fois. Je
retourne pas à pas jusqu'à mon fauteuil. Je ne sais plus
quelle heure il est. Le matin ou le soir. Je me rassois
dans mon fauteuil. Je sens mon cœur qui bat et que
l'air me manque. Je me force à penser à autre chose.
C'est une bonne petite, je veux qu'elle reste ce que je
crois, une bonne petite.

Je pense à la joie de mon mari, quand on a cru, en
1938, que nous allions avoir un enfant. C'était l'été,
comme aujourd'hui, mais le soleil était plus près de
nous. On m'a emmenée à l'hôpital. Ce n'était pas vrai,
je ne pouvais pas avoir d'enfant, ou c'est lui qui ne
pouvait pas. On a continué à vivre, à y croire quand
même. Il était employé des trams. Ma sœur était
retournée à Digne, travailler comme repasseuse. Moi,
j'ai mon brevet, j'aurais voulu être institutrice comme
celle que la petite est allée voir, maintenant. On n'a
jamais ce qu'on veut, dans la vie. On vous tue votre
mari. Vous n'avez rien à dire. On vous enlève un à un
tous les étés, jusqu'à ce que le soleil soit si loin que
vous avez froid en juillet. Taisez-vous. C'est samedi,
après-demain, que la petite aura vingt ans. Je peux lui
donner deux mille francs sur mon argent. Il m'en
restera six mille. C'est bien assez pour l'enterrement
de deux veuves. Je me demande comment j'ai pu, moi,
le 27 mai 1944, lâcher la main de mon mari quand la
bombe est tombée. Je ne sais pas. Il n'y a pas
d'explication. Je ne peux pas me mettre dans l'idée que
la bombe était plus forte que nous.

L'acte d'accusation

Ils sont arrivés au milieu du jour, le soleil était au-dessus de ma tête. Il y avait de la neige partout sur les montagnes et les sapins, devant la maison, mais le soleil était chaud comme en avril. Je savais qu'il ferait beau jusqu'au soir, et puis le vent viendrait du nord et il neigerait encore. Je connais la terre, je connais le ciel. Je suis fille de paysans. Je suis née à Fiss, dans le Tyrol. Tout le monde me croit allemande, mais je suis autrichienne. Les Français ne font pas la différence. Ils m'appellent Eva Braun.

Quand j'étais jeune, douze ans, treize ans peut-être, je lavais les sols avec ma mère et ma cousine Hertha dans un grand hôtel, le *Zeppelin*, à Berlin, et le portier, un homme redoutable qui me donnait des tapes quand je n'allais pas assez vite, a dit brusquement : « Regardez dans la rue, c'est Eva Braun. » On a tous couru devant les vitres qui montaient jusqu'au plafond. Il s'était payé notre tête. On a vu pourtant une jeune femme blonde qui sortait du ministère en face, avec d'autres dames et des officiers. Je me rappelle ses cheveux bien coiffés, son petit chapeau, un air de

douceur. Il y avait beaucoup d'autos grises. Mais bien
sûr, ce n'était pas Eva Braun. Le directeur qu'on
appelait Herr Schlatter et qui était un homme bon,
nous a dit : « Ne restez pas là. Allez-vous-en. » C'était
dans la Wilhemstrasse, la plus belle rue de Berlin, en
face du ministère de l'Aviation. Dans le hall de l'hôtel,
sur tout le mur du grand escalier, il y avait un
Zeppelin reproduit en céramique, comme un immense
timbre-poste de 75 pfennigs. Mais auparavant, j'étais
à Fiss, dans le Tyrol. Je connais la terre, le ciel, et les
montagnes.

Quand ils sont arrivés, j'étais dehors, à la lisière du
bois. J'ai vu le camion grimper la colline, de virage en
virage. C'était un samedi, en novembre 1955. Je savais
qu'ils s'étaient trompés de route. Il y avait un embran-
chement, quatre kilomètres avant Arrame, et quelquefois les automobilistes se trompaient. Sinon, personne
ne montait jamais jusque chez nous. Je tenais dans la
main, par les pattes de derrière, un lapin qui s'était
pris dans un des collets de Gabriel, à vingt mètres de
notre chemin d'accès. Je n'avais que ma combinaison
sous mon vieux manteau de l'armée américaine, et à
mes pieds des bottes en caoutchouc. Je venais probablement de me laver, après avoir travaillé tout le matin
dans la maison. Et puis, j'avais dû sortir sans me
rhabiller en apercevant le lapin mort par la fenêtre de
la chambre. Je l'ai dit, on ne voyait jamais personne.

J'ai fait quelques pas dans la neige, à la rencontre du
camion. Ils étaient trois derrière la vitre, mais seul le
conducteur est descendu. Il était grand, les cheveux
coupés ras, il portait une canadienne avec un col de
mouton. Il m'a dit : « Je crois qu'on s'est trompé. Où

est Arrame? » La buée sortait de sa bouche quand il parlait, pourtant le soleil était chaud comme en avril. J'avais vingt-sept ans. Je tenais mon manteau fermé sur ma gorge d'une main, le lapin mort dans l'autre. J'ai répondu : « Vous vous êtes trompés à la fourche. Il fallait continuer à gauche, le long de la rivière. » Il a remué la tête pour dire qu'il comprenait. Il était surpris par mon accent et il regardait mes genoux sous mon manteau entrouvert. Je ne sais pas pourquoi, j'ai ajouté : « Excusez-moi. » Les autres aussi me regardaient derrière la vitre. Il m'a dit : « C'est un beau lapin que vous avez là. » Il a tourné la tête vers la maison, les montagnes autour de nous. Il m'a dit : « Vous êtes bien tranquille, ici. » Je ne savais pas quoi répondre. Il y avait un grand silence sur la neige, on n'entendait que le bruit du moteur au ralenti. A la fin, il m'a dit : « Bon, eh bien, merci. On s'en va. » Il est remonté dans son camion. Ils ne cessaient pas, tous les trois, de me regarder. J'ai attendu qu'ils aient fait demi-tour et qu'ils soient partis pour revenir vers la maison.

J'étais seule depuis la veille et jusqu'au lendemain. Gabriel, comme toutes les trois semaines, était chez sa sœur Clémence, à Puget-Théniers. Moi, elle n'a jamais voulu me recevoir. Au silence de la maison et des alentours, à ma façon de me tenir aussi, le conducteur avait peut-être deviné que j'étais seule. L'idée ne m'a pas inquiétée. J'étais très timide en ce temps-là, encore plus que maintenant, mais pas particulièrement peureuse. J'avais épuisé beaucoup de ma peur pendant les derniers mois de la guerre.

J'ai dépiauté le lapin, je l'ai porté dans le garde-manger de la cave, où il y en avait déjà d'autres. On ne mangeait que du lapin, cet hiver-là. Ensuite, je ne sais pas ce que j'ai fait. Je me suis habillée vers deux heures, trois heures. A ce moment, devant le miroir de la chambre, j'ai pensé aux trois hommes dans le camion. J'ai pensé à la manière dont l'un d'eux surtout me regardait à travers la vitre, en bas du chemin, quand je n'avais que ma combinaison sous mon manteau. J'ai senti mon cœur battre plus lourd. Je ne veux pas dire que c'était un sentiment d'angoisse, c'était autre chose. J'ai honte, mais c'est vrai. J'avais beau ne pas aimer Gabriel — sauf peut-être au début, quand on était sur les routes pour fuir l'Allemagne —, je ne l'avais jamais trompé. Pourtant, j'avais cette sensation du cœur qui bat plus lourd quand un homme me regardait avec insistance et que je pensais qu'il me désirait. Puisque je n'étais pas infidèle, je me disais : « C'est de la coquetterie. » Je sais à présent que je suis comme ma fille, ou que malheureusement elle est devenue comme moi. Elle croit qu'on l'aime parce qu'on veut lui faire l'amour. Je ne lui ai jamais dit toute la vérité quand elle me harcelait, je ne pouvais pas. Personne ne le pourrait. Je ne lui ai pas dit que devant le miroir de la chambre, avant de passer ma robe, un trouble qui me plaisait m'a serré la gorge. Je ne lui ai pas dit que j'aurais pu descendre au village, à ce moment-là, me réfugier chez quelqu'un en expliquant que j'étais seule et que j'avais peur. Ils m'auraient appelée Eva Braun, ils se seraient regardés avec des airs qui m'auraient humiliée, une fois de plus, mais rien ne serait arrivé. Au lieu de ça, je dis à ma fille : « Justement. Je ne peux pas regretter que ce soit arrivé. Tu ne serais pas là, tu comprends ? Je préfère mille morts mais que tu sois là. » Elle ne comprend pas, elle reste fixée, elle, sur sa seule pensée, sur son papa qu'on lui a pris, un autre jour d'horreur.

Oui, je me rappelle qu'avant d'enfiler par la tête ma robe en jersey bleu, je me suis immobilisée un instant devant le miroir en revoyant les yeux de cet homme. Pas le conducteur en canadienne qui m'avait parlé, ni le plus jeune, qui portait un béret basque et qui fumait une cigarette derrière la vitre. Celui qui avait les yeux noirs, très brillants, une épaisse moustache noire, et qui savait que je n'avais que ma combinaison sous mon manteau, et qui me voulait. Je me suis regardée avec ses yeux à lui, dans le miroir, et j'ai senti mon cœur battre plus lourd. Ou peut-être, j'invente, je m'accuse pour me punir d'autres péchés. Peut-être, ce n'était vraiment que l'angoisse qui me serrait la gorge, la même qui immobilise brusquement les animaux, les lapins, bien avant que les chasseurs arrivent.

J'étais dans la grande pièce, quand ils sont revenus. J'ai vu à travers la fenêtre embuée le camion qui, cette fois, montait notre chemin jusqu'à la maison. J'ai pensé, le cœur comme arrêté : « Non, ce n'est pas vrai, non. » Mais je savais bien que c'était vrai, que c'était ma vie. Je suis sortie sur le pas de la porte. Ils sont descendus tous les trois. Ils ne parlaient pas. Seul, le plus jeune souriait, d'un sourire crispé, comme une grimace de peine. Ils étaient ivres, je le voyais, ils avaient cette démarche appliquée des hommes ivres. Ils s'approchaient de la porte en s'écartant les uns des autres. Ils me regardaient fixement, sans rien dire, et tout ce que j'entendais dans le monde vide et blanc alentour, c'était le clapotis de leurs semelles dans la boue, sur la surface devant la maison où j'avais déblayé la neige.

J'ai crié. J'ai fui à travers la grande pièce, je suis passée par la réserve où, plus tard, on a fait la chambre de ma fille. Mes jambes ne me portaient pas. J'ai perdu du temps à tirer les verrous de la porte et quand je l'ai ouverte, l'un d'eux, celui qui m'avait parlé le matin, était devant moi. Il m'a frappée. Il me disait des mots que je ne comprenais plus. Ensuite, les deux autres étaient avec lui. Ils m'ont emportée jusqu'à la chambre. Ils ont déchiré ma robe. Quand j'ai crié, ils m'ont frappée encore. Le plus jeune a dit : « Tu sais ce qu'on va te faire, si tu cries ? » J'étais par terre, je pleurais. Il m'a dit : « On va te briser l'os du nez, toutes tes dents avec un tisonnier. » Il m'a laissée là, aux pieds des deux autres, il est revenu de la grande pièce avec le tisonnier. Il m'a dit d'un air mauvais : « Eh bien, vas-y, crie. » Celui qui m'avait parlé le matin a jeté sa canadienne sur le lit et il m'a dit, en se penchant sur moi : « Tu as tout intérêt à rester tranquille. On ne te fera pas de mal si tu te laisses faire. » Le plus jeune m'a dit : « Enlève ta robe, salope. » Il a brandi le tisonnier au-dessus de mes yeux, et je pleurais, j'ai dit oui. Je me suis mise debout, j'ai enlevé ma robe déchirée. Alors, ils m'ont poussée sur le lit. Celui qui m'avait parlé le matin n'arrêtait pas de dire : « Sois sage, va. On te laisse, après. » Ils m'ont fait retirer ma culotte et ils m'ont prise. D'abord, deux me tenaient les jambes et les bras quand le plus jeune était sur moi, mais ils ont senti que je ne me défendais pas, ils m'ont lâchée. Celui qui avait les cheveux et les yeux noirs m'a prise en second, en m'embrassant la bouche. Celui qui m'avait parlé le matin est resté seul dans la chambre avec moi. Quand il a eu son plaisir, il m'a dit : « Tu as eu raison de ne pas faire d'histoire. Ça ne vaut pas la peine d'être défigurée. »

Il est allé rejoindre les autres dans la grande pièce, en laissant la porte ouverte. Je ne pleurais plus, je n'arrivais plus à penser à rien. Je les ai entendus fouiller dans les placards et se mettre à boire. Et puis, celui qui avait les yeux noirs et une épaisse moustache est venu près de moi, et il m'a dit : « Viens. Ils veulent manger. » J'ai voulu prendre d'autres vêtements dans mon armoire mais le plus jeune s'en est aperçu et il s'est précipité dans la chambre en criant : « Ah, non ! » Il m'a attrapée par un bras et il m'a envoyée à travers la grande pièce. Ils avaient arraché les bretelles de ma combinaison en tirant dessus, quand j'étais sur le lit, et je devais la tenir d'une main pour couvrir ma poitrine. Ils riaient de me voir comme ça.

Ensuite, ils m'ont obligée à boire du vin. De grands verres. Le plus jeune me tenait par les cheveux en disant : « Allez, bois, ma jolie », et il me regardait avec des yeux méchants. J'ai fait cuire un lapin. Je ne savais plus l'heure qu'il était, sauf que la nuit était venue. A un moment, celui qui avait les yeux noirs et que les deux autres appelaient « l'Italien » a ouvert la porte sur la nuit et sur la neige. Il a respiré l'air froid du dehors. Le plus jeune a dit au conducteur du camion : « Regarde toutes ces étoiles, c'est pas beau, ça ? » Il a voulu que je vienne regarder aussi. On n'entendait, par la porte ouverte, que le souffle du vent

qui arrivait du nord entre les montagnes. J'étais ivre,
je devais me tenir au mur pour rester debout.

Le conducteur m'a assise sur ses genoux pendant
qu'ils mangeaient et buvaient et me forçaient à boire.
Ils ont parlé d'avoir de la musique. Ils riaient. Moi
aussi, je crois, ou je pleurais en même temps, j'étais
ivre pour la première fois de ma vie. Ils m'ont mis mon
manteau de l'armée américaine sur les épaules et
m'ont fait sortir dans la neige. Ils m'ont montré le
piano mécanique à l'arrière du camion. C'était un
lourd et haut piano, vert foncé dans la lumière qu'ils
avaient allumée au-dessus de notre porte, et il y avait
un grand M doré sur le devant. Il était tenu par des
cordes pour ne pas basculer. Ils l'ont fait jouer. J'étais
tombée à genoux dans la neige, je me passais de la
neige sur le front, sur les joues, et j'entendais cet air
dans la nuit, que le vent devait emporter par bouffées
jusqu'au village : *Roses de Picardie*. Le conducteur du
camion m'a relevée, il a voulu que je danse avec lui. Je
ne pouvais pas. Je restais sans force dans ses bras, je
sentais ma tête ballottée sur son épaule et mes pieds
qui traînaient dans la neige.

Plus tard, ils ont bu du marc et m'en ont fait boire,
et le plus jeune m'a fait mettre nue dans la cuisine pour
continuer à me tourmenter. J'ai entendu l'Italien dire :
« On arrête. Ça va comme ça. » Mais le plus jeune ne
voulait pas s'arrêter, ni le conducteur du camion. Je
sais que je disais : « Ça m'est égal. Maintenant, ça
m'est égal. » Je n'ai que des morceaux de souvenirs de
tout cela. Je ne me rappelle plus la durée. Je leur ai dit
que je m'appelais Paula. J'ai fumé une cigarette
française que m'a donnée le plus jeune. Quand je

voyais leurs visages, il me semblait que je les connaissais depuis longtemps, longtemps. Ils m'ont ramenée
dans la chambre et ils m'ont prise de nouveau, et le
plus jeune me forçait à répéter que j'étais « leur petite
femme ». Quand je fermais les yeux, tout tournait
encore plus, le monde entier basculait avec moi.

Plus tard encore, j'avais vomi dans l'évier. Ils m'ont
remis mon manteau sur les épaules et le conducteur du
camion m'a fait asseoir sur le banc devant la table et il
m'a passé lui-même mes bottes en caoutchouc. Ils
m'ont entraînée dehors en disant qu'ils partaient, qu'il
fallait que je leur dise au revoir. Ils m'ont embrassée
sur la bouche un par un et je me suis laissé faire, alors
qu'à l'intérieur de moi, je ne voulais pas. Non pas
parce que ça avait de l'importance, après ce qu'ils
m'avaient fait, mais pour une idée de femme saoule :
j'avais peur de sentir le vomi. Le plus jeune m'a dit :
« Je te conseille de te taire. On pourrait revenir, sinon.
Et je te casserai l'os du nez, toutes tes dents. » Avant
de monter dans la cabine, il a ajouté : « De toute
manière, on serait trois pour dire que tu voulais bien. »
L'Italien est resté le dernier avec moi, à côté du
camion. Il titubait, en veste et pantalon de gros velours
côtelé. Il a sorti avec difficulté un serre-billets en or de
sa poche et il m'a donné de l'argent. C'était cent francs
d'aujourd'hui. J'ai dit non, très bas, mais il m'a dit :
« Si, prends-les », d'une voix sourde, et il a refermé ma
main dessus.

J'ai regardé les phares et les feux rouges du camion
descendre la colline, et puis ils ont disparu derrière les
sapins. J'étais nue sous mon manteau, j'avais froid.
J'étais heureuse d'avoir froid. Je suis tombée à nou-

veau dans la neige avant d'arriver à la porte ouverte.
Je me suis traînée à l'intérieur de la maison en tirant
mon manteau derrière moi. Quand je me suis sentie
sur le carrelage, j'ai repoussé la porte avec les pieds. Je
savais, à travers le chaos qui traversait ma tête, goutte
de sang par goutte de sang, que je ne pourrais pas
atteindre mon lit. J'ai ramené mon manteau sous moi
et sur moi. J'ai pensé : « La cuisinière est encore
allumée. Il faudrait que tu t'approches de la cuisinière. » Je ne pouvais plus. Je n'avais mal nulle part.
Mes membres étaient vides. J'entendais un bruit
saccadé, bizarre, qui n'était pas celui du réveil sur
l'appui de la cheminée. J'ai cherché longtemps avant
de comprendre que c'était mes dents qui s'entrecho-
quaient. Alors, j'ai hurlé de toutes mes forces et je me
suis mise à sangloter, en espérant que le lendemain je
serais morte.

Gabriel, en rentrant, m'a trouvée à la même place,
recroquevillée dans mon manteau, sur le carrelage.
Mes pieds étaient en travers de la porte et je suis
revenue à moi quand il a essayé de l'ouvrir. Il était
mécontent parce que la lumière, dehors, était restée
allumée toute la nuit. J'ai déplacé mes jambes, et alors
il a poussé la porte et il m'a vue. Il a vu aussi les
assiettes sales et les bouteilles sur la table, il est resté
sans voix. Puis il m'a soulevée et il m'a portée sur le lit
de la chambre. Les draps et les couvertures étaient par

terre, et il les a ramassés, il m'a recouverte. Il est resté allongé contre moi pour m'empêcher de grelotter. Il disait : « Ce n'est pas possible. Ce n'est pas possible. » Un grand jour blanc traversait les rideaux de la fenêtre, et j'ai pensé que j'avais dormi longtemps. En ouvrant les yeux, quand Gabriel avait poussé la porte, j'avais été surprise de ne pas me réveiller dans la cave où je dormais, les dernières semaines, à Berlin. Il y avait pourtant plus de neuf ans que j'habitais cette maison.

Il est allé faire du café. Je l'ai entendu rallumer la cuisinière. Il a eu tout le temps de réfléchir au désordre qu'il y avait dans la grande pièce, car en revenant, il a dit seulement : « Les salauds. Je vais chercher les gendarmes. » Il avait gardé son pardessus, son cache-nez. J'ai bu un grand bol de café. Je sentais mes lèvres enflées, bizarres, et mon œil droit aussi. La veille, je ne m'en étais pas rendu compte, mais à la manière dont Gabriel a passé les doigts sur mon visage, j'ai compris que je devais avoir des marques où on m'avait frappée. Il m'a demandé : « Tu les connais ? Ce sont des gens d'ici ? » J'ai fait signe que non. Il a répété : « Je vais chercher les gendarmes. » Mais je savais qu'il ne le ferait pas. J'ai dit, pour lui faciliter les choses : « Même si on les retrouve, on ne me croira pas, ils m'ont avertie. Ils diront que j'ai bien voulu. » Il m'a regardée, en secouant nerveusement la tête : « On t'a battue, ça se voit. » J'ai dit alors : « Toi aussi, tu m'as battue. Et ça se voyait. » J'ai ajouté, au bout d'un moment : « Ne fais rien. Tout le monde le saurait, on se moquerait de nous. » Il a frappé sur ses cuisses, avec ses poings serrés, assis sur le lit, mais il n'a pas répondu.

Il est resté longtemps comme ça, immobile. Et puis, sans se tourner vers moi, il a dit : « Je les retrouverai. Je les tuerai de mes propres mains. » Cela non plus, je savais qu'il ne le ferait pas. Il avait trente-trois ans alors, et vingt-trois quand je l'ai connu. C'était un homme qui avait peur de tout. Il était orgueilleux d'être le garde en même temps que le cantonnier de la commune, car il se sentait protégé par son insigne où était écrit : LA LOI. Mais à part moi et de pauvres bougres qui vagabondent, il ne s'est jamais mis en querelle contre personne, sauf pour son argent. Il était encore plus avare que peureux, et c'est pourquoi je ne l'aimais pas. Je ne lui avais demandé qu'une seule fois de m'épouser : en 1946, juste avant la naissance de notre enfant. S'il ne l'a jamais fait, c'est pour ne pas se fâcher avec sa sœur Clémence, qui a du bien de sa belle-famille et qui lui a promis l'héritage. Autant que j'ai pu le comprendre, après tant d'années, il s'agit de la maison qu'elle habite à Puget-Théniers et de trois hectares de vignes.

On a passé ce dimanche ensemble dans la maison, ce qui ne nous était pas arrivé depuis longtemps. Il avait promis d'aller déblayer la neige devant la mairie et dans le chemin que les enfants prenaient pour monter à l'école mais il ne l'a pas fait. Je me suis lavée et habillée. Dans le miroir, j'ai vu que j'avais une boursouflure noirâtre sur une pommette et les lèvres enflées du même côté. Tout autour de mon œil droit, c'était enflé aussi, comme une fois, à Fiss, quand j'avais été piquée par une guêpe. J'avais pris froid et ça m'était égal car je suis très résistante aux maladies de l'hiver, mais de me voir ainsi, il me reprenait envie de pleurer. Sur les bras, sur les jambes, j'avais des marques plus légères, et sur l'épaule gauche, le bleu du coup de poing que l'un d'eux m'avait donné quand ils m'avaient attrapée dans la réserve. C'est ce coup de poing qui m'a fait mal le plus longtemps.

J'ai raconté à Gabriel ce qui s'était passé, le mieux pour lui que j'ai pu dans une langue qui n'est pas la mienne. Tout l'après-midi, il a marché de long en large, en me harcelant de questions sur ce qui ne pouvait lui faire que du mal et en buvant du vin pour se convaincre « qu'il les tuerait de ses propres mains ». J'ai fait la vaisselle, j'ai remis la maison en ordre, je suis allée donner à manger aux poules. A un moment, j'ai eu envie de rire en voyant que la vie continuait, qu'il n'était, pour ainsi dire, rien arrivé. Gabriel, qui me suivait partout, m'a demandé : « Pourquoi tu ris ? » J'ai répondu : « Je ne sais pas. C'est nerveux. » Il a baissé la tête. Il a tourné encore longtemps dans la grande pièce, et puis brusquement, il est allé prendre ses bottes et son blouson de cuir, il m'a dit : « J'appelle le docteur. Tu ne me connais pas. Même le docteur, c'est eux qui vont le payer. »

Il est parti à pied téléphoner au village. La nuit était tombée. J'ai inspecté à nouveau toute la maison, un chiffon à la main, pour le cas où le docteur viendrait. C'est à ce moment, comme le détail d'un rêve, que j'ai revu brusquement l'Italien mettre de l'argent dans ma main avant de remonter dans le camion. J'ai retrouvé les deux billets froissés dans une poche de mon manteau kaki. Je ne sais pas si c'était la fièvre ou la peur que tout se retourne contre moi, je tremblais des pieds à la tête. J'ai jeté les billets dans le feu de la cuisinière et j'ai attendu d'être bien sûre qu'il n'en restait rien avant de remettre la plaque dessus.

Quand Gabriel est rentré, trois quarts d'heure plus tard, et qu'il m'a dit : « Le dimanche, le docteur n'est pas chez lui, mais il sera prévenu », j'ai pensé qu'il n'avait pas osé téléphoner du tout, ni rien faire au dernier moment, comme d'habitude, et au fond, j'étais soulagée. Je me trompais. Le Dr Conte est arrivé dans sa traction-avant quand nous étions à table et que Gabriel avait pleuré. Le Dr Conte avait quarante ans, à cette époque. Il courait tout le pays en bottes de caoutchouc et grosse veste à carreaux pour soigner les enfants et accoucher les femmes. Je n'avais pas un grand respect pour lui, parce que j'étais sotte et que sa tenue n'était pas celle d'un docteur comme on l'imagine, mais j'ai changé à partir de ce soir-là. Il m'a examinée dans la chambre, en demandant à Gabriel de rester dehors, et il m'a dit : « Si tu veux porter plainte, je serai avec toi. » J'ai dit que je ne voulais pas qu'on le sache. Il a seulement remué la tête et il est sorti pendant que je me rhabillais.

Dans la grande pièce, il s'est assis à la table pour faire une ordonnance et je lui ai servi un verre de vin. Il a dit à Gabriel : « Elle a été battue, je peux le certifier. Qu'est-ce que vous comptez faire ? » Gabriel a dit : « Battue ? Et le reste ? » Le Dr Conte a haussé les épaules. « Elle a été violée, non ? » a dit Gabriel. Le Dr Conte a répondu : « Elle a été violée parce qu'elle me le dit et que je la crois. Maintenant, qu'est-ce que vous comptez faire ? » Gabriel s'est mis en face de lui, de l'autre côté de la table et il a dit : « Qu'est-ce que vous feriez à ma place ? » Le Dr Conte a répondu : « A votre place, je n'aurais pas perdu toute une journée. On les aurait déjà retrouvés, quoi qu'il m'arrive. Maintenant, si vous voulez, je conduis votre femme à l'hôpital de Draguignan. J'aurai toutes les preuves qu'il faut. » Gabriel m'a regardée, puis il a baissé la tête. J'ai dit : « Ce n'est pas Gabriel, c'est moi qui ne veux pas. Je suis une étrangère. Les gens du village se moqueraient de nous et ils diraient que je suis une mauvaise femme, ils ne me croiraient pas. »

Le docteur n'avait pas bu son verre de vin. Il a repris sa serviette sur la table, en se levant, et il m'a dit : « Je ne suis pas d'accord avec toi. » J'ai rencontré ses yeux et ils étaient bleus, avec des rides sous les paupières, les yeux d'un homme qui n'était pas d'accord avec moi ni avec beaucoup d'autres choses, et fatigué.

J'ai connu Gabriel en avril 1945, quand nous avons fui Berlin et que je suivais, avec ma mère et d'autres réfugiés, les colonnes des soldats qui allaient vers le sud. C'était dans un village, un matin très tôt, près de Chemnitz. Nous avions déjà perdu ma cousine Hertha, qui avait trois ans de plus que moi, entre Torgën et Leipzig, parce qu'elle avait trouvé un camion et nous un autre. Et c'est ce matin-là que j'ai perdu ma mère. Je crois qu'elle a changé de direction, qu'elle est allée vers Kassel, à l'ouest, où elle avait des amis, et qu'elle est morte en route.

Quand j'ai vu Gabriel pour la première fois, il était comme un chien abandonné, il portait un long ciré noir qui n'avait plus qu'une manche, un bonnet de laine qu'il avait descendu sur ses oreilles, il buvait de l'eau à la fontaine de ce village dont j'ai oublié le nom. J'avais dix-sept ans et lui, bien que de six ans plus âgé, il avait l'air, comme tous les Français, d'être puni pour une faute qu'il n'avait pas commise. J'ai compris tout de suite qu'il était français. J'avais soif, moi aussi, mais c'était *sa* fontaine. A la fin, ma mère lui a donné un bon coup de son sac dans le dos.

On a marché tous les trois dans ce village. Je parlais un peu français pour avoir rencontré, à Berlin, des travailleurs obligatoires comme lui. J'ai compris qu'il voulait descendre vers le sud, lui aussi. Ma mère a dit qu'elle allait chercher du jambon, qu'on lui avait dit où elle pouvait en trouver. Elle était comme moi maintenant. Elle avait quarante-cinq ans, des cheveux châtain-blond qu'elle nouait derrière la nuque avec des épingles. Elle avait sur elle son vieux manteau noir à col de loutre, et c'est la dernière fois que j'ai vu ma mère. Je ne le savais pas encore, bien sûr, et j'étais contente d'être loin de Berlin et de montrer que je savais un peu de français, j'avais l'impression que tout allait s'arranger. Nous allions à nouveau trouver un camion et, pour une fois, il aurait assez de carburant pour nous emmener jusqu'au Danube. Ma mère disait toujours : « Quand tu verras le Danube, les ennuis seront finis. » Et elle avait raison, d'une certaine manière, sauf que j'ai vu le Danube loin de Linz, en

Autriche, où nous voulions aller, mais c'est un fleuve très long, la vie aussi, et j'étais encore une gamine.

Quand les avions américains sont arrivés sur le village et ont commencé à mitrailler les convois de soldats, Gabriel et moi, nous avons couru à travers les rues étroites, et un officier nous a poussés dans un camion avec un revolver, en criant qu'il allait nous tuer pour de bon. J'ai perdu ma mère là. Je criais que ma mère était dans le village, qu'il fallait l'attendre, mais le camion roulait, j'avais perdu ma mère. J'ai regardé, depuis, des cartes de l'Allemagne. Je ne me rappelle pas le nom du village. Je ne sais même pas le jour. C'était en avril. C'était près de Chemnitz. La veille au soir, dans une grange, elle avait parlé d'aller vers Kassel, à l'ouest, où elle avait des amis, et elle a dû penser que je me rappelais, que j'irais vers Kassel moi aussi. Je ne sais pas. J'ai écrit à Kassel, j'ai écrit à Fiss. Personne n'a jamais su.

J'ai vu le Danube à Ulm, une dizaine de jours plus tard. C'était un grand fleuve gris comme les autres. Gabriel était content parce que c'était des soldats français qui arrivaient dans cette région et il y avait un drapeau bleu, blanc, rouge sur la citadelle. J'avais déjà sur moi mon chaud manteau de l'armée américaine que j'avais pris à un mort, dans un champ. Un officier français a emmené Gabriel pour lui parler. Je suis restée dans un dépôt, sur une voie de chemin de fer, et au petit matin, j'ai marché le long de la voie, et j'ai trouvé Gabriel. Ils l'avaient battu, parce qu'il ne voulait pas être soldat, et je lui ai dit : « Ne pleure pas, ne pleure pas. On va aller à Fiss, c'est mon pays, je connais les gens. »

Nous avons d'abord marché vers Fiss, mais les soldats et les chars français arrivaient maintenant de partout à travers le Wurtenberg, et la dernière semaine d'avril, à Kemten, nous avons rebroussé chemin vers le nord. Gabriel avait peur de rester avec ses compatriotes et qu'ils le traitent de poltron et qu'ils le battent encore. La nuit, nous dormions dans les bois, avec d'autres réfugiés, ou sur un camion quand on en trouvait un. La nourriture était moins difficile à trouver qu'un camion, surtout quand nous étions avec les Américains. Ils avaient beaucoup plus de ravitaillement que les Français, ils nous en donnaient. Je me rappelle ces belles boîtes en carton qui avaient l'air cirées par-dessus et tout ce qu'il y avait dedans : des conserves *Meat and Vegetables,* de l'ananas au sirop, du fromage, des biscuits, du chocolat, des cigarettes, et même du chewing-gum Dentyne, tout ce qu'il faut à un soldat pour une journée.

Gabriel, pendant plusieurs semaines, a travaillé pour les Américains à Fulda, quand l'armistice a été signé. Nous avions une chambre dans un baraquement et Gabriel s'occupait des prisonniers allemands qui réparaient les ponts. Nous avions beaucoup à manger, des vêtements, tout. Une fois, un soldat américain a même déposé sur l'appui de ma fenêtre des bas de soie, avec une lettre en mauvais allemand pour me demander un rendez-vous. J'ai déchiré la lettre et je n'y suis pas allée, parce que je faisais l'amour avec Gabriel et que je ne voulais pas regarder quelqu'un d'autre.

Nous sommes rentrés en France en août 1945, avec une grosse valise pleine de nourriture, et la première ville que j'ai vue, c'est Lyon. Gabriel a vendu la nourriture à Lyon et nous avons pris un train pour Nice, et puis un autre train, beaucoup plus petit, avec l'arrière du dernier wagon comme dans le Far West, nous a menés à Puget-Théniers. Je suis restée dehors, sur la route, pendant qu'il parlait à sa sœur Clémence. Elle a écarté la porte d'entrée de sa maison pour me voir, mais elle n'est pas sortie, elle ne m'a pas adressé la parole. J'étais enceinte de trois mois et je me faisais du souci que Gabriel me renvoie parce que sa sœur, qu'il a toujours écoutée, ne voudrait pas d'une Autrichienne. Je me rappelle que j'ai joué avec des cailloux sur le bord de la route, des blancs et des noirs, pour savoir si on me garderait ou non. Je vois encore mon ombre dans le soleil, sur la route, j'entends le bourdonnement des insectes dans la chaleur. J'avais dix-sept ans, et j'étais sans personne, je me faisais du souci. Je crois que si j'avais dû repartir, je n'aurais rien dit, je me serais débrouillée. Je suis plus timide pour parler que pour faire. Je serais retournée à Fiss ou quelque part, mais je ne regrette rien. J'aimais Dieu déjà, et il savait de quelle façon les choses devraient s'accomplir pour que j'aie ma petite Éliane.

J'ai perdu mon premier enfant, qui était aussi une fille, quelques heures après sa naissance. Elle a vécu pendant un après-midi, à côté de mon lit, à Arrame, et puis elle ne respirait plus, elle était morte. Je ne l'avais formée que sept mois, ce n'est pas assez, sauf si j'avais été à l'hôpital et qu'on la mette en couveuse, je ne sais pas. J'étais triste, bien sûr, mais je me sentais libérée d'une responsabilité. C'est peut-être pourquoi Dieu m'a punie et a voulu que je paie de chagrin le bonheur d'avoir ma petite Éliane, dix ans plus tard. Elle n'était même pas de huit mois, elle non plus, mais elle pesait cinq livres, elle était bien formée jusqu'au bout des doigts et elle criait déjà en sortant de mon ventre. C'est le Dr Conte qui m'accouchait. Il a ri. Il m'a dit : « Ma petite dame, les enfants nés en juillet sont les plus vivaces, mais les plus emmerdants de tous, et celle-là vous emmerdera toute votre vie. » Celle-là. Dès ses premières secondes sur la terre, on l'a appelée Celle-là.

Gabriel ne voulait pas de cet enfant, puisqu'il était d'un autre. Il m'avait dit : « Fais-le passer. Va voir le docteur. Explique-lui. » Je suis allée voir le Dr Conte chez lui, en ville. C'était en février 1956. Il a baissé la tête, il m'a dit : « Je ne peux pas faire ça. Je ne l'ai jamais fait. C'est contre la vie. » J'étais contente. J'avais du respect pour lui et pour moi. J'ai dit à Gabriel : « Le docteur pense que c'est mal, et moi aussi. » Il m'a répondu : « On trouvera une sage-femme qui le fera. » Nous étions de chaque côté de la table, dans la grande pièce, j'avais mon manteau américain sur moi et mon gros cache-nez, je venais de rentrer par le car. J'ai dit : « Non, je veux mon enfant. Je ne sais pas qui me l'a fait, mais ça m'est égal. Si tu préfères, je retournerai dans mon pays. » Il n'a pas répondu, il est resté toute la soirée, tout le lendemain sans m'adresser la parole. Ensuite, il est allé à Puget-Théniers prendre conseil chez sa sœur Clémence. En revenant, il m'a dit : « Fais ce que tu veux. Moi, cet enfant, je ne le reconnaîtrai jamais. Il n'y a pas de raison. » J'ai dit : « Non, il n'y a pas de raison. » J'étais en train de laver du linge et j'ai continué.

Quand j'ai eu ma fille, c'est Gabriel qui est allé à la mairie d'Arrame la déclarer. Il est revenu très peu de temps après, il était livide. Il s'est servi un verre de vin et puis un autre, et il m'a crié de la grande pièce : « Je me suis disputé avec le maire, il faut que ce soit toi qui le voies. » Je lui avais demandé plusieurs fois d'accoucher dans un hôpital, parce que nous aurions déclaré l'enfant où on ne nous connaissait pas, mais il n'a pas voulu. Même l'hôpital, ça coûtait trop d'argent. Je me suis levée le troisième jour, et un bûcheron, à qui le maire avait demandé de le faire, est venu me chercher en camionnette. Tout le temps où j'ai été partie, j'avais peur que Gabriel fasse du mal à ma fille.

Le maire, M. Rocca, était un homme bon. C'est beaucoup grâce à lui, deux ans auparavant, que j'avais obtenu ma naturalisation. Il m'a dit : « Peut-être que Devigne ne veut pas avouer qu'il est le père. Alors, je veux que ce soit vous qui le disiez. » J'ai répondu : « Devigne n'est pas le père. » Il était tout rouge, M. Rocca. Il n'osait pas me demander qui avait fait la petite et il est resté longtemps à se mordre les lèvres, sans me regarder. J'ai dit : « Je ne sais pas qui est le père. » Il a baissé la tête et il a inscrit Éliane sur le registre. C'est moi qui ai donné les prénoms, Manuela parce que c'était celui de ma mère et Hertha celui de ma cousine. Éliane, je ne sais pas pourquoi. J'aimais bien. J'aime toujours. Le maire, M. Rocca m'a dit : « Devigne est une larve. » J'ai répondu : « Non. Ce n'est pas le père et c'est tout. »

Avant de sortir de la petite pièce, juste au-dessus de l'école maternelle qui se trouvait dans le même bâtiment, je lui ai dit sans oser le regarder : « Monsieur Rocca, je vous en prie, ce serait une grande honte pour moi que les gens le sachent. » Il a seulement balancé la tête, il m'a dit : « Vous êtres très fatiguée. Rentrez chez vous et ne vous faites pas de souci pour ça. J'ai des choses entre les jambes, moi. » Il n'a jamais rien dit à personne de ce qu'il avait écrit dans le registre. Bien avant qu'on détruise Arrame, il a pris sa retraite à Nice. Une fois, pour le Nouvel An, je lui ai envoyé une carte de vœux. Je l'avais achetée parce qu'elle était jolie et, en fin de compte, je ne connaissais personne à qui souhaiter la Bonne Année. Je n'avais pas son adresse, j'ai écrit : *Monsieur Rocca, ancien maire d'Arrame, Nice.* Je ne sais pas s'il l'a reçue.

Tout le monde, quand elle était petite, disait : la fille Devigne. A la maternelle, c'était Éliane Devigne et à l'école du Brusquet aussi, quand elle est entrée au cours élémentaire. Elle ne s'est jamais aperçue que ce n'était pas son vrai nom avant qu'on l'emmène à Grenoble voir un occuliste.

C'était en septembre 1966, elle avait dix ans. On l'avait déjà fait soigner en ville, pour sa myopie, mais ses lunettes lui donnaient la migraine, elle ne voulait pas les mettre, et surtout Gabriel, quand il avait bu un verre, l'appelait « Quatre-œils ». Il ne le disait pas méchamment, parce que ma fille, peu à peu, était devenue tout son univers. Seulement, une tristesse terrible le prenait quand il buvait trop, et on ne savait plus s'il plaisantait la petite ou s'il lui en voulait de l'aimer comme il le faisait.

Avec elle, même l'avarice ne lui ressemblait plus. Dès qu'elle a eu deux ou trois ans et qu'elle le suivait partout en disant : « Mon papa mignon », je ne l'ai jamais vu lui refuser une seule chose qu'elle demandait. Il rentrait le soir et il tirait ce qu'elle lui avait demandé des poches de sa veste, les premières années des petits jouets, des confiseries, plus tard le cœur en argent qu'elle a toujours. Elle était très câline et très obéissante avec moi, mais son papa, c'était un Dieu. Il se vantait, pour l'impressionner, d'avoir traversé l'Allemagne et d'avoir survécu à tout, et elle le regardait avec ses grands yeux pleins d'admiration, assise sur ses genoux, devant la table où le dîner traînait deux heures. Je disais : « Il faut aller se coucher, demain on se lève. » Elle me faisait un geste vif de la main pour que je me taise, elle me disait : « Toi, laisse-moi parler avec mon papa. » Il riait, il l'embrassait, toute petite dans ses bras, il se sentait fort, et même moi, qui le connaissais bien, je le voyais plus fort, plus près de l'homme que j'aurais voulu. Elle était fière aussi, à cinq ans, à dix ans, parce qu'il était le garde et que ses petits camarades d'école se taisaient en passant devant lui. Elle était fière de tout ce qu'il était.

Un jour, Gabriel m'a dit : « Je me suis renseigné pour les yeux de la petite. Il faut l'emmener à Grenoble. » C'est comme ça qu'elle a appris qu'elle s'appelait Wieck. L'occuliste a rempli la feuille pour ses nouvelles lunettes et il a dit : « Éliane Wieck. » Ma fille n'a rien dit tout de suite. Elle a simplement pris la feuille plus vite que moi et l'a regardée.

On est allé tous les trois déjeuner dans un restaurant près d'un parc, à Grenoble, et elle a demandé :

« Pourquoi je ne porte pas le même nom que mon
papa ? » Il y avait un chien, un berger, qui était tout le
temps après elle, dans ce restaurant. Elle lui donnait
des bouts de viande sous la table. Gabriel a dit :
« C'est à cause de la guerre. Je t'expliquerai plus tard.
Mais c'est pareil. » J'ai compris, en voyant le regard
de ma fille, que Dieu avait commencé de m'envoyer
d'autres épreuves, pour me punir de mes péchés. Elle a
répondu, en calculant vite : « La guerre était finie
depuis longtemps quand je suis née. » On a continué
notre repas, et Gabriel, qui était malheureux, a pris à
partie le serveur à cause de l'addition, pour se
disputer, pour faire n'importe quoi. Éliane ne disait
rien. On pouvait penser, si on ne la connaissait pas,
qu'elle ne s'occupait que du chien de berger, qui ne la
quittait plus. Et puis, Gabriel a répété : « Je t'expliquerai, ça n'a pas d'importance. » Elle l'a regardé en
bougeant la tête pour dire oui, elle voulait le croire,
personne n'a jamais vu une telle volonté de croire et
que rien ne change dans les yeux d'une petite fille.
Gabriel a dit : « Venez. On s'en va, on va manquer le
train. »

   On est rentré tard à la maison et la petite, qui
n'avait plus dit un mot depuis le restaurant, est allée
droit dans la chambre que Gabriel lui avait faite dans
la réserve. Gabriel est allé la voir et il est resté
longtemps à lui parler. Il est revenu dans notre
chambre avec les yeux rouges, en disant : « Je vais la
reconnaître, maintenant. On a le droit. » Il s'est
couché. J'ai réfléchi pendant plus d'une demi-heure.
Ensuite, je lui ai dit : « Tu pourrais la reconnaître si je
disais que c'est vrai. Mais ce n'est pas vrai. D'une

manière ou d'une autre, elle devra apprendre la vérité. Je la lui dirai quand elle sera grande. » Gabriel a répondu : « Tu veux la garder pour toi, tu ne veux pas la laisser être ma fille, voilà la vérité » Ce n'était pas aussi simple dans ma tête, mais il avait raison. La petite avait dix ans, moi trente-huit. J'avais fait l'amour avec d'autres hommes que Gabriel depuis qu'elle était née Je ne savais plus ce que serait l avenir.

Ensuite, j'ai toujours refusé qu'il la reconnaisse Cela n aurait rien arrangé de toute façon. Il était toujours son papa, et elle s'accrochait à lui, quelquefois, avec plus de force qu'avant. Mais c'était comme si l'angoisse de ce qu'elle allait apprendre un jour était en elle. C'est de ce moment — le voyage à Grenoble — qu'elle n'a plus rien fait à l'école et qu'elle a commencé à se ronger les ongles. A treize ans, quatorze ans, elle voulait mettre du rouge à lèvres. Gabriel disait, en baissant la tête : « Laisse-la faire, tu en mettais bien, toi. » C'est moi qui devais l'empêcher.

Elle était encore au cours moyen de deuxième année. Elle n'était bonne qu'en calcul, par un don que Dieu lui avait donné en naissant, mais elle ne faisait même pas ses devoirs. Elle accompagnait toujours Gabriel, les jours où elle n'allait pas à l'école. Elle restait assise sur les talus pendant qu'il travaillait. Il ne voulait pas qu'elle lui donne la main pour combler les trous des routes, ou tailler les arbres, mais peu à peu, elle l'a fait.

Gabriel avait changé encore une fois, lui aussi. Une femme le sait. Quand elle se lavait par exemple, il n'osait plus rentrer dans la pièce. Il avait peur de la

voir autrement que sa fille, il ne savait pas encore que
c'était fait. Une fois, elle lui a dit : « Papa, tu ne
m'embrasses plus autant. Tu ne m'aimes plus ? » Il lui
a répondu : « Tu es grande maintenant. » C'est vrai
qu'elle était grande, et belle, et qu'elle sentait que son
papa n'entrait plus dans la pièce quand elle se lavait,
et ne l'embrassait plus avec les folies d'avant. Elle
n'était plus aussi fière qu'il soit le garde, elle devait
entendre ses camarades d'école faire des plaisanteries
sur le père Devigne. Une fois, elle est rentrée avec les
cheveux dans tous les sens, elle s'était battue avec un
garçon, le fils de Pellegrin, le menuisier. Elle m'a dit :
« Je lui ai mis une belle peignée. Il se souviendra de
mes dents. » La mère Pellegrin est venue me trouver le
lendemain. Son fils avait un an de moins que la
mienne. Elle m'a dit qu'Éliane l'avait mordu aux bras,
aux mains et même sur une cuisse. J'ai ri. Je lui ai
répondu que son fils n'avait qu'à faire attention quand
il parlait de Gabriel. Elle m'a dit, mauvaise : « Vous
êtes bien une Allemande. » Et elle est partie.

Nous avons continué à vivre encore quelques mois
comme une vraie famille, mais je savais que ça ne
durerait pas. Je ne prévoyais pas ce qui arriverait,
mais je savais, je savais qu'il arriverait quelque chose,
et que la vie est longue et méchante et qu'il faut être
capable de tout supporter.

Le 14 octobre 1971, au début de l'après-midi, ma
fille est partie avec son papa élaguer les arbres, sur un
chemin. Elle avait quinze ans. Ils portaient la grande
échelle à deux, lui devant, je les vois encore. Il avait
beaucoup plu les semaines précédentes. Il faisait doux
mais tout était détrempé. Elle est revenue deux heures

plus tard, et elle était folle, elle pleurait avec de grands hoquets, elle m'a dit qu'elle avait frappé et frappé sur la tête de Gabriel, à coups de pelle, et qu'elle l'avait tué.

La sentence

Je referme la porte sur la tante Sourdingue, je traverse la cour. Je marche avec des jambes raides, dans ma robe neuve qui bruisse à chaque pas, le corps vidé de tout mon sang. La mère la Douleur tape à tour de bras sur son linge, qu'elle lave au bac de la source, et elle me demande peut-être où je vais, mais je ne réponds pas.

Je perds l'équilibre dès que j'ai passé le portail. Je m'appuie au mur et je me parle, je m'encourage à me remettre droite, des fois qu'une andouille du village puisse me voir, mais j'ai mal derrière la tête et tant d'étoiles dans les yeux ou de larmes, va savoir, que le monde entier se rétrécit d'un coup au petit bout de terre que j'occupe, et j'ai l'impression de tomber mille ans avant de me retrouver à genoux dessus.

Et puis, comme toujours, ça passe.

Je me relève, je nettoie mes genoux avec mes doigts et de la salive, je récupère mon sac de toile que j'ai lâché. Je ne me rappelle même plus ce que j'étais partie faire. Voir ma maîtresse, Mlle Dieu, au Brusquet. Je n'ai plus besoin. Je lui avais demandé de se renseigner sur les camionneurs qui ont pu venir à Arrame, en novembre 1955, mais je n'ai plus besoin. De toute manière, c'est une conne. Aussi sûr que je suis vivante, elle n'a rien trouvé. Elle est le maire du village à présent, et la seule instruite, de sorte que personne, mais personne n'aurait l'idée d'aller regarder dans ses registres avant qu'il n'y ait plus de bois sur la terre et qu'on les brûle pour faire du feu. Elle doit passer ses nuits à manger son oreiller, en pensant à ce que je lui avais promis, la dernière fois, en échange d'une petite, toute petite chose dans mon extrait de naissance. Mais rien à faire, elle dit qu'elle sait ce qui est bien et ce qui est mal, elle m'a collé mordicus un père inconnu. C'est une conne. Je ne veux même plus penser à elle.

Je marche sur mon ombre, au bord de la route, sous un soleil qui me tue. Je ne sais pas combien de temps. Et puis, qui c'est qui me dépasse, dans sa 404 bonne pour la poubelle ? Merriot, le retraité des chemins de fer. Il freine à tout casser, il s'adresse à moi, sous ses cheveux blancs bien plaqués, comme si j'étais la Vierge Marie. Je lui dis que je ne vais pas en ville, mais chez les Massigne. Je m'installe à côté de lui, mignonne, merci monsieur Merriot, les genoux bien couverts, tout le cirque. Il faut crier, dans sa voiture, et ça sent le chat. Il me crie : « Vous allez vous marier avec Pin-Pon, il paraît ? » Je réponds : « Eh oui, ça me démange. » Il dit : « Quoi ? » Exactement comme Cognata. Mais je ne l'aime pas le millième ni le millionième autant que la pauvre idiote, je laisse tomber. Il crie, au bout d'un moment, qu'on a tué son chat, et il débite tout un folk-song sur la méchanceté

des gens. Je balance la tête, je le plains de toute mon
âme, mais je n'écoute même pas. J'ai peur que le vieux
fou se croie encore sur des rails et manque un virage.

Je pense à Bou-Bou qui m'a accusée d'avoir tué
l'animal à coups de pierre. Pourquoi moi ? Il est drôle,
Bou-Bou. Parce qu'il maigrit d'envie de faire l'amour
avec Elle, et qu'il a peur que ça arrive un jour, il
l'accuse de n'importe quoi pour la voir moche, ou
dingue, ou je ne sais pas. J'ai horreur de toucher les
chiens, les chats et toutes les bêtes, même du bout d'un
bâton. Je n'écraserais même pas une fourmi. Je n'ai
pas besoin de retourner à l'école, d'ailleurs, pour
deviner qui a tué le chat des Merriot et celui de
Mme Buygues, mais je ne suis pas rapporteuse. Et puis,
je m'en fiche.

Je descends saine et sauve de la voiture, juste à
l'entrée du chemin qui mène à la ferme de Georges
Massigne. Je dis : « Merci, monsieur Merriot, bien le
bonjour à votre femme. » Il dit : « J'espère que nous
sommes invités à la noce ? » Je réponds : « Vous
pensez ! » Douce comme le miel, et je me fends même
de mon beau sourire d'enfant de la paroisse. Tout ça
pour un type qui sera peut-être dans la tombe avant
qu'on mette le couvert et dont la machine va tomber
en miettes au prochain tournant. J'ai le cœur qui fond
devant les vieux, je ne sais pas pourquoi.

Chez les Massigne, où je n'ai encore jamais mis les
pieds, la terre est rouge, les murs sont de pierre grise.
C'est plus vaste et plus en ordre que chez Pin-Pon.
Dans la cour, quand je m'approche, il y a un chien qui
aboie au bout de sa chaîne et tout le monde sort de
partout pour voir qui arrive : Georges, les trois sœurs

de Georges, les cent quatorze neveux et nièces, la mère, une des belles-mères et les sacs à malice de mon oncle. Je reste à distance à cause du chien. Georges vient vers moi, en essuyant ses mains à son pantalon. Il fait un soleil de fou et la campagne, tout autour, est sèche et désolée.

Il me dit : « C'est toi ? » comme si j'étais un rêve. Je dis : « Il faut que je te parle. Tu as beaucoup de travail ? Tu pourrais me descendre en ville ? » Il réfléchit deux secondes et il répond : « Si tu veux, mais on peut parler ici, personne ne va te manger. » Tous les autres, immobiles, me regardent. Je me fais l'effet d'Anne-Aymone qui visite une ferme-modèle. Je dis non, que de toute manière, je dois aller en ville.

Je l'attends à l'entrée de la cour, pendant qu'il sort sa fourgonnette d'une grange. Il ne donne pas d'explication à la famille. Il veut me faire sentir que c'est lui le maître et qu'il n'a pas à en donner. Une fois assise à côté de lui, pendant qu'on roule sur le chemin qui mène à la route, je lui dis de s'arrêter et il le fait. Je lui raconte que je suis venue m'excuser, parce que je ne pourrai pas l'inviter à mon mariage. Il dit qu'il comprend, c'est normal. Il bouge la tête d'un air sérieux. Il a les cheveux jaunes et ondulés, un visage carré qui me fait penser à un acteur américain, dans *Peyton Place,* je ne me rappelle jamais le nom. Il ne porte qu'un tricot de corps et ses bras sont de la même couleur que la terre de chez lui. Je dis : « C'est dommage, surtout qu'avant que je mette l'embrouille, les Montecciari aimaient bien ta famille. » Il me répond : « Il n'y a rien de changé, c'est normal que

Pin-Pon ne tienne pas à me voir au mariage. Après, ça passera. On redeviendra amis, lui et moi. »

Je pourrais répondre un tas de choses, juste pour mettre l'embrouille un peu plus, mais ce n'est pas pour ça que je suis venue, et je reste dix mille ans sans rien dire, les genoux bien couverts, une vraie statue de la pudeur. A la fin, il soupire et moi aussi. Je dis : « On m'a même raconté que la mère Montecciari a passé toute la nuit chez vous, quand ton père est mort. » Il répond : « Oui ? » comme quelqu'un qui était trop petit, qui ne se rappelle pas. Je demande : « Il est mort quand, au fait ? » D'abord, il me dit en 1956, et puis non, en 1955, en novembre. Lui, il avait cinq ans, il est du même âge que Mickey. Il me dit : « On avait fait la fête tout un dimanche, pour le baptême de ma sœur Jo, et le lendemain, dans la neige, il a cabré son tracteur en voulant arracher une grosse souche de marronnier, il s'est fait écrabouiller dessous. »

Le cœur me bat et ma voix tremble un peu quand je dis : « C'est moche », mais ça va bien avec la situation. Le père Massigne est donc mort un lundi — exactement le lundi 21 novembre 1955 — et cela explique un détail qui me chiffonnait, tout à l'heure, quand Cognata m'a parlé. Les trois hommes du camion qui ont attaqué ma mère sont repartis dans la nuit du samedi, très tard. Elle ne se rappelle plus l'heure, ou elle ne l'a même jamais sue, mais c'était au moins onze heures, peut-être minuit. Quand Cognata m'a parlé, j'ai pensé tout de suite à Pin-Pon, âgé de dix ans, encore debout *une heure ou deux heures plus tard,* collé aux jambes de son père qui buvait du vin, avec les deux autres salauds, dans la cuisine. Ce n'est pas croyable, et ce détail m'a chiffonnée. Maintenant je comprends qu'ils étaient trop saouls et qu'il était trop tard, qu'ils n'ont pas pu ramener le piano mécanique le samedi, qu'ils l'ont fait le lundi soir, à la tombée de la nuit.

Je dis à Georges : « Emmène-moi en ville, sois gentil. » Il remet en marche et on y va. En route, de virage en virage, il me raconte quelle merveille c'était, son père. Prenez un garçon — vingt-cinq ans, trente ans —, n'importe lequel. Neuf fois sur dix, il va vous dire avec des larmes que son père était une merveille, le plus beau sujet de roman-photo qu'on ait jamais vu. Neuf fois sur dix. Et encore, la dixième, il faut vraiment que le vieux ait massacré le restant de la famille à coups de hache, ou quelque chose, sinon vous n'y coupez pas. Ils peuvent tous en parler pendant des heures, jusqu'à ce qu'on soit en ville et qu'ils vous laissent, la tête pleine, devant la scierie de Ferraldo.

Je remercie Georges, je l'embrasse sur la joue, bien sage, je soupire pour la nostalgie. Il me regarde, il soupire lui aussi. Il murmure que je suis drôlement belle, oui, drôlement belle, mais que c'est la vie. Il ne me regarde plus en disant ça. Il regarde, mâchoires serrées, sa pourriture de vie à travers le pare-brise. Si on met cette scène dans un film, on ne peut plus entendre les paroles, tout le monde se mouche à l'orchestre et au balcon.

Enfin, bref, je prends sa main sur le volant, je la place une dernière fois entre mes cuisses, sous ma robe, juste pour l'empêcher de dormir tranquille, et je descends. Je lève péniblement les doigts pour dire au revoir, sans me retourner, trop triste, tout le bazar, et je vais voir le patron de Mickey.

Il y a un bruit à me tuer, dans la scierie. Des hommes couverts de poussière de bois se retournent sur mon passage, un gros camion manque de me passer dessus, mais je me retrouve entière dans un petit bureau, avec une secrétaire que j'ai souvent rencontrée au bal ou au ciné. Elle a mon âge et mes yeux miros. Elle s'appelle Élisabeth. Elle porte des lunettes à monture fantaisie, énormes, qui se terminent, sur les côtés, en ailes d'oiseau. On parle un moment de ma robe, de mes cheveux superbes et des siens qui sont minables, et puis elle sort un tonic pour moi du réfrigérateur Arthur Martin qui est dans un coin et elle va chercher son patron. Ma mère aussi, à la maison, elle a un Arthur Martin, mais il fait bien le double. Quand j'étais petite, parce qu'on fabrique les appareils à Revin, je disais : « Arthur Martin revient... » Ça m'est toujours resté. Et même, quand j'y pense, c'est une chose qui peut me rendre malade.

Ferraldo est un homme petit, sec, avec un long nez pincé. Il a peut-être cinquante ans, pas beaucoup de cheveux sur le crâne, et de la poussière de bois sur les vêtements, comme tout le monde. Quand il me voit, il croit que je viens pour parler à Mickey, il me dit : « Mickey n'est pas là, mais il ne va pas tarder. Asseyez-vous donc. » Je dis non, que ce n'est pas la peine, que c'est lui que je veux voir. Il demande à Élisabeth de s'occuper de son travail et il m'emmène dans un autre bureau, tout pareil, qui est le sien. C'est un homme qui ne sourit pas beaucoup, mais qui a bon cœur, Mickey me l'a dit et Pin-Pon aussi.

Il s'installe derrière sa table et je dis, debout devant lui : « Voilà. Excusez-moi de vous déranger, je sais ce que c'est, mais je vous parle à la place de mon père, qui est paralysé. » Il fait un signe de tête pour dire qu'il est au courant et qu'il plaint le pauvre connard. Je dis : « Il voudrait savoir ce qu'est devenu un employé que vous aviez, que vous avez peut-être toujours : Leballech. » Il souffle, il répond : « Jeannot Leballech ? C'est que ça fait loin, ça. Il était là quand mon père à moi dirigeait encore l'entreprise. Il y a au moins vingt ans qu'il est parti. » Il me fait signe de m'asseoir sur une chaise qui est près de moi et je la déplace, j'obéis.

Il me dit : « Quand il est parti, c'était pour prendre une scierie à son compte, près de Digne. Je crois qu'il y est toujours. La dernière fois que je l'ai vu, c'était il y a cinq, six ans, je ne me rappelle plus. » Comme je fais oui de la tête à toutes ses phrases, sans rien répondre, il me regarde longuement, l'air de chercher quelque chose d'autre à dire. Et puis : « Oui, je crois qu'il est toujours à Digne. Sur la route de La Javie. Il a une bonne scierie. Votre père le connaissait ? » Je réponds oui, mais je ne m'attarde pas. Je dis : « C'est drôle parce que chez les Montecciari, on le connaissait aussi. C'est lui qui a ramené leur piano mécanique au village, une fois. Vous vous souvenez ? » Il fait signe que non, il ne sait peut-être même pas que les Montecciari ont un piano mécanique. Et puis, tout à coup, il dit : « Attendez. C'était en quelle année ? » Je dis : « En 1955, novembre 1955. » J'ai presque sur les lèvres le jour exact, mais je sais bien que ça mettrait tout par terre, je la boucle. Lui aussi. Il réfléchit avec des rides au front, sans cesser de me regarder. Après un million de battements de cœur, si forts que j'ai peur qu'il les entende, il se lève et il s'en va.

Je reste comme la lune, assise sur la chaise. Il revient quatre heures après avec un gros cahier recouvert de toile noire, et il me montre, en reprenant sa place, l'étiquette collée sur le dos : 1955. Il tourne les pages en mouillant son doigt avec de la salive, il dit : « Oui, je me rappelle, mon père a fait tout une histoire. Un piano mécanique. » Je sais que je ne devrais pas, mais c'est plus fort que moi, je me dresse, je fais le tour de la table, je veux voir, moi aussi. Il ne lève pas les yeux, il ne dit rien. Il s'arrête au samedi 19 novembre 1955, et je peux lire aussi bien que lui, d'une écriture fine à l'encre noire, en bas de la page :

> *Leballech/Berliet*
> *Charpentes, lotissement Bonnet, La Fourche.*
> *Bois de clôture, Monsieur Poncet, Arrame.*
> *Piano Montecciari, Col de Combes.*

Il y a des prix, dans la marge, qui me semblent une fortune, mais ce sont des francs anciens, et au-dessous, d'une autre écriture :

> *Col fermé. Piano lundi soir.*

Ferraldo, sans lever la tête, dit : « Vous voyez. » Il tourne la page pour regarder au lundi 21, mais il n'y a plus rien, sauf que Leballech conduisait encore le Berliet et qu'il transportait des poteaux pour le téléphone.

Ferraldo est très fier de son registre. Il dit : « Mon père m'a appris à tout tenir à jour, et il avait raison. L'écriture, c'est celle de ma mère. Ça me fait quelque chose de la revoir. » Il caresse la toile noire de la couverture refermée. Je m'écarte un peu et on ne dit rien pendant les mille ans qu'il pense à ses vieux. Et puis : « Oui, je me rappelle. Leballech s'était embourbé dans la neige, il n'est pas rentré le samedi soir. Mon père n'aimait pas du tout que ses camions passent la nuit dehors. » Il secoue la tête et ses souvenirs, il se lève : « C'est peu de temps après que Leballech nous a quittés. » Je dis : « Chez moi, on sera content de savoir ce qu'il est devenu. Je vous remercie, monsieur Ferraldo. »

Il me suit hors du bureau et, dans le couloir, m'arrête, je prends l'air d'une conne qui oublie sa tête partout où elle passe : « Au fait, ce n'était pas pour ça que je venais vous voir ! C'était pour vous inviter à mon mariage. J'avais peur que Mickey, parce que vous êtes son patron, n'ose pas vous le demander. » Il hurle de rire ou presque. Il répond : « Ce serait bien la première fois que Mickey n'ose pas demander quelque chose. On peut tout trouver dans son caractère, mais la timidité, non, sûrement pas. » Il soupire, en calculant probablement toutes les conneries que mon futur beau-frère a pu faire depuis qu'il est chez lui, mais il renonce, il fait un geste de la main pour effacer le compte. « Il m'a déjà invité, ne vous tracassez pas. » Je dis : « Alors, soyez gentil, ne lui dites pas que je suis venue. Vous savez comment il est. » Nouveau soupir, et il serre mon épaule avec ses doigts maigres, pour faire paternel ou pour voir si elle est dodue, je ne sais pas. Il dit : « En tout cas, je vous félicite. J'estime beaucoup Pin-Pon. »

Quand il est retourné à son travail, je reviens dans le bureau d'Élisabeth. Elle tape à la machine, une mèche de cheveux raides sur le nez. Pour arriver au moins au niveau des touches, elle a empilé des annuaires de téléphone sous ses fesses et c'est tout un cirque pour qu'elle récupère celui dont j'ai besoin. Elle n'arrête pas de répéter : « Mais si, mais si, Digne, c'est dans les Alpes-Maritimes. » Moi et la géographie, nous sommes fâchées de naissance, je suis bien la dernière qui ait le droit de l'ouvrir, alors je laisse aller. Finalement, c'est dans le département à côté, les Alpes de Haute-Provence. Elle dit : « Oh ! pas de beaucoup, pas de beaucoup. » Je vous jure, vous pouvez lui dire n'importe quoi ou le contraire, à Élisabeth, l'important pour elle c'est que la conversation puisse durer jusqu'à la fermeture du bureau.

Je cherche Leballech dans l'annuaire. Je bois au goulot le tonic qu'elle m'a donné tout à l'heure et qui est encore froid. Elle ne me quitte pas des yeux, derrière ses lunettes de hibou. Je fais de mon mieux pour cacher que toutes les lettres s'emmêlent, que je suis Dieu sait où quand je crois être à Digne, et finalement, je lui rends le bouquin en lui disant de chercher pendant que je téléphone chez moi.

Je téléphone au garage d'Henri IV. C'est Juliette qui répond. Je dis : « Juliette ? C'est Éliane. Je vous dérange ? » Douce comme le miel, juste un peu d'accent. Je ne la dérange pas, mais non. Je dis : « Ma mère est en train d'arranger la robe. Je voulais vous remercier. Elle est très, très belle. » Seigneur. Pendant les dix années suivantes, elle me raconte son mariage à elle, mais je n'écoute même pas. Élisabeth me fait signe qu'elle a trouvé Leballech et je dis au téléphone : « Juliette, je peux vous dire tu ? Écoute. Dis à Pin-Pon que je dîne avec ma maîtresse du Brusquet et qu'elle me ramènera, qu'il ne s'inquiète pas. » Elle dit d'accord, mais ensuite elle me fait répéter quatorze fois la même chose, la dernière sans accent parce que j'ai peur que ce soit ça qui la rende idiote. Finalement, je dis : « Je t'embrasse. Je peux t'embrasser ? » Elle dit bien sûr. « Alors, je t'embrasse. Tu verras, je te ferai honneur, dans la robe. Elle est superbe. »

Quand je raccroche, Élisabeth me tend la bouteille de tonic qui n'est pas finie et l'annuaire ouvert. J'arrache simplement la page qu'elle me montre. Elle fait : « Oh ! » et puis, elle rit. Je lui demande : « Tu sais que je me marie ? » Elle répond oui avec le menton, d'un air grave, un reste de son rire au bord des yeux. Je lui dis : « Ça ne nous empêchera pas d'être copines, pas vrai ? » J'ai envie d'aimer tout le monde, brusquement, je ne sais pas pourquoi. Je range la feuille d'annuaire pliée en quatre dans mon sac de toile. Je regarde à mon poignet la montre que ma mère a commandée aux Trois Suisses, pour mon anniversaire, après-demain. Elle est moderne mais les chiffres sont romains, ça fait plus chic. Elle marque presque cinq heures. Je répète à Élisabeth : « Pas vrai ? » Elle répond : « Moi, je veux bien. » On rit toutes les deux et je m'en vais. Tant qu'à faire, je sors par-derrière, pour éviter de rencontrer Mickey dans la cour.

Je vais droit à la station des cars. Il n'y a rien pour
Digne avant six heures, même si j'écrase mon nez sur
la vitre qui protège le panneau des horaires. Il vaut
mieux que je parte à pied. Si personne ne me prend en
stop à la sortie de la ville, il sera toujours temps
d'arrêter le car. En général, avec moi, la première
voiture qui passe, c'est la bonne. Je pense que je dois
faire pitié, je ne suis pas prétentieuse.

Je traverse la place et j'entre à la pharmacie de
Philippe pour téléphoner à Mlle Dieu. Il y a son
assistante avec lui, un remède contre l'amour, et je ne
veux pas téléphoner devant elle. Il m'emmène dans la
resserre où encore l'année dernière, un ou deux soirs
par quinzaine, il me faisait déshabiller. Il se contentait
de me regarder, ou de rares fois, pour me rendre folle
encore plus — j'étais bonne à enfermer après chaque
séance — il me caressait les seins ou le ventre du bout
des doigts. J'avais beau me moquer de lui ou le
supplier, il n'a jamais voulu faire autre chose avec moi
que me regarder. Pourtant, à la fin, j'étais plus
amoureuse de lui que de personne. Vingt-quatre
heures avant nos rendez-vous, j'avais le cœur dans la
gorge. Allez comprendre quelque chose.

Même à présent, debout devant le téléphone mural,
cernée par les mêmes rayons chargés de médicaments,
dans la même lumière orangée qui tombe du plafond,
j'ai comme de l'angoisse. Philippe est retourné dans la
boutique — il se décompose, lui aussi, quand il me voit
— et j'appelle d'abord Mlle Dieu à la mairie, puis chez

elle. Quand elle me répond, sa voix vient de l'autre
bout du monde, l'Australie ou je ne sais pas, ou du
pôle Nord parce qu'elle est glaciale. Elle me dit que
j'avais promis, qu'elle m'a attendue tout l'après-midi
devant des gâteaux secs, qu'elle avait même préparé
une glace et mon cadeau d'anniversaire — je dois crier
pour l'interrompre. Elle se tait, je l'imagine en train de
se mordre la lèvre du bas en regardant ses pieds, dans
une jupe plissée jaune vif, qu'elle a mise parce que la
dernière fois j'ai trouvé qu'elle lui allait bien. Je dis :
« Bon. Écoutez, Calamité. » C'est comme ça qu'elle
m'appelait quand j'étais son élève, c'est comme ça que
je l'appelle, mais je n'ai jamais pu la tutoyer. Je dis :
« Vous allez prendre votre voiture et venir me chercher à Digne. » Seigneur. Elle s'étrangle. « A Digne ! »
Elle a trente et un ans, son permis depuis dix, une
petite voiture qui se conduit avec un seul pied, mais
elle n'a pas dû aller trois fois dans sa vie plus loin que
le panneau qui marque l'entrée de sa commune. Je
dis : « Oui, c'est très important. Il faut que vous
veniez. Vous avez tout votre temps, il suffit que vous y
soyez vers huit heures. » Après tous les pourquoi —
« Je vous expliquerai », — tous les comment — « Par
la route, pardi ! » — elle se tait pendant mille ans pour
se faire à l'idée, puis elle demande d'une voix plain-
tive : « A huit heures à quel endroit ? Je n'ai jamais
mis les pieds à Digne. » Moi non plus. Comme ça, on
est sûres de se retrouver.

Je lui dis d'attendre une seconde. Je vais voir
Philippe dans la boutique. Il est en train de servir un
client que je connais de vue, qui me laisse la place
devant le comptoir. Je demande où je peux donner un

rendez-vous, à Digne, sans que la pauvre fille tourne
en rond jusqu'au retour de l'heure d'hiver. A deux, ils
trouvent un endroit.

Quand je reprends l'appareil, Mlle Dieu n'est plus là,
mais elle n'a pas raccroché. J'attends, avec cette patience qui fait tout mon charme. Je regarde l'armoire
fermée à clef où Philippe range ses poisons et ses
produits dangereux. Au début, si j'ai couru après lui,
c'était uniquement pour me faire expliquer certaines
choses et pour trouver l'occasion, entre deux extases
divines, d'ouvrir cette saleté d'armoire. Quand l'occasion s'est présentée, que j'ai eu ce que je voulais —
juste la veille de mes dix-neuf ans, il y a un an presque
jour pour jour —, j'ai continué à le voir parce que
j'espérais encore les extases ou que, probablement, je
suis plus qu'un peu maso. Lui, il disait : « Narcissique, pas maso. Narcissique avec deux S et un joli
cul. » Je ne crois pas qu'il s'est aperçu de ce que je lui
avais pris, et de toute façon, je m'en fiche.

Calamité, tout essoufflée, dit dans l'appareil : « Je
suis allée chercher une carte Michelin ! Tu te rends
compte la route que je dois faire ? » Je réponds :
« Quatre-vingt-trois kilomètres en passant par Saint-
André-des-Alpes, pas un de plus. » On ne peut pas me
prendre en défaut quand je calcule, elle est bien placée
pour le savoir. Elle respire fort. Elle a dû monter à
l'étage, dans ce qu'elle appelle son bureau. C'était la
chambre de sa mère. Elle a vécu dans l'ombre de sa
mère toute sa vie, et tout ça. Depuis cinq ans que la
vieille chipie est morte — c'était une drôle, celle-là, elle
aurait piqué son os à un chien — Mlle Florence Dieu vit
toute seule avec des pigeons-paons et quatorze tonnes

de livres. Les livres, chez elle, on marche dessus. C'est comme ça qu'elle prend son pied. Elle se l'est fait mettre une seule fois, quand elle avait vingt-cinq ans, dans une voiture, par un représentant en jouets — c'est elle qui raconte, évidemment — et elle a eu *tellement peur,* et *tellement mal,* et c'était *tellement sordide* qu'elle ne veut plus jamais recommencer. Les êtres humains, ça la dégoûte. Sauf moi, évidemment, parce que je suis *tellement étrange.* Elle dit qu'elle peut très bien se passer de ces choses.

Je lui explique au téléphone qu'elle doit me retrouver à huit heures, au café *Le Provençal,* boulevard Gassendi, à Digne, et que c'est le grand, le seul boulevard de Digne, qu'elle est obligée de tomber dessus, même si elle ferme les yeux en conduisant — mais c'est un cas, je vous donne en mille ce qu'elle répond. Elle répond : « Je ne trouverai pas, non, je ne trouverai pas, c'est inutile de m'expliquer ! » Une institutrice. Quatorze tonnes de livres dont elle a lu toutes les pages. Quand je lui ai envoyé mon encre Waterman à la figure, pendant l'année de merde, elle m'a regardée avec de grands yeux épouvantés, elle a regardé sa jupe, son corsage qui étaient foutus, et elle a fondu en larmes. Je lui dis dans l'appareil : « Vous savez que je n'ai jamais vu une conne pareille ? » Elle ne répond pas, elle baisse la tête, elle se mord la lèvre du bas, je la vois comme si j'y étais. Je répète une dernière fois, avec ce calme infini qui fait tout mon charme, où elle doit me retrouver. Je lui dis que si Pin-Pon lui téléphone avant qu'elle s'en aille, elle doit dire qu'on dîne ensemble, elle et moi, mais que je ne suis pas dans la maison, que je suis chez la voisine, ou en train de me faire du bien dans le jardin, n'importe quoi. Je demande : « Calamité, vous m'écoutez ? » Elle dit : « Oui. Ne sois pas méchante. Ne me parle pas en criant. J'y serai. » Je fais un bruit de bise et je raccroche.

Ensuite, pendant le reste de ma vie, je suis adossée au mur, immobile, remplie de haine contre moi, contre les autres, tout le monde. Je pense trois dixièmes à mon papa, trois dixièmes à ma maman, mais c'est l'idée de voir, de mes yeux, Leballech le soir même qui me fait me redresser. Philippe est sur le seuil, dans sa blouse blanche. Il me dit à voix basse, comme si on était dans une église : « On n'entend que toi. Qu'est-ce qui se passe ? Tu as des ennuis ? » Je soulève une épaule, je dis non avec la tête, je m'en vais.

Sur la route, la première qui passe est une grosse voiture gris métallisé, avec le toit noir. Je reconnais les marques, en général, mais pas celle-là. Le type au volant a trente ans depuis longtemps, un polo blanc, des cheveux trop longs pour son âge. Il m'ouvre la portière, je m'installe à côté de lui en disant merci, mignonne comme je sais faire, et nous voilà partis. Je dis qu'il fait frais, à l'intérieur, et il me répond que c'est climatisé. Je bouge la tête pour dire que j'apprécie. Il est avocat, il va retrouver sa femme et son fils, qui a cinq ans, à Sisteron. Il est parisien, sinon. Il a loué une maison avec une fenêtre qui ne ferme pas. C'est gênant la nuit, à cause du vent. Sa femme croit toujours qu'il y a un voleur. Il a loué aussi une télé couleur, mais depuis dix jours, les salauds n'ont pas encore posé l'antenne.

On traverse Annot. Il y a déjà des affiches pour le

14 Juillet, sur les murs. Le type met la radio. Jean
Ferrat que j'adore. Il chante : *Nous dormirons ensemble.*
Le type, pour bien me montrer que c'est stéréo, balade
le son de l'avant à l'arrière et je dis : « Non, non,
laissez-moi écouter. » Il se vexe et il ne l'ouvre plus
jusqu'à Barrême. Là, il m'offre un verre, sur le bord de
la nationale, dans une pension pour estivants. Il me
raconte sa vie, celle de sa femme, qui est très belle,
genre princesse Grâce, et celle de son fils. Après, on
repart, et c'est toujours aussi intéressant jusqu'à
Digne.

Il est six heures et demie quand il me laisse sur une
grande place où toutes les voitures et les camions et les
motos qu'on a pu trouver dans le département se sont
donné rendez-vous. La première rue que je prends, qui
est large, longue, bourrée de cafés et de magasins, c'est
le fameux boulevard Gassendi. Même Calamité le
trouvera, si elle arrive jusque-là.

Le café *Le Provençal,* elle va paniquer parce qu'elle ne
pourra pas se garer devant, mais elle le trouvera aussi.
C'est un grand hall de gare plein de bruit et de sciure
qui colle à mes semelles. La patronne tient le tabac. A
la manière soupçonneuse dont elle rend la monnaie, on
voit tout de suite que c'est la patronne. Je dis bonjour,
Madame, que je ne suis pas d'ici, tout le cirque, et
puis : « Vous connaissez M. Leballech ? » Elle
connaît, oui, il a une scierie à la sortie de la ville, c'est
tout droit. Elle donne un paquet de gitanes, rend la
monnaie sur dix francs en comptant deux fois. Elle dit
au client : « Oui, c'est ça. » Elle a déjà oublié que je
lui parle. Je dis à tout hasard : « Je cherche son beau-
frère. » Elle répond : « Touret ? » Je répète : « Son

beau-frère. » Pour le reste, je lui montre avec mon visage à attendrir les pierres que je n'en sais pas plus. Elle dit : « Eh bien, oui, Touret, l'agent immobilier. C'est le beau-frère de M. Leballech. » Je réponds : « Ah, bon », d'un ton tellement abruti qu'elle ajoute : « Comme Leballech n'a qu'une sœur, je présume qu'il n'a qu'un beau-frère, non ? » Des clients s'agglutinent devant la caisse et elle doit trouver que ça commence à bien faire. Elle me dit : « C'est sur le trottoir d'en face, un peu plus haut. » Je la remercie, mais elle ne m'écoute plus, elle ne me regarde plus, elle se démène comme une forcenée pour combler son retard.

Je traverse le boulevard sans me faire écraser, au milieu d'un embouteillage qui avance par à-coups traîtres, dans un concert d'avertisseurs qui me tue. Sur le trottoir, c'est comme à Nice ou à Cannes, sauf que c'est plus étroit et qu'il semble y avoir un million de gens qui sont là pour vous empêcher de passer. Tout le monde est en short et les grosses mémères à boucles d'oreilles en plastique tiennent toute la place. Je regarde les enseignes des magasins et, au bout de quatre heures, je trouve l'agence immobilière. Rien que pour échapper au soleil et à la cohue, je pousse la porte vitrée, j'entre sans réfléchir.

A l'intérieur, c'est l'ombre et je reste aveugle. Il y a un ventilateur tournant sur un mur, qui ne renvoie que de l'air tiède. A travers les étoiles de mes yeux, je distingue une négresse qui vient vers moi. La seconde d'après, ce n'est plus une négresse, mais elle est quand même bien café au lait. Elle a peut-être vingt-cinq ans, une énorme boule de cheveux crépus autour de la figure et elle transpire dans une robe rouge à bretelles

que j'ai déjà vue dans le catalogue des Trois Suisses.
Ou de La Redoute, va savoir. A part ça, elle parle
comme vous et moi, avec l'accent du Midi. C'est la
secrétaire de M. Touret. M. Touret n'est pas là. Elle
veut me faire asseoir, mais je dis non, que je repasserai
dans un moment. Elle dit qu'elle ferme malheureusement dans dix minutes. Ensuite, elle dit que ma robe
lui plaît. Elle sourit tout le temps, parce qu'elle n'a que
ses dents blanches d'extraordinaire. Je lui montre que
les miennes ne sont pas sales non plus, douce comme le
miel, et je dis : « Je viens de Nice et je vais être mutée
ici. Je cherche un petit studio meublé, quelque chose
de pas cher. Je suis institutrice, alors vous pensez, je
me contenterai de peu. »

Elle est plongée dans ses paperasses, à me décrire
des appartements de rêve, quand Touret s'amène.
Rien que de le voir entrer comme chez lui, je sais tout
de suite que c'est Touret. Rien que de voir son premier
regard, quand il ôte ses lunettes de soleil, je sais tout de
suite que c'est celui des trois salauds qui menaçait ma
mère de lui casser toutes ses dents avec un tisonnier.
Son premier regard, peau de vache d'un œil et larbin
de l'autre, va droit à ce qui l'intéresse chez une femme.
Ce n'est qu'après m'avoir déshabillée et soupesée
comme un mort de faim qu'il lève les yeux sur les
miens, en se fendant d'une courbette et d'un sourire
commercial.

Il a entre quarante et quarante-cinq ans, à présent,
et on ne lui en donne pas moins malgré son costume
d'alpaga clair et son allure de jeune homme. Il est
maigre, ni grand ni petit, avec des yeux qui me
semblent gris-bleu, autant que je peux les voir, mais ils

sont insaisissables comme ceux de l'hypocrisie. Évidemment, mon cœur est comme un cheval fou et je ne peux pas ouvrir la bouche.

Il m'appelle mademoiselle, et très vite « ma petite demoiselle ». Il se fait expliquer par Suzy — c'est le nom de la secrétaire café au lait — où nous en sommes, ce que je cherche, combien je peux mettre. Il a *exactement* ce que je cherche. Tout en vantant le studio de merde qu'il veut me refiler, il prend sans ménagement la place de Suzy, derrière un grand bureau métallique. Elle la boucle et s'écarte. Je croise ses gros yeux noirs, à cette seconde, et je ne peux m'enlever de l'idée que son patron la saute, pour l'exotisme, avant, pendant ou après les heures de travail. Elle l'emmerde, c'est ce que ses yeux me disent. Mais va savoir.

Quand je peux enfin prononcer un mot, je lui dis que j'aimerais visiter tout de suite. Il regarde sa grosse montre d'arnarqueur — il faut appuyer sur un bouton pour qu'elle vous donne l'heure, Georges Massigne a la même en moins vulgaire — et il dit : « Avec plaisir, c'est à deux pas. » Je me suis assise en face de lui, les jambes croisées, justement pour qu'il les regarde, mais ça me dégoûte qu'il le fasse. Je les remets comme il faut et je tire sur ma jupe. Il n'est pas bête, il le remarque, et sans doute, je perds un point. Quand je suis comme ça, je me tuerais.

Il dit, en prenant un papier : « Pouvez-vous me donner votre nom, ma petite demoiselle ? » Je réponds : « Jeanne Desrameaux. » C'est le nom de jeune fille de Cognata. « Et vous êtes de Nice ? » Je dis : « 38, rue Frédéric-Mistral. » Je ne sais même pas si elle existe, mais en principe, il y en a partout. Il dit

lui-même et il écrit : « Institutrice. » Il porte une
alliance plate, en or. Ses doigts sont épais pour sa taille
et brûlés par le soleil. Je dis, timide : « En principe, je
vis seule, mais je veux que ce soit indépendant. » Il me
regarde et là, je sais que je marque un point. Je baisse
les yeux, je les relève, et je souris comme une bécasse
en le regardant droit dans les siens. Il m'imagine en
train de me faire tringler bien au chaud dans ce studio
qu'il connaît par cœur, il prend son pied. Il dit :
« Dommage de vivre seule. Une jolie fille comme
vous. »

Bref, il se fait donner des clefs par Suzy, il lui dit
qu'elle peut fermer la boîte et on s'en va. J'entends
seulement la porte vitrée se refermer derrière nous
qu'il a déjà saisi mon bras de ses doigts poilus, soi-
disant pour m'aider à traverser au milieu du trafic. On
prend une petite rue et puis une autre, sans se presser,
et je n'ai qu'à le laisser débiter ses conneries. Quand
on arrive devant le petit immeuble décrépi où se trouve
le studio qu'il veut me montrer, je sais que les affaires
sont mauvaises, qu'il est effectivement marié avec la
sœur de Leballech — elle s'appelle Anna —, que ça
fait plus de vingt ans et qu'ils ont deux enfants, mais
j'ai beau demander leur âge, c'est tintin, il parle de sa
voiture, une CX avec des glaces électriques, on ne l'a
pas prise parce que c'était tout près. Moi, j'en dis le
moins possible, d'abord pour ne pas sortir une bourde
en grammaire ou autre chose qui fasse pauvre, pour
une institutrice, et puis parce que moins j'en dirai,
moins on pourra me retrouver, plus tard.

Le studio est au troisième étage et donne sur une
cour. Il y a une pièce de quatre mètres sur quatre, une

cuisine minuscule, une salle d'eau encore plus minuscule, avec une douche et un W.-C. Tout est refait à
neuf, très artiste, les murs sont blancs dans la pièce,
laqués rouge vif dans le reste, et les meubles sont
modernes. Je ne déteste pas. Il me dit que c'est lui qui
s'est chargé de tout décorer, mais je n'en crois pas un
mot. Pendant que je regarde à droite et à gauche, il
s'assoit dans un fauteuil et il allume une cigarette. Il
m'en offre, mais je dis non, merci.

Pendant mille ans, c'est le silence, mes talons ne font
pas de bruit sur le tapis, et il se contente de me
détailler sans bouger. Je demande à nouveau, après
avoir regardé par la fenêtre, dans la cour : « Ils ont
quel âge, vos enfants ? » Il hésite juste la seconde qu'il
me faut pour savoir qu'il ment, et puis il répond :
« Sept et treize ou quatorze, je crois. » Il rit. « On est
tellement occupé par le travail, on ne les voit pas
grandir. »

Je me plante devant lui, l'air de réfléchir à me
donner la migraine et je dis : « Écoutez, monsieur
Touret. Je ne peux pas prendre une décision ce soir.
C'est bien. C'est même très bien. Tout à fait ce que je
cherche. Mais huit cents francs par mois, comment
vais-je faire ? » Il me débite tout un folk-song sur les
regrets que j'aurai de ne pas avoir sauté sur sa
camelote, et les joies de la douche, du téléphone
installé, du four Scholtès qui se nettoie tout seul et —
attention ! — d'un placard à vêtements dont rêvent
toutes les femmes, immense, une salle de bal. Il se lève
d'un bond et il ouvre la saleté de placard. Alors là,
vraiment, il ne la comprend plus, sa petite demoiselle.
Vraiment. Je baisse la tête, je dis, obstinée : « Je ne

peux pas prendre une décision ce soir, monsieur
Touret. Peut-être pouvez-vous me montrer autre
chose, moins cher ? » Il demande avec des yeux ronds :
« Maintenant ? » Je dis non, une autre fois, que je
peux revenir. Il soupire, il dit : « Comme vous vou-
drez. »

Je descends la première, pendant qu'il ferme le
studio. Cela me fait du bien de me retrouver dans la
rue toute seule. Il y a encore du soleil en haut des
murs. Il est sept heures et demie passées. Je n'ai jamais
pensé que les choses arriveraient de cette façon. Il me
faudra changer mes plans. A moins que Leballech soit
comme je l'ai imaginé, pendant toutes ces années.
L'un ou l'autre, c'est pareil pour ce que je comptais
faire. Finalement j'ai dit la vérité à Touret : je ne peux
pas prendre de décision ce soir.

Il veut récupérer mon bras, quand il me rejoint,
mais cette fois, je m'écarte. Sans m'énerver, juste un
peu bégueule, parce que je suis une institutrice, tout
ça. Il marche avec les pieds en dedans. S'il avait
continué à porter un béret basque — j'ai toujours
imaginé le salaud avec un béret basque, comme ma
mère me l'a décrit —, ça aurait peut-être empêché ses
cheveux de tomber. Ils sont drôlement dégarnis et le
soleil a dû lui brûler la peau du crâne, je n'ai pas les
yeux pour bien voir. Il dit que Digne est une bonne
ville, quand on la connaît, que je m'y plairai. A quelle
école je vais enseigner ? Qu'il crève la bouche ouverte
et pleine de cafards. Je ne peux pas lui cacher que
j'hésite mais après tout, cette hésitation me sert. Je
réponds simplement que je n'ai pas encore le droit de
le dire. Il dit : « Ah, bon ? » et il n'insiste pas. C'est

moi, après une heure de marche à pied, qui insiste :
« Il y a beaucoup de jalousies, vous savez. »

On se quitte sur une grande place qui coupe le
boulevard Gassendi. Je me fais dire le nom — place de
la Libération — et celui de la rue où se trouve le studio
— rue de l'Hubac. Je dis que je reviendrai le voir la
semaine prochaine, mercredi ou jeudi, et que j'habite-
rai probablement à Digne à partir du mois d'août. Il a
l'air d'une figue sèche de me lâcher si vite, il me dit :
« Vous avez quand même le temps de prendre l'apéritif ? » Je réponds merci, la prochaine fois, que j'ai un
rendez-vous et que je suis déjà en retard. « Vous
voulez que je vous emmène avec ma voiture ? » Il
garde dans ses gros doigts la main que je lui ai tendue.
C'est le plus mauvais moment de cette pourriture de
journée. Avant de tourner de l'œil, je dis : « Non, c'est
tout près, au revoir », et ma main est une truite qui
s'échappe de la sienne. Je marche droit devant moi,
sans me retourner, mais je sais qu'il reste où il est, à
me suivre des yeux.

Je trouve un taxi au coin de la place. Sur le terre-
plein, des hommes jouent aux boules, et je m'approche
pour demander qui est le chauffeur. C'est un petit
vieux à casquette, en train de regarder la partie. Il
n'est pas content de la quitter mais il calcule probablement que plus vite il m'expédiera, plus vite il la
retrouvera, et il fait vinaigre, j'ai même du mal à le

suivre. Les autres, comme tous les abrutis de bonshommes, font des plaisanteries dans notre dos : « Dis,
Toine, si tu te sens trop seul, appelle-nous, on peut
t'aider ! » Des choses comme ça. De toute manière,
quand ce n'est pas Touret, Elle adore qu'on la regarde
en pensant à tout le bien qu'on voudrait lui faire. C'est
même la seule chose qui lui donne confiance, qui lui
rende le moral.

Je m'installe à l'arrière de la voiture. Le petit vieux
se rappelle encore comment on la met en marche, il me
demande où on va. Je dis : « A la scierie Leballech, sur
la route de La Javie. Vous pourrez m'attendre devant ?
Je n'en ai pas pour longtemps. » On roule, on sort de
Digne, et trois ou quatre kilomètres après, il se gare au
bord de la route, près d'un grand portail ouvert. On
n'entend que les oiseaux. En descendant, j'ai un drôle
de coup au cœur, parce qu'il y a un panneau, juste à
cet endroit, et il indique un village pas loin qui
s'appelle Le Brusquet. Évidemment, ce n'est pas le
même Brusquet que le mien, mais c'est terrible, ça me
paraît terrible, c'est comme si le Bon Dieu de ma mère,
à ce moment, existait vraiment au-dessus de ma tête.

Sans parler du silence — les ouvriers ont dû partir
—, la scierie de Leballech ne ressemble pas beaucoup
à celle de Ferraldo. C'est une petite affaire, avec un
atelier, un hangar, et un pavillon moderne au fond de
la cour. A part une Peugeot noire, je ne vois pas de
véhicule. L'air immobile sent le bois des planches et la
résine. Il y a de la sciure partout.

Un chien aboie dans le pavillon, quand je m'approche, et la porte s'ouvre sur une fille qui retient par le
collier un gros berger allemand pareil à Lucifer. Elle

est un peu plus âgée que moi, plutôt blonde, bien en
formes dans un jean serré. Je demande M. Leballech,
douce comme le miel, et elle : « Lequel ? Mon père ou
mon frère ? » Elle tourne la tête vers l'intérieur du
pavillon et elle dit, en se marrant, quelque chose que je
n'entends pas à quelqu'un que je ne vois pas. Le frère,
évidemment, vient voir. Il est plus grand qu'elle d'une
tête et plus jeune que moi, rigolard, en jean lui aussi. Il
a les cheveux longs de Bou-Bou, mais il n'est pas aussi
mince ni aussi beau. La fille me dit : « Mon père est
dans son bureau. » Elle me montre l'atelier du doigt.
Je dis merci et j'y vais.

Il est debout dans une petite pièce toute en vitres qui
donne sur les machines silencieuses. Il dit : « Oui ? »
et il en sort pour venir à ma rencontre. Le cœur me bat
encore plus que lorsque j'ai vu Touret apparaître, car
je sais déjà que c'est lui, des deux, que je dois
manœuvrer, qu'il sera le moins dur à supporter. Il est
grand — peut-être plus que Pin-Pon —, lourd, les
cheveux poivre et sel. Il est en bras de chemise, mais il
porte une cravate dénouée. Il a les yeux bleus, lui
aussi, un peu comme les miens, mais je sais que ça ne
veut rien dire, j'ai trop les yeux de ma mère, c'est elle
qui me les a donnés. Je dis, et ma voix déraille :
« Monsieur Leballech ? Excusez-moi. Je vais probablement louer un studio à votre beau-frère. Je suis
institutrice. » Il attend que je continue et je fais un
effort pour le regarder en face, pour avaler la grosse
boule que j'ai dans la gorge. C'est lui qui conduisait le
camion. Il portait une canadienne. Si ma mère me l'a
bien décrit, il doit avoir cinquante ans, maintenant. Je
dis : « Je voulais savoir combien vous me prendriez

pour me faire des rayons pour mes livres. J'ai quatorze
tonnes de livres. » Il lève les sourcils et puis il
comprend que je ne veux pas dire vraiment quatorze
tonnes, il répond : « C'est que je ne suis pas menuisier.
Je peux vous fournir le bois, à la rigueur, mais pas
plus. »

On reste un million d'années comme ça, moi l'air
d'être bien déçue. Finalement, il dit : « Attendez, je
vais vous indiquer quelqu'un. » Il retourne dans son
bureau vitré et je le suis. Dans sa démarche, dans sa
figure, la vie lui a donné un calme qui doit rassurer les
autres. Je sais que c'est lui qui a frappé ma mère le
premier. C'était probablement déjà le plus calme des
trois, ce jour-là. Il l'a frappée calmement, je n'en doute
pas, mais c'est le coup dont elle a porté la marque le
plus longtemps.

Il me donne une carte de la scierie, après avoir écrit
une adresse derrière, au stylo-feutre, d'une écriture
appliquée, niveau cours élémentaire. Même moi,
j'écris mieux. Ses mains sont encore plus épaisses que
celles de Touret, mais lui, elles vont avec sa taille. Son
alliance en or fait deux renflements de chair sur son
doigt, il ne doit jamais pouvoir l'enlever. Il me
demande : « C'est lequel de studio ? » Je dis : « Rue
de l'Hubac. » J'ai beaucoup de peine à le regarder en
face, parce que ses yeux sont tranquilles et qu'il n'y a
aucune méchanceté dedans. Ceux de Touret sont durs
et aigus, même quand il se donne l'air du brave type
qui fourgue des placards de rêve à des institutrices de
merde. Leballech bouge la tête, et il dit : « Je vois. Elle
ne sera pas grande, votre bibliothèque. Vous feriez
aussi bien de l'acheter toute faite aux Nouvelles

Galeries. » En même temps, il déplace son grand corps vers la porte, pour que je comprenne que je dois partir. Moi, quand je ne veux pas comprendre, ça peut durer longtemps, même si un taxi m'attend dehors. Je regarde mes faux ongles, j'appuie mon derrière contre une table, l'air embêté. Je dis : « Ce n'est pas sûr que je loue, d'ailleurs. Je l'ai dit à votre beau-frère, c'est trop cher pour moi. » Il n'y a rien à répondre, évidemment, mais il répond : « Il lui appartient, ce studio. Arrangez-vous avec lui. Moi, moins je m'occupe des affaires de mon beau-frère, mieux je me porte. » Cette fois, il s'en va dans l'atelier, pour que je le suive, et je le suis.

Dans la cour, je tends la main, et il la serre. Je dis : « Merci, en tout cas. » Il répond : « Vous avez quel âge ? » Je me vieillis de deux ans. Il dit : « Et vous êtes institutrice ? » Je vois dans ses yeux que j'ai l'air d'une institutrice comme lui du pape. Je gamberge à la seconde, un chef, et je réponds avec un sourire, mes yeux dans les siens : « Venez faire ma bibliothèque, vous verrez bien. » Juste assez détendue pour qu'il me croie, juste assez Elle pour qu'il pense à des choses. Je marche vers le portail. J'ai le soleil couchant dans les yeux. Je me retourne malgré moi, au dernier moment, et il est debout à la même place, grand et massif, et il me regarde, et je sais que je suis têtue, que tout sera comme je n'ai jamais cessé plus d'une heure d'y penser, jour après jour, pendant cinq ans. Il me regarde.

Le petit vieux du taxi m'ouvre la portière et c'est tout. Il ne fait aucune réflexion. A l'aller, il a commencé de me dresser une liste de tous les paysans

de la région qui s'arrachent les cheveux à cause de la
sécheresse, et il continue. Il est huit heures vingt à ma
montre et huit heures vingt-cinq à la sienne, sur le
tableau de bord. Je sens quelque chose de douloureux
qui s'endort en moi. Je suis bien installée sur les
coussins. Je vois défiler la campagne. Je dis : « Votre
montre avance. » Il répond : « Non. Votre montre
retarde. » Je suis contente. Je l'emmerde.

Calamité ne m'attend pas sur la terrasse ou dans la
salle du *Provençal,* mais dehors. Elle fait les cent pas sur
le trottoir depuis l'année dernière, au milieu des gens
qui passent et qui doivent la prendre pour une
essoreuse. Elle veut garder un œil sur sa voiture, elle a
peur qu'on la lui vole. Elle a mis sa jupe plissée jaune
vif, comme j'en étais sûre, un corsage transparent à
fanfreluches, qui ne va pas du tout avec, et ses cheveux
blonds sont rassemblés en masse sur la tête par un gros
ruban de velours jaune. Je vous jure, si un marchand
d'oiseaux la voit, il la met en cage.

Évidemment, la première chose qu'elle me dit, c'est
que je suis vilaine, très vilaine de la faire poireauter sur
un trottoir où les gens qui passent la prennent pour
qui ? — elle me le demande. Et puis, elle s'est fait un
sang d'encre, qu'est-ce que c'est que cette histoire ? Je
lui dis pour la faire taire : « Vous êtes rudement belle
quand vous voulez. C'est pour moi toute seule que
vous êtes si chic ? Regardez-moi ça. » Elle hausse les

épaules, l'air boudeur, mais elle rougit jusqu'à ses boucles d'oreilles, qui sont jaunes, bien entendu, comme son sac en plastique brillant, son châle en tricot et tout le bazar. Je la prends par le bras et on marche sur le trottoir. Elle dit : « Mais ma voiture ? » Je dis : « Elle va nous attendre exactement où elle est. D'abord, j'ai faim. » Elle regarde en arrière, désespérée, elle abandonne sa caisse sur quatre roues comme si sa chipie de mère était en train d'agoniser dedans.

On trouve une pizzeria dans une petite rue, presque au coin du boulevard. On choisit toutes les deux une pizza aux anchois et des scampis. Je vais faire pipi, me laver les mains et m'arranger un peu. Quand je reviens, elle a placé un petit paquet carré sur ma serviette rouge. Il est fermé par un ruban doré. Je lui souris et elle sourit aussi, un peu pâle. J'ouvre le paquet sans rien dire et là, elle me tue. Dans sa boîte en carton jaune et bleu, c'est un flacon d'encre Waterman.

J'ai juste le temps de reconnaître ce que c'est parce que les larmes me brouillent instantanément les yeux. La seule chose que je vois — et tout est si net que je ne sais pas comment je me retiens de hurler et de me rouler par terre, comment je peux même le supporter — c'est lui, lui, *lui*. Il porte son vieux blouson de cuir et je suis près de la cuisinière émaillée bleue, à Arrame, et je le regarde remplir le stylo qu'il vient de m'offrir. Il a des cheveux bruns qui bouclent en désordre et il lève les yeux vers moi, penché en avant, et il a ces fossettes aux joues comme toujours quand il sourit, et il dit : « Qui sait ? Peut-être tu travailleras mieux, pas vrai ? » Et presque en même temps — la même seconde —, il y

a les arbres de la forêt, je sens l'odeur des feuilles
mortes et de la terre trempée, je sais que j'ai la pelle
dans mes mains et qu'il va arriver cette horreur et je
crie.

J'ai crié.

Tout le monde nous regarde, aux autres tables. Mon
sang comme un torrent, dans mon crâne. Mlle Dieu, à
travers mes larmes, livide. Je sens mes larmes couler
sur mes joues et je les essuie avec ma serviette. J'avale
de l'air par la bouche. Je reste mille ans la tête dans
mes mains, sans penser à rien. Mickey. Il a dit, hier ou
avant-hier, qu'il devait courir je ne sais plus quand à
Digne, ça me fera une occasion de revenir. Je prends
une douche dans la cour, un soir, et je fais exprès de
mal fermer le rideau pour qu'il me voie. Quand je serai
passée devant le maire, je me ferai baiser par Mickey.
J'ai envie, surtout quand je suis en train de tricoter sur
les marches de l'escalier, dans la cuisine, et qu'il ne
détache plus les yeux d'entre mes jambes et qu'il croit
que je ne fais pas attention. Et Bou-Bou. Je fonds rien
que d'y penser. Il ne doit pas savoir faire grand-chose,
sauf touche-pipi avec sa vacancière — à moins que je
sois naïve — ou se donner du bon temps, la nuit, en
pensant à moi. Je lui ai demandé, à voix basse, si
c'était vrai, dans le couloir de l'étage, mais il a haussé
les épaules et c'est tout. Je meurs rien qu'à l'idée. Mon
frère, mon petit frère.

Je dis, la tête dans mes mains : « Excusez-moi. »
Calamité ne répond pas jusqu'à la résurrection de sa
mère. Elle est penchée vers moi, par-dessus la table.
Elle sent un truc de Dior, le même que celui de la
Georgette de Mickey. Je dis : « Ce n'était pas à cause

de vous. C'est autre chose. » Je la regarde. Elle a enlevé la saleté de flacon Waterman de ma vue. Elle fait signe qu'elle comprend, avec un sourire inquiet. Elle ne comprend rien du tout, oui, c'est une cruche.

Je regarde autour de moi, mais nous ne sommes plus intéressantes, les gens discutent et se nourrissent. Je dis avec l'entrain que je peux : « Allez, mangeons, c'est froid. » En fin de compte, au bout d'un moment, elle murmure : « Tu sais, ce n'était pas ton vrai cadeau d'anniversaire. Le vrai est dans mon sac. Mais j'ai peur, à présent. » Je dis, mignonne comme je sais faire : « Soyez gentille. Montrez-moi. » J'ai mal derrière ma tête. C'est un briquet en or Dupont, elle a fait graver « Elle » dessus. Elle a écrit un mot sur un petit carton glissé dans l'écrin, et au dernier moment, elle a honte que je le lise, c'est toute une histoire. Elle a écrit :

Pour être un peu ta flamme.

Je trouve ça con comme la vie, bien sûr, mais j'attire sa tête en me penchant par-dessus la table et je l'embrasse sur la joue. Je dis : « Tout à l'heure, dans la voiture, je vous embrasserai bien mieux. » Au moins, ça lui redonne des couleurs. J'adore quand elle pique un fard et qu'elle ne sait plus où mettre les yeux. Je l'imagine avec son représentant en jouets, sur les sièges rabattus d'une pourriture de DS, jambes en l'air et la robe par-dessus la tête, en train de serrer les dents jusqu'à ce que ça passe. Elle me fait mourir de rire.

Quand on apporte les scampis, elle m'a tellement parlé de ce qu'elle avait préparé pour mon anniversaire, chez elle, que je n'ai plus faim. Je n'ai plus mal, non plus. Je la regarde manger, je fais semblant de l'écouter. Elle a commandé une bouteille de chianti et comme je n'en bois pas, elle va être paf. Elle m'a demandé pourquoi j'étais à Digne, mais j'ai dit chut, que j'avais voulu rompre avant mon mariage avec certaines choses. Elle a fait semblant de comprendre, elle a soupiré à faire sauter son soutien-gorge en dentelle. On le voit sous son corsage transparent. Ce qu'elle a de mieux, avec sa douceur de blonde, ce sont ses beaux seins blancs, mais elle en a toujours eu honte, sa pimbêche de mère lui disait qu'ils étaient trop gros. Il n'y a qu'à moi, maintenant, qu'elle cherche à les montrer. Si j'étais allée chez elle, comme convenu, elle n'aurait probablement pas mis de sou-tien-gorge sous son corsage. Excitée comme une puce mais crevant de trouille avant de m'ouvrir la porte. C'est une fameuse hypocrite, Calamité. Je l'aime bien, d'ailleurs. Un peu comme j'aime bien Pin-Pon. Je ne vois pas ce qu'ils ont en commun, mais c'est comme ça. Si j'avais été chez elle, comme convenu, elle aurait tourné autour du pot pendant quatre heures d'horloge, et servi le thé d'une main qui tremble, comme quand j'avais quinze ans, et voulu essayer des robes pour que je lui donne mon avis, et parlé de « cette merveilleuse actrice » ou de « cette merveilleuse chanteuse » qui n'aime que les filles — « mais si, je t'assure, tout le monde le sait » — ou de Marilyn tant qu'à faire, pour que je mouille d'être en si bonne compagnie. Je vous jure, même revenue de tout, elle ne tombera jamais à la renverse sans appuyer le dos de sa main sur son front, les yeux chavirés, tout le cirque, en demandant au Bon Dieu ce qui lui arrive.

Elle me dit devant une glace à la fraise : « Tu n'écoutes pas. » Je dis : « Je pense à vous. » Elle ne veut pas le croire. « Et tu penses quoi ? » Je dis : « On voit votre soutien-gorge sous votre corsage. Je suis sûre que vous ne l'auriez pas mis, si j'étais venue au Brusquet. » Un fard. Elle ne dit plus un mot jusqu'au congé annuel du restaurant. Moi, je me penche sur la table, je dis : « Vous avez trouvé quelque chose à propos de ces camionneurs ? » Elle me tue. Elle fait signe que oui du menton, sans me regarder. J'attends. Elle dit, en remuant sa glace, butée : « En novembre 1955, ils ont apporté des bois de clôture à M. Poncet. Il a gardé la facture. C'était des camionneurs de l'entreprise Ferraldo. » Bon. Les gens ne sont pas aussi cons que je crois, d'accord. Elle lève les yeux, sournoise, et elle demande : « Pourquoi voulais-tu le savoir ? » Je dis : « Il y avait d'autres bandes de musique avec le piano. Enfin, il paraît. Un carton qu'ils ont dû oublier quelque part. Je voulais savoir. » Elle reste avec sa cuillère en l'air : « Il y a plus de vingt ans ! » Je baisse la tête sur ma glace au citron, avec mon air victime pour emmerder le monde. Je dis : « Oui, c'est vrai, c'est idiot. Tant pis. » Après un moment, je la regarde avec un sourire, je dis, douce comme le miel : « Faites-moi plaisir, pour mon anniversaire. Allez aux toilettes enlever ce soutien-gorge. » Un fard. Elle a le cœur décroché. Elle murmure : « Tu es folle. Il y a des gens. » Je prends sa main sur la table, je dis, mignonne : « S'il vous plaît. » Elle me regarde, le visage tout rouge. Elle meurt d'envie de le faire, pour me montrer qu'elle est moderne, mais elle ne peut pas. Elle dit : « Je t'avertis que je le fais. » Je ne réponds rien. Je mange ma glace et je la regarde avec mon air de trouver que c'est une belle andouille. Elle se déplace brusquement sur la banquette où elle est assise, avec des plaques livides sur son visage rouge, et elle se lève, et je la vois se diriger vers les toilettes, entre les tables.

Je mange ma glace. J'ai envie de tout planter là. Leballech, Touret, Calamité, Digne. Je pense à Philippe, qui me faisait déshabiller dans la réserve de la pharmacie. Et bien sûr à l'autre idiote, en train d'enlever sa robe déchirée en pleurant, en disant oui, parce qu'ils étaient trois et qu'elle avait peur des coups. Ou de rester défigurée, va savoir. Et puis aussi, à *lui*, très vite, juste un peu. La cuisinière émaillée bleue. Je me dis : « Arrête. Maintenant, arrête. » J'écrase ma glace en marmelade, je l'écarte de moi.

Quand Mlle Dieu revient, elle marche très raide, le visage comme une tomate, et ses gros seins blancs se balancent bien visibles sous son corsage. A part un des serveurs en gilet rouge, personne ne fait attention à elle, d'ailleurs, et tout le monde, sauf moi, est plus ou moins dépoitraillé dans cette marmite. Mais elle doit s'imaginer que tous les yeux sont fixés sur ses doudou-nes, elle continue de mettre une jambe devant l'autre comme un canard à qui on a coupé la tête. Je ne sais pas m'expliquer ce que je ressens, à la voir comme ça, la pauvre gourde, mais de le ressentir, je me déteste, je me tuerais. Elle sait ce qui est bien et ce qui est mal, elle. Je l'ai suppliée d'écrire *Gabriel Devigne* sur mon extrait de naissance. Je lui ai promis de me laisser faire

tout ce qu'elle rêve, et même si c'était à crever de rire,
j'aurais fait semblant d'aller au paradis, je le jure,
j'aurais crié comme une dingue, en l'appelant mon
amour, tout le cirque. Père inconnu. Fin de l'épisode.
J'allume une cigarette mentholée avec le briquet
qu'elle m'a offert.

Dans la voiture, sur la route d'Annot, elle conduit
comme si elle avait passé son permis la veille, les yeux
tout plissés pour fouiller la nuit dans la lumière des
phares. Je sommeille un peu. De temps en temps,
quand elle est sûre qu'il y a au moins quatorze
kilomètres devant elle en ligne droite, elle pose une
main sur mon genou. Elle dit : « Je pense sans cesse à
toi. Tu ne sais pas ce que ça fait d'aimer comme je
t'aime. » Des choses comme ça. Elle n'est pas jalouse
de Pin-Pon, qu'elle ne connaît pas. Elle est contente
que je me marie, que je sois heureuse. Elle dit qu'elle
est fière d'avoir osé se montrer « à tout le monde »
sans soutien-gorge, pour me faire plaisir. Je dis : « La
prochaine fois, c'est votre cul qu'il faudra montrer. »
Elle fait : « Oh ! » et elle rit d'un rire qui tremble. Je
ne sais pas si c'est cette idée ou le chianti qu'elle a bu,
on finit par rouler à trente. Je dis : « Essayez d'aller un
peu plus vite, on n'arrivera jamais. »

Après qu'on a traversé la ville déserte, et passé le
pont, elle s'arrête sur le bord de la route. Elle va faire
pipi derrière les sapins. J'attends dans la voiture. Elle
remonte, elle me regarde un siècle, elle soupire, et on
repart. Elle me laisse un peu après le portail des
Montecciari. Je l'embrasse sur la bouche — elle
embrasse bien, d'ailleurs, c'est incroyable — et je
promets que je lui téléphonerai du café de Brochard.

Elle m'embrasse encore, elle crispe un moment ses doigts sur ma culotte, avec un tas de soupirs, et puis je descends. Je dis : « Il faudra que je retourne à Digne. Vous viendrez me chercher ? » Elle fait signe que oui, triste. Elle a le visage en feu et son ruban jaune, dans ses cheveux, pend de côté. Je le lui enlève tout à fait, je le roule, je le lui mets dans la main. Je dis, douce : « Calamité. » Elle bouge à nouveau la tête avec un petit sourire triste et je m'en vais.

Quand je rentre dans la cuisine, Pin-Pon est assis à la table, sous la lampe du plafond qu'il a descendue jusqu'à hauteur de sa figure. Il nettoie des pièces de mécanique avec de l'essence. Il lève à peine les yeux pour me regarder. Il est minuit moins le quart à ma montre.

Je dis : « Tu es fâché ? » Il balance la tête pour dire non. Je reste à côté de lui un bon moment sans qu'il me parle. Ensuite, il dit : « J'ai téléphoné à Mlle Dieu, vers sept heures. Elle n'y était pas. » Je dis : « Elle m'a emmenée dîner au restaurant, pour mon anniversaire. Elle m'a offert un briquet Dupont. » Je prends le briquet dans mon sac et je le lui montre. Il dit : « Elle ne s'est pas moquée de toi. » Depuis le début de juillet, il y a des incendies de forêt presque toutes les nuits et il ne dort pas beaucoup. Je dis : « Pour un soir que tu pouvais dormir, il faut que tu m'attendes. » Il me répond : « Je ne peux pas dormir quand tu n'es pas là. » Je me penche, je l'embrasse dans ses cheveux fous. On se regarde et je dis : « Si on allait dans la grange, cette nuit ? » Il sourit, il caresse mon derrière à travers ma robe, et il dit : « D'accord. » Ensuite, on ne fait pas de bruit, on va dans la grange, et il m'aime à me faire oublier qui je suis.

Et puis un jour, je me réveille et j'ai vingt ans.

Je bois mon café dans la cuisine, avec la tante Sourdingue et la mère la Douleur, je vais emmerder Bou-Bou sous la douche de la cour, pour qu'il me laisse la place et, une fois lavée, je remonte dans la chambre, j'enfile mon short blanc, mon polo blanc et mes nu-pieds, je vais voir ma mère.

Elle essaye sur moi la robe de mariée. On ne peut plus reconnaître celle de Juliette. Il y a des dentelles partout, comme je voulais. Dans la grande glace de la pièce du bas, qui fait salle à manger, je suis longue, la taille très fine, je me plais à mourir. La pauvre andouille a les larmes aux yeux de me voir dans cette robe. Elle trouve une ou deux chinoiseries à faire pour que mon petit cul soit encore plus beau et, pendant qu'elle s'installe à sa machine et que je mange de la bouillie Cérélac que j'adore, elle me dit : « J'ai quelque chose à te demander, mais je ne veux pas que tu te mettes en colère. » Elle a repensé à ce que je lui ai dit, quand j'ai connu Pin-Pon, et elle se tracasse. Elle s'est fait décrire le père Montecciari par Mme Larguier, chez qui elle fait le ménage. Enfin bref, elle veut voir une photo.

On reste sans parler le restant de notre vie, après ça. J'ai le cœur dans la gorge. Elle s'est arrêtée même de

coudre. Je dis : « Le père Montecciari n'est pour rien
dans cette histoire, j'en suis sûre maintenant. » Elle
répond : « Il n'y a que moi qui peux en être sûre.
Alors, apporte-moi une photo. » Quand elle est
comme ça, je me roulerais par terre. Je dis : « Merde.
Tu ne vas pas faire ton cinéma et me gâcher mon
mariage ? Qu'est-ce que tu vas imaginer ? » Elle
répond, sans me regarder, les yeux sur ses mains
abîmées par les lessives : « Si j'ai le moindre doute, je
ne te laisserai pas faire. Je dirai tout. Je l'ai juré à
l'église. » J'envoie la bouillie Cérélac sur la table, je
remets mon short, mon polo, mes nu-pieds, avec mes
cheveux dans les yeux, et je claque la porte.

Cinq ou six minutes pour arriver chez les Montecciari. Une pour coincer ma Sono Cassée toute seule et
lui demander une photo de son bien-aimé enterré à
Marseille. Elle dit : « Pourquoi ? Pourquoi ? » Je dis
que c'est pour la montrer à quelqu'un, en ville, qui fera
un portrait avec des pinceaux. C'est le cadeau que je
veux lui offrir, moi, pour mes vingt ans. Elle pleurni-
che comme une folle. Elle me dit : « Il n'y a que toi
pour avoir des idées pareilles. Tu as bon cœur, voilà,
tu penses avec ton cœur. » Je décroche dans sa
chambre une photo du monsieur, je ne l'enlève même
pas de son cadre en plâtre doré, je passe dans ma
chambre à moi et je trouve un sac de supermarché
assez grand pour le mettre dedans. Une autre minute
perdue à réconforter la vieille conne. Je lui dis : « N'en
parle à personne, surtout, c'est un secret entre nous
deux. » Elle m'embrasse la joue avec des lèvres sèches,
elle serre mon poignet à me faire mal. Je dis : « Merde,
arrête, tu me fais mal. »

Dehors, en passant devant le café Brochard, je vois ma future belle-mère en train de discuter avec deux autres jeunesses du village. Elle me regarde, je lui souris de toutes mes dents, mais autant m'adresser au soldat du monument aux morts. Pour tout arranger, Pin-Pon fait tourner un moteur devant le garage, et il me voit. Je crie : « Il y a des retouches à faire, à la robe. Ça va ? » Il répond : « Ça va. » Il n'est pas content que je me balade en short, il me l'a déjà dit. Son rêve, c'est que je reste en armure jusqu'à nos noces d'or. Comme ça, il s'enverrait Jeanne d'Arc.

Vingt minutes ne sont pas passées quand je remets les pieds chez nous. Le connard, là-haut, a repris ses vocalises. Il veut sa soupe, il veut son journal ou alors, il m'a entendu venir, il sait que je suis là. Je ne l'ai jamais revu depuis qu'il est paralysé. Je ne lui ai jamais adressé la parole, même à travers le plafond. Lui, quand ça le prend, il m'insulte. Ma mère m'a dit qu'il a encore toute sa tête, mais je ne sais pas.

Elle est assise à la même place, devant la machine à coudre. Elle attend. A part moi, je ne connais personne qui sache attendre comme elle. Dites-lui : « Je reviens », et revenez l'année d'après, elle sera là, toujours impeccable, ses cheveux clairs bien sages autour de son visage, les deux mains croisées sur le ventre. Elle est née le 28 avril, elle est Taureau. Je n'y connais pas grand-chose, mais on m'a dit que les Taureau sont dingues des Cancer, ce sont les seuls qui peuvent les comprendre.

Je dis : « Regarde, bécasse ! » Elle prend le cadre avec précaution, elle étudie la figure souriante d'un type dont il ne reste plus rien. Il a des cheveux bruns soigneusement peignés, un nez en lame de couteau, des yeux assez beaux, très noirs, il a l'air sûr de lui, il n'est pas mal. Ma mère dit : « C'est le père Montecciari, ça ? Mme Larguier m'a dit qu'il avait des moustaches. » Je réponds : « Eh! Oh! Tu veux me faire tourner en bourrique? Il y a des moments dans la vie où on a des moustaches, et d'autres où on n'en a pas. Là, il n'en avait pas. » Elle ne regarde pas très longtemps la photo. Elle dit : « Ce n'est pas l'Italien, en tout cas. » Le plus terrible, c'est qu'elle n'a pas l'air tellement soulagée. Ou alors, elle se rend compte qu'elle n'est plus très sûre de pouvoir reconnaître le salaud, que les années ont passé, va savoir. Je dis : « Si c'était lui, tu l'aurais reconnu tout de suite. Même sans moustaches. » Elle soulève les épaules. Je rentre le cadre dans le sac du supermarché, je dis : « Si Pin-Pon savait qu'on a soupçonné son père, il nous arracherait la tête à toutes les deux. » Elle me regarde. Elle sourit. Elle me tue quand elle sourit. Fin de l'épisode. Après, elle arrange ma robe et je l'essaie devant la grande glace, et je suis toujours aussi divine.

Dans l'après-midi, Pin-Pon m'emmène en ville dans la 2 CV du garage, pour que je m'occupe de la liste des cadeaux. J'ai mis mon jean et un tee-shirt blanc. Lui, il remonte tout de suite au village, il profite de son après-midi pour s'arracher quelques cheveux sur sa Delahaye. Il a ramené une Jaguar en bouillie, la semaine

dernière — trois morts, on en a parlé dans le journal —, et il l'a rachetée pour quatre sous. Il m'a
expliqué que le moteur est encore bon et qu'il va faire
l'échange. En ville, il doit passer prendre un autre
mécanicien, Tessari, qui travaille chez M. Loubet, le
mari de Loulou-Lou. Il paraît que c'est un chef. Je dis,
en descendant sur le trottoir de la place : « N'en
profite pas pour la voir, elle, et pour remettre ça. » Il
rit comme un imbécile. Il aime bien que je prenne l'air
jalouse.

J'apporte la photo du mari de Cognata chez un
garçon que je connais, Varecchi, qu'on appelle Vava.
Il travaille dans une imprimerie et, pendant l'été, il fait
le portrait des touristes à la terrasse des cafés. Il dit
d'accord pour cent francs parce que c'est moi et pour
la semaine prochaine. Ou alors je pose pour lui à poil
et pour rien. Il plaisante, bien sûr, et je dis qu'on
verra. On parle sur son palier, sous les toits, il a du
monde dans sa chambre. Je lui dis de mettre bien des
couleurs dans sa peinture, que c'est pour quelqu'un
que j'aime beaucoup, et de faire attention à la saleté de
cadre. Ensuite, je descends comme une vieille, en
m'accrochant à la rampe, parce que j'ai horreur de
glisser sur l'encaustique et de me casser une jambe.

Donc je m'occupe de la liste des cadeaux. Je vais
dans trois magasins, je choisis sans me tracasser ce
qu'on me conseille, sauf une ou deux conneries dont
ma mère a envie et que je lui donnerai, comme ça elle
parlera d'autre chose. Je vais à la poste à quatre
heures, mais Georgette est derrière son comptoir, je ne
peux pas téléphoner de là. Je lui dis bonjour, comment

ça va, et je lui prends dix timbres pour mes faire-part.
Je vais téléphoner au café en face du cinéma *Le Royal*.

Il y a une cabine, avec plein de choses instructives
dessinées sur les murs. Leballech est hors de l'atelier,
on va le chercher. J'entends sa voix dans l'appareil
comme si je le connaissais depuis mille ans. Je crois
que j'ai fait attention à tout pendant cet après-midi
pourri, aux voix, aux visages, à la plus petite misère,
j'ai tout bien net dans ma tête de tourterelle. Je dis :
« Excusez-moi, monsieur Leballech, c'est l'institutrice, vous vous souvenez ? » Il se souvient. Je
demande si je n'ai pas perdu chez lui mon petit cœur
en argent, avec une chaîne. Il dit : « Je l'ai ramassé
dans mon bureau. Je pensais bien qu'il était à vous.
J'ai demandé votre adresse à mon beau-frère, mais je
n'ai pas pu trouver votre numéro de téléphone. » Je
dis : « Je n'ai pas le téléphone. Je vous appelle d'un
café. » Il répond : « Ah, bon », et j'attends dix siècles.
Il me demande finalement : « Vous voulez que je vous
l'envoie dans une enveloppe, ou vous passerez le
prendre ? » Je dis : « Je préfère passer, on ne sait
jamais. J'y tiens beaucoup. Et puis, ça me donnera
l'occasion de vous revoir, pas vrai ? » Dix autres
siècles. Il dit : « Oui. » Rien d'autre. « Oui. » Je dis :
« Je suis contente que vous l'ayez trouvé. Je sais que
c'est bête, mais j'étais presque sûre que c'était vous. »
Ma voix tremble un peu, juste ce qu'il faut. La sienne
non, elle est seulement plus basse, plus hésitante :
« Vous venez quand, à Digne ? » Je dis, douce :
« Quel jour vous arrange, vous ? » S'il ne regimbe pas
maintenant, je lui volerai son âme, aussi sûr que je suis
vivante. Il ne regimbe pas. Il se tait longtemps. Je dis :

« Monsieur Leballech ? » Il répond : « Mardi après-midi ? Je dois passer à la banque à Digne. Je peux vous le rapporter quelque part. » C'est moi qui me tais, pour qu'il comprenne bien qu'on se comprend. Et puis, je dis : « Je vous attendrai au coin de la place de la Libération et du boulevard Gassendi, à quatre heures. Il y a une station de taxis, vous voyez ? Je serai sur le trottoir en face. » Il voit. Je répète, douce : « A quatre heures. C'est bien ? » Il dit oui. Je dis d'accord. Avant de raccrocher, j'attends qu'il le fasse de son côté. On n'ajoute pas un mot, ni lui ni moi.

Je sors de la cabine avec des jambes qui me portent à peine. Je suis vide et glacée en dedans, et j'ai les joues brûlantes. Je bois un thé-citron à une table, en faisant semblant de m'occuper de ma liste de mariage, et j'additionne tous les prix sans y penser. Je ne pense à rien. Le fils du patron, que je connais, vient me parler. Il est près de cinq heures quand je me retrouve dans la rue. Je marche longtemps dans le soleil. J'enlève le petit foulard rouge que j'ai autour du cou et je noue mes cheveux en me regardant dans la glace d'une vitrine.

Je vais chez Arlette, puis chez Gigi, mais elles ne sont là ni l'une ni l'autre. Quand Leballech m'a dit : « mardi après-midi », au téléphone, j'ai pensé que ce serait le 13 et que son histoire de banque était un beau mensonge. Je passe devant le Crédit Agricole pour vérifier. Ils ferment le 13 à midi. Pareil pour la Société Générale. Je lui volerai son âme. Je ferai pleurer à sa famille des larmes de sang.

Je ne sais plus quoi faire en ville pour m'oublier. Je vais à la piscine municipale, des fois que Bou-Bou y serait, ou Arlette, ou Gigi, ou les choses de mon oncle, mais il y a un million de vacanciers que je ne connais pas et le bruit me tue. Le soleil, dehors. Je marche sur mon ombre. Je me dis : « Tu pourrais en finir dès mardi. Avec les deux. » Je saurais comment m'y prendre, je l'ai imaginé pendant cinq ans, de toutes les façons. La patronne du café *Le Provençal*. Suzy café-au-lait. La fille de Leballech et le fils. Non, personne n'irait penser à moi, j'en suis sûre, on ne me retrouve-rait jamais.

Pin-Pon, lui, il n'est pas responsable. Pas plus que Mickey ou Bou-Bou. Je veux les faire payer, oui, comme une dette de leur pourriture de père, mais je n'ai jamais pensé que la punition serait la même que pour les deux autres. Je ne sais pas. L'autre plan que j'ai fait depuis que je connais Pin-Pon demande du temps — trois, quatre semaines ? — mais je garderais les mains innocentes, je me servirais uniquement de ce que le Bon Dieu m'a donné. Je ne sais pas.

Je pense à mardi après-midi avec Leballech et aux autres après-midi qui suivront. Tout à coup, Elle est presque aussi réelle que si elle marchait à côté de moi. Ce qu'il nous faudra faire, Elle s'en fiche. Elle en a même envie, d'une certaine façon. Elle n'aime que ce qui est trouble. Elle est trouble elle-même, et elle veut mettre ses bras autour du cou, et qu'on la caresse, et être une salope, et n'être plus rien, ni personne. Elle est moi, mais pas vraiment, il faut que je pense à tout à sa place. C'est quelqu'un qui ne grandira jamais plus, elle est plus malheureuse que si elle était morte. Elle s'est réveillée en hurlant quand j'étais à la pizzeria avec Calamité. Je l'ai sentie remuer, tout à l'heure, dans la cabine téléphonique. Elle me griffe avec ses ongles encore longs, elle me serre le cœur, et j'ai cette sensation que l'air me manque et mal derrière la tête.

Je lui dis : « Le soir de mon mariage, j'irai *le* voir, dans ma belle robe blanche. Je trouverai le courage. Tu sais que je suis courageuse. » Il sera dans son fauteuil, il sera sans chair et vieilli — comment il sera ? Quand nous avons quitté Arrame, je me suis enfuie pour ne pas qu'Elle assiste au déménagement. J'ai traîné dans les collines enneigées jusqu'au soir. Quand je suis arrivée dans notre nouveau chez-nous, ma mère était perdue au milieu des meubles, et des caisses de vaisselle, et toutes les bricoles. Elle m'a dit : « Tu n'as pas de cœur. Tu m'as laissée seule, un jour pareil. » J'ai répondu : « Je ne veux pas le voir. Si tu avais été seule, tu sais que je serais restée pour t'aider. » J'ai défait le haut de sa robe, toutes les deux assises sur le divan qu'on n'avait pas encore monté à l'étage, et j'ai dit : « Je t'en supplie », parce qu'elle a toujours honte et qu'elle croit que c'est mal, et Elle s'est endormie enfin, tranquille pour ce jour-là, dans les bras de sa maman chérie.

Je me trouve au bord de la rivière, sans même me rappeler que j'y suis venue, ni le chemin que j'ai fait. Je suis assise sur un rocher, près de l'eau qui murmure clair et remue les galets. Mon tee-shirt est plaqué sur moi par la transpiration. Il y a des gens sur le pont, pas loin, et je ne peux pas l'enlever pour le faire sécher. Il est six heures. Le soleil frappe toujours comme un fou. Je cherche un bonbon dans mon sac de toile, mais je n'en ai plus. J'allume une cigarette mentholée avec mon briquet Dupont.

Je décide que j'emporterai mardi le petit flacon de verre teinté sur lequel j'ai collé une étiquette de vernis à ongles. Il est dans la poche de mon blazer rouge, avec mon argent. Après le déjeuner, Cognata m'a dit de l'aider à monter dans sa chambre. Elle m'a dit de prendre son portefeuille en carton, dans le poêle en faïence, et elle m'a donné quatre billets de cinq cents francs tout neufs, pour mon anniversaire. J'étais soufflée. J'ai mis cet argent avec le reste, dans la poche de mon blazer rouge, et j'ai senti le flacon sous mes doigts. Je crois que j'ai eu envie de le casser, d'envoyer la poudre au diable, je ne sais pas. Je pleurais sans larmes à cause de cette vieille conne, je me sentais douce et chaude en dedans, et de toucher ce flacon, c'était comme de toucher la peau d'un serpent. Maintenant que j'ai décidé de l'emporter mardi, je voudrais le tenir dans ma main, tout de suite, et le garder bien serré jusque-là. Je l'emporterai, je verrai si je dois m'en servir ou non.

Je marche sur la route, à la rencontre de Pin-Pon qui doit venir me reprendre vers sept heures. Je vous donne en mille qui me rattrape en soufflant comme un phoque, debout sur ses pédales, avec son maillot de coureur rouge et blanc et ses mollets à l'air. Il dit, sans voix : « Merde, je t'avais en point de mire depuis le pont et il m'a fallu trois virages pour te rattraper. Demain, à Puget-Théniers, je termine après qu'on a retiré les banderoles. » Il descend de sa machine. On devine tout son bazar sous sa culotte noire. C'est la première chose qu'il frotte d'ailleurs, sans s'occuper si ça me gêne ou non, et ensuite son cou en bougeant la tête d'avant en arrière.

On va s'asseoir dans l'herbe, au bord de la route et il s'essuie le visage avec sa casquette, il me dit : « Je vais attendre la voiture-balai avec toi. Je suis mort. » Je lui demande combien il a fait de kilomètres et il répond : « Pour mes frères, cent. La vérité, c'est que j'en ai fait cinquante et j'ai bu trois canettes. » Il hausse les épaules, il dit, résigné : « Qu'est-ce que tu veux, c'est comme ça. » On reste sur le talus à l'ombre des arbres, et je suis bien. Je regarde le ciel. A un moment, je le regarde, lui, et il est assis, les bras sur les genoux, et il a l'air de réfléchir, le front tout plissé. Je dis : « A quoi tu penses ? » Il répond : « J'avais dit que l'Olympique de Marseille gagnerait la Coupe et il l'a gagnée. Maintenant, je dis que je vais gagner une course. Je le sens. » Je demande : « Après Puget, où tu cours ? » Il me dit son programme jusqu'à l'apocalypse. Il doit courir à Digne le 25, une semaine après le mariage. Une course en rond autour de la ville, on passe vingt fois sur le boulevard Gassendi et, à chaque passage, s'il va plus vite que les autres, il ramasse des primes. S'il gagne la course, on lui donne un truc en métal avec son nom dessus et un vélo de merde qu'il fourguera pour cinq cents francs. J'aimerais bien qu'il gagne. Il dit : « Si je reste avec Deuffidel et Majorque quand ça monte, j'ai ma chance. Je leur ai montré mon cul au moins vingt fois, dans les arrivées. »

Je sors le bas de mon tee-shirt de mon pantalon, allongée sur le dos, et je l'agite au-dessus de ma poitrine pour me donner de l'air. Mickey fume une de mes cigarettes mentholées. Il dit : « Pin-Pon m'a dit qu'on fait la fête, ce soir. » Il ne me regarde pas. Je dis oui, je ferme les yeux. J'imagine qu'on va tous les deux dans le bois, derrière nous. Je caresse mon sein gauche, sous mon tee-shirt, comme sans y penser. Il est chaud et gonflé, et mon cœur bat dessous. Je ne sais pas si Mickey me regarde. J'imagine qu'on est dans le bois, et qu'il caresse mes seins et Pin-Pon arrive.

Il y a Tessari avec lui, dans la 2 CV. Il dit, la tête passée par la portière : « Je le raccompagne et je reviens. » Je vais quand même jusqu'à la voiture et je lui fais la bise. Je donne la main gauche à Tessari par-dessus lui. Je dis : « Excusez-moi, mais c'est celle du cœur. » Je connais le neveu de Tessari et je le déteste, c'est un sale petit voyeur. Je dis : « Elle marche la Delahaye ? » Tessari se marre. Pin-Pon répond, tranquille : « Elle marchera. Seulement, le moteur de la Jaguar, c'était plus la peine. Elle marchera avec son moteur d'origine. » Mickey est près de moi, il a passé un bras autour de ma taille. Il dit à Tessari : « Ça va ? » Et comme moi, il tend la main gauche par-dessus Pin-Pon.

Quand ils sont partis en ville, on revient tous les deux vers le talus où il a laissé son vélo, et il continue de m'entourer de son bras. Il me lâche pour s'asseoir. Je reste debout à regarder le soleil qui tombe derrière les montagnes. Mickey dit : « Il fera jour encore longtemps. » Il veut une autre cigarette et je la lui allume avec mon briquet Dupont. Il a de petites rides fines autour des yeux, parce qu'il est toujours en train de rire. Je me laisse tomber à côté de lui, et j'ai un cafard comme personne ne peut imaginer. Il le sent d'ailleurs, Mickey. Il dit : « Ça rend triste, le soleil qui se couche. » Je dis oui, mais ce n'est pas tellement le

soleil, c'est Pin-Pon, et lui, et Bou-Bou, et de me sentir
bien avec eux, et tout.

Quand on revient, ce soir-là, le vélo de Mickey
accroché derrière la 2 CV, ma mère est dans la cour
des Montecciari. On ne m'a pas prévenue qu'on
l'invitait pour mon anniversaire et la première chose
qui me passe par la tête, en la voyant à travers le pare-
brise, c'est qu'elle a peut-être visité la maison et vu le
vrai salaud à moustaches dans la chambre de la Reine.
J'en suis malade jusqu'à ce qu'elle m'embrasse. Elle a
son sourire de madone et je me rassure.

Je dis : « Tu restes avec nous dîner ? » Elle répond :
« Oh non, tu penses ! Juste pour prendre l'apéritif. Je
ne peux pas le laisser seul si longtemps. » Elle me tient
par les épaules. Elle est heureuse d'être là, et de voir en
entier la sainte famille, et que j'ai vingt ans. Elle s'est
mise sur son trente et un — une robe d'été crème
qu'elle a transformée avec du galon — elle est
maquillée juste ce qu'il faut et coiffée à l'ange, Mickey
dit qu'on croirait ma sœur. J'ai envie de les embrasser,
elle, et brave Mickey, et tout le monde tellement je suis
contente. Même la mère la Douleur s'est mise en frais
d'une robe à petites fleurs mauves.

On a sorti la grande table dans la cour et j'aide Pin-
Pon à servir le pastis, le cinzano et la clairette-de-Die.
Cognata, qui est dehors pour la première fois depuis
longtemps, raconte Seausset-les-Pins à ma mère. Je

bois de l'eau avec un peu de cinzano pour colorer. Et puis, Bou-Bou sort de la cuisine avec un plateau dans les bras et il y a vingt petites bougies allumées dessus. Tout le monde rit de ma surprise et chante pour moi *Joyeux anniversaire,* et applaudit. Comme ma mère ne peut pas rester à dîner, ils n'ont pas mis les bougies sur un gâteau mais sur une tarte à l'oignon qui est la spécialité de belle-maman. Les bougies, c'est Bou-Bou qui les a fabriquées, parce qu'il n'y en avait pas chez Brochard et que Mickey, qui oublie tout, avait oublié de les prendre en ville. Je vous jure, si on met ça dans un film, tout le monde a la figure bien lavée en sortant. C'est Pin-Pon, maintenant, qui me tient par la taille, et je dis : « Attention ! Regardez le travail ! » Je prends ma respiration et je souffle toutes les bougies d'un coup. Pin-Pon dit . « Alors là, il n'y a plus de doute ! Tu te maries dans l'année ! »

Ensuite, quand Mickey a ramené ma mère chez nous, dans la 2 CV — toujours en tenue de coureur — on dîne dehors, dans la nuit qui vient. Les montagnes sont rouges. On entend des bêtes qui rentrent. Je suis la seule à ne pas boire de vin — la mère Montecciari pas beaucoup, non plus — et ils sont tous très gais, même Cognata qui tousse de rire et s'étouffe. Pin-Pon m'embrasse souvent dans le cou, dans les cheveux. Il raconte son service militaire, à Marseille. Bou-Bou raconte son professeur de mathématiques, une vierge de quarante ans qui porte des bas roulés au-dessus des genoux, et toutes les blagues qu'ils lui ont faites. Mickey raconte une course qu'il a perdue, ou gagnée, je ne sais pas. Je pense que ma mère est en train de décrire à l'autre connard, avec tous les détails, les trois secondes qu'elle a passées ici, et qu'elle lui a porté un morceau de la tarte à l'oignon, tout ça. Je ris toujours, bien sûr. Je sais me tenir.

Après qu'on a fini, les jeunes montent tous se changer. Dans la chambre, Pin-Pon a sorti la robe rose que je portais le premier soir où je suis allée dîner avec lui. Elle me rappelle seulement la volée que j'ai prise, le lendemain matin, en rentrant. Il a étendu la robe sur le lit et il y a un paquet-cadeau dessus. Pendant que je défais le papier, il se tient derrière moi, et il soulève mon tee-shirt, il me caresse les seins. Je dis, douce : « Si tu fais ça, on ne va plus partir. » Mais ça me dégoûte en ce moment, je voudrais qu'il me laisse tranquille. Il m'a acheté le bikini rouge que je lui ai montré, une fois, dans une vitrine. Il ne lui plaisait pas, parce que c'est vraiment le minimum, mais il me l'a acheté quand même. Je ne me retourne pas. Je dis : « Tu es drôlement gentil. » Il me lâche les doudounes, il se prépare.

On passe la soirée en ville, et puis à Puget-Théniers, où Mickey doit courir le lendemain. Il dit qu'il faudra attacher un chien à son vélo pour lui montrer la route. Il y a Pin-Pon et moi, Bou-Bou et sa vacancière à l'accent pointu, Mickey et sa Georgette. La vacancière est toute nue sous une longue robe presque transparente, on devine même les poils de son zizi, et Bou-Bou a l'air d'un con. Il la regarde comme si c'était un vase de porcelaine, il prend l'accent pointu, lui aussi, pour lui parler. Elle l'embrasse tout le temps. Il a ouvert sa chemise, je n'entends rien de ce qu'ils se racontent, mais la salope n'arrête pas de lui passer la main sur la poitrine comme si c'était lui, la fille, et ils me donnent

envie de partir, de tout planter là, la musique de
merde, les lumières qui tournent, les verres qu'on
renverse à moitié sur la table, tout.

Bon. A Puget, dans une boîte à guitaristes, je me
dis : « Ne t'énerve pas. Il sait que ça t'emmerde. Il le
fait exprès pour t'emmerder. » Je danse un truc de Joe
Dassin avec Pin-Pon, collante à transformer un
homme en porte-manteau. Pin-Pon ça va, je le sens
contre mon ventre, mais Bou-Bou, il ne me regarde
même pas, il fume sur sa banquette, la tête en arrière,
la bouche de la vacancière sur sa peau, juste au-
dessous du cou, et il lui parle, il lui parle tout le temps,
sans s'arrêter, les yeux au plafond peinturluré en ciel
d'Espagne ou d'Italie. Dans une seule phrase qu'il lui
dit, on pourrait mettre tous les mots que j'ai entendus
de lui depuis que je le connais. C'est peut-être ce qui
me fait le plus de mal. Et puis, c'est fini. Je me sens
tarte, dans ma robe rose qui date de cent ans, trop
courte et ravageuse pour rien ravager, je m'en fiche. Je
vais prendre mes cigarettes et mon briquet Dupont sur
notre table, je sors dans la nuit douce, je marche
jusqu'à une fontaine.

C'est Pin-Pon, bien sûr, qui vient me retrouver. Je
lui dis : « J'avais besoin de prendre l'air. C'est déjà
passé. » Il est tout en noir, comme la première fois
qu'on est sorti ensemble. Moi en rose, lui en noir, c'est
son idée à lui, il est content avec ça. Il me dit : « S'il y
a quelque chose qui te tracasse, tu peux me le dire tout
de suite, tu sais. Pas la peine d'attendre qu'on soit
marié. » Je soulève une épaule, je ne réponds même
pas. Il dit : « Tout à l'heure, quand on dansait
ensemble, j'ai compris pourquoi tu t'accrochais à

moi. » Je le regarde, et il a une figure tellement
gentille, tellement naïve que je suis furieuse encore
plus. Je dis mauvaise : « Qu'est-ce que tu as compris ?
Vas-y ! Qu'est-ce que tu as compris ? » Il tient mes
poignets. Il dit : « Calme-toi. Tu t'es sentie seule en
ville, cet après-midi. Je sais ce que ça fait. Après tu
rentres, et il y a ta mère. Et les bougies, tout ça. Tu es
bouleversée. Je commence à te connaître. » Il sent
qu'il peut lâcher mes poignets, il les lâche. Il dit :
« Tout à l'heure, tu as pensé à nous et au bébé, tu as
eu peur de l'avenir. Il te semble que rien ne sera plus
comme avant. » On reste mille ans près de la fontaine
et puis, je dis : « D'accord, Hector, tu comprends tout.
Allons-nous-en. » Je retourne vers la boîte, lui derrière
moi, les mains dans ses poches, triste. Bon. Je l'attends, je le prends par la taille. Je dis : « Roberto.
Roberto, Fiorimondo Montecciari. Éliane Manuella
Hertha Wieck, épouse Montecciari. » Je ris. Je dis :
« C'est bien, non ? » Il dit, en marchant : « Oui, c'est
pas mal. »

Dans la voiture — on a changé, au départ, la 2 CV
contre la DS d'Henri IV — on est tous serrés les uns
contre les autres, moi entre Pin-Pon qui conduit et
Bou-Bou parce que c'est le plus mince. On laisse la
vacancière en ville, et Bou-Bou descend, et ils s'em-
brassent, et ils se disent à demain, et les merveilles de
mon oncle. Un peu plus loin, pareil pour Georgette et
Mickey, sauf qu'ils font moins d'histoires. Ils ont
disparu, dans la soirée, pendant au moins trois quarts
d'heure. Pour aller où, je ne sais pas. Georgette m'a dit
une fois, les yeux par terre, qu'il le lui met n'importe
où, qu'elle a toujours peur qu'on les surprenne. Dans

l'escalier de la cave, chez les Montecciari, un soir. Pin-Pon, Bou-Bou, Cognata et moi, on faisait un rami. Elle *entendait* nos voix à travers la porte. Je vous jure.

Enfin, on revient à la maison. Je m'endors à moitié dans la voiture. Bou-Bou et Mickey me plaisantent, derrière. Pin-Pon dit : « Arrêtez vos conneries, vous voulez ? » Ils s'arrêtent. Pendant que Pin-Pon ramène la DS au garage d'Henri IV avec Mickey, on traverse la cour, Bou-Bou et moi. C'est la pleine lune et on n'entend que nos pas. La porte de la cuisine est fermée à l'intérieur. Bou-Bou dit : « Inutile de réveiller ma mère. On va attendre Pin-Pon. »

On reste debout sans se parler jusqu'à la fin du monde. J'oublie que je lui en veux et je prends sa main, je dis que j'ai peur. Je dis : « Parle-moi. » Je sens qu'il voudrait retirer sa main, mais il n'ose pas. Il me demande pourquoi je les ai quittés comme ça, dans la boîte de Puget-Théniers. Je réponds : « Tu sais bien. » Il bouge les épaules pour me faire croire que non. Je dis, douce : « J'étais jalouse de te voir avec ta vacancière. J'avais envie de pleurer. » Il ne retire pas sa main. Il ne répond rien. Je demande, encore plus bas : « Tu la trouves plus belle que moi ? » Il remue la tête pour dire non, c'est tout. Je ne sais pas comment je me retiens de me mettre devant lui et de l'embrasser à mourir et puis tant pis. Je dis : « Parle-moi, Bou-Bou. Sois gentil. » Il me raconte que sa vacancière, qui s'appelle Marie-Laure, est étudiante en médecine, qu'elle a deux ans de plus que lui, que c'est une bonne copine pour l'été, mais rien de plus. Je dis : « Bon. Je suis contente, alors. » Je serre fort sa main. Elle est très grande et me donne l'impression que c'est lui, de nous deux, le plus âgé. Finalement, il la retire et il tape à la vitre pour réveiller sa mère. Je n'ai pas le temps de le retenir. Il crie : « M'man ! C'est nous ! » On ne dit plus rien.

La mère la Douleur nous ouvre, en chemise de nuit de gros coton, et elle demande à Bou-Bou : « Pourquoi n'avez-vous pas tapé tout de suite ? » Il répond : « On ne voulait pas te réveiller. On attendait Pin-Pon. » Elle hausse les épaules et elle dit, revêche : « Tu sais bien que je ne ferme pas l'œil avant que vous soyez tous rentrés. »

Je monte avec elle mais Bou-Bou reste en bas, à attendre ses frères. Dans la chambre, j'enlève ma robe, je la suspends sur un cintre. Je touche mon flacon, dans la poche de mon blazer rouge, avant de refermer l'armoire à glace. Je me couche toute nue et je pense à Bou-Bou, la main qui a tenu la sienne entre mes jambes, les yeux dans le noir.

Quand Pin-Pon rentre, évidemment, il n'a qu'une envie, et ce n'est pas de lire son journal. J'ai beau dire que je suis fatiguée, qu'il faut qu'il dorme, parce que l'idée que Bou-Bou puisse m'entendre cette nuit me dégoûte, je pars à la première secousse et je ne sais pas combien de fois de suite, la bouche écrasée dans l'oreiller pour étouffer mes cris.

Et puis, c'est ce dimanche horrible. Dans la matinée, je croise Bou-Bou dans la cour. Il ne me parle pas, il évite de me regarder. J'ai mis mon bikini rouge, je lui barre le passage pour dire bonjour. Il m'écarte comme un sauvage, c'est un miracle si je ne me retrouve pas par terre, avec ma crème solaire, mes cigarettes men- tholées, mes lunettes et tout le bazar. Il dit : « Fous-moi la paix! » Ses yeux noirs sont mauvais, ils se posent à peine sur moi. Je dis, suppliante : « Bou-Bou ! » mais il s'en va vers la maison sans se retourner, perché sur ses longues jambes. Je pense quatorze ans à lui, malheureuse comme les pierres, près de la source. Je ne sais pas s'il regrette de m'avoir laissé sa main, la nuit dernière, ou si, au contraire, il est furieux et blessé parce qu'il m'a entendue faire l'amour avec Pin-Pon. Je pense : « C'est ce que tu voulais, après tout. Semer la pagaille. » Mais je suis malheureuse comme les pierres.

A table, c'est pire. On déjeune tôt, parce que Mickey doit aller courir à Puget. Bou-Bou ne dit pas un mot de tout le repas, sauf à la fin, et c'est pour m'attraper, devant tout le monde. On parle de ciné avec Mickey. Je dis, sans penser à mal, que si je voulais, je pourrais être actrice, moi aussi. Il y en a de plus moches. Seigneur, qu'est-ce que je prends. Habillée des pieds à la tête, sur mesure. D'abord, je suis ignare. Ensuite, je fais ma prétentieuse dans un village où on ne voit personne que des mémés deux fois centenaires. Pour terminer, à Nice ou à Paris, je serais tout juste dans la moyenne des filles qui font le trottoir. Je ne sais pas répondre quand on me crie après. J'envoie ma serviette au milieu de la table et je monte dans ma chambre. Quand Pin-Pon vient pour me parler, je ferme la porte à clef. Je ne veux plus les accompagner à Puget, rien. Je ne veux pas me calmer. Je veux qu'on me laisse tranquille.

L'après-midi, c'est l'enfer. Ils sont tous partis, sauf les deux veuves joyeuses, et chaque minute dure quatre ans et chaque heure toute une vie. Je ne veux

même pas descendre regarder la télé avec Cognata.
J'ouvre la fenêtre de la chambre pour avoir de l'air,
mais je ferme les volets. Je ne veux même pas aller voir
ma mère. En fin de compte, je prends mon flacon
rempli de poudre blanche dans mon blazer. Je reste
allongée sur le lit, en le serrant bien fort dans ma main,
en essayant de retrouver un souvenir avec mon papa.
Je trottine dans la cuisine d'Arrame, par exemple. J'ai
sept ans. Qu'est-ce qui arrive ? Mettons qu'on joue aux
dominos. Il me laisse gagner exprès, il sourit avec ses
fossettes, il dit que je suis drôlement intelligente. Je
suis toujours la plus belle et la plus intelligente et la
plus tout. Il n'arrête pas une seconde de me parler et
de me dire que je suis sa chérie mignonne. Je peux
rester ma vie à penser à ça, mon flacon dans mon
poing pour les venger tous les deux. Elle toute petite et
son papa qui l'adore. Comment elle dit, Cognata ?
« Quel beau temps, c'était. »

Plus tard, j'ai dormi, ou perdu le fil, je ne sais plus
où se trouve le flacon. Il est sous l'oreiller. J'ai pilé
dans une serviette, en roulant une bouteille dessus,
trente comprimés dont cinq ou six tuent un homme en
deux heures. « Le cœur éclate », m'a dit Philippe. Il
éclate en même temps que le premier malaise. J'ai mis
un peu de poudre sur ma langue avec le doigt pour
sentir le goût. Il est amer, c'est vrai, mais des paysans
suppriment leur chien avec ça, deux comprimés
réduits en poudre dans leur pâtée — c'est Philippe qui
raconte — et le pauvre animal mange quand même.
Un demi-comprimé, c'est un médicament pour durer
dans une grave maladie dont je ne me rappelle pas le
nom Cinq ou six, c'est sans pardon. J'aurai deux

heures à peu près pour disparaître et qu'on ne pense jamais à moi. On saura, bien sûr, de quoi ils sont morts, mais entre le moment où ils se sentiront mal et celui où ils tomberont, ils n'auront pas le temps de dire avec qui ils étaient.

J'ai regardé les journaux, en ville. Ce n'est pas la même édition qu'à Digne. La seule personne qui pourrait me soupçonner, c'est Philippe, mais je lui ai chipé des comprimés dans plusieurs boîtes, et même s'il s'en est aperçu et même s'il lit le journal — ce qui m'étonnerait — on ne parlera pas de deux empoisonnements dans le département à côté. Il en meurt tous les jours, des pourritures de gens.

La nuit tombe quand je les entends tous revenir, en bas. J'allume la lampe sur la table de nuit. Je range le flacon tout tiède dans la poche de mon blazer. J'enfile ma robe à fleurs bleues, sans rien dessous, mes chaussures blanches, je m'arrange un peu en me regardant dans la glace. J'ai beaucoup pleuré, mais je m'en fiche qu'on le voie. Je vais tourner la clef dans la serrure, je m'assois sur le lit, et presque aussitôt, Pin-Pon entre. Il a pris un beau coup de soleil sur la figure.

Il me dit, en s'asseyant près de moi, que Mickey est un con. Je dis qu'ils sont tous pareils, dans la famille. Il rit. Il dit que Mickey a fini la course alors que le vainqueur, un Toulonnais, était déjà rentré chez lui. Bon. Il voit que je n'ai pas décoléré. Il dit : « Bou-Bou n'a pas voulu dire ce que tu crois. » Je réponds : « Je sais. Je croyais que c'était un compliment, mais maintenant que tu en parles, je comprends qu'il m'a traitée de pute. »

Il est embêté comme tout, Pin-Pon. Il ne veut pas

s'en prendre à son frère et il ne veut pas s'en prendre à moi. En fin de compte, il va parler à Bou-Bou, lui demander de me faire des excuses. Je fonds rien qu'à l'idée. J'imagine Bou-Bou, tête basse, en train de me demander pardon. Je peux toujours rêver. Quand je descends dîner, il n'est même pas là, il est allé rejoindre sa vacancière.

Cognata et Mickey sont très gentils avec moi, comme d'habitude. On regarde le film à la télé. Je ne dis pas un mot de toute la saleté de soirée. Si je savais où retrouver Bou-Bou, j'irais, même si je devais prendre une peignée par sa Marie-Laure. Mais je ne le sais pas. Fin de l'épisode. La mère la Douleur, qui n'en manque pas une, apporte mon tricot et me le met sur les genoux. Elle dit, sournoise : « Tu devrais en faire un peu, plutôt que de ronger tes ongles. Tu ne voudrais pas qu'il aille tout nu, ton bébé ? » Je mets le tricot sous ma chaise, je n'ai même pas le cœur à répondre.

Lundi 12.
Dans l'après-midi, la mère la Douleur va au cimetière. Cognata dort les yeux ouverts dans son fauteuil. Je monte dans la chambre de Bou-Bou, qui lit sur son lit, en caleçon de bain à fleurs. Je reste appuyée contre la porte refermée. Je dis : « Je t'en prie. Ne me regarde pas comme ça. » Il me regarde comme si j'étais le diable. Il dit : « Si tu ne sors pas tout de suite, je

t'avertis que je te sors, moi. » Je soulève l'épaule pour
montrer que je m'en fiche. Je dis : « Tu m'en veux de
ce qu'on s'est dit, l'autre nuit ? Tu regrettes ? » Il ne
répond pas. Il regarde le papier au mur de sa chambre,
l'air buté, il compte des losanges. Je dis : « Je vais
descendre à la rivière. Je t'attendrai. Si tu ne viens pas,
je ne sais pas ce que je ferai. » Il se tourne vers moi
pour dire quelque chose, mais finalement, il baisse la
tête, il ne dit rien. Je m'approche et je touche sa joue.
Je dis : « Je t'en prie, Bou-Bou. Viens. »

Je le laisse là, je passe dans ma chambre pour mettre
mon bikini rouge sous ma robe et prendre mon sac de
toile. Je descends. Cognata dort tranquille. Je ne m'en
vais pas par la route. Je passe par les prairies derrière
et le petit chemin qui descend vers la rivière. Je sautille
sur les gros galets et les rochers jusqu'à un endroit
qu'on appelle *Palm Beach*. C'est là qu'on vient se faire
bronzer avec Martine Brochard. Il y a deux énormes
roches plates pour s'allonger et une forêt de sapins
derrière. Sauf le dimanche, en été, il n'y a jamais
personne.

Je sors ma serviette de bain de mon sac, je m'étends
dessus en bikini, et j'attends. Bou-Bou vient au bout
d'une heure, ou un peu moins, par le même chemin
que moi. Il porte un pantalon de toile et un tee-shirt
imprimé, il balade mon portrait sur sa poitrine. Mon
portrait, oui. Ma tête, mes cheveux, mon sourire. Le
tout est photographié en rouge sur son tee-shirt.
Soufflant.

Il reste debout à deux mètres de moi, il sourit, un
peu gêné, les deux mains dans ses poches. Je dis :
« Merde, où tu as eu ça ? » Il me dit : « A Nice. C'est

un copain qui me l'a rapporté la semaine dernière. Je lui avais donné ta photo. » Il enlève le tee-shirt et il me le tend. Il dit : « C'était pour toi. Je crois qu'il est trop grand. » Je m'agenouille et je le passe. Je demande : « Mais la photo, où tu l'as eue ? » Il dit dans ma chambre, qu'il a choisi celle qui lui plaisait le plus. Le tee-shirt est un peu grand, c'est vrai, mais magnifique quand même.

Je tends la main et il me tire pour que je me lève. On se regarde pendant des secondes trop courtes, mille ans peut-être, et puis il dit, en baissant la tête : « Tu vas te marier avec mon frère. C'est comme si tu étais ma sœur, tu comprends. » Je sens qu'il va se détourner, s'en aller, je dis : « Bou-Bou, ne pars pas. Je t'en prie, ne pars pas. » Il dit : « Je suis venu seulement pour te dire ça. » Je réponds : « Je m'en fiche. Reste avec moi. »

Finalement, il reste. Je suis allongée en bikini rouge et lui assis dans son maillot à fleurs. Il ne me dit plus rien. Il est très mince et bruni au soleil, à peine plus clair que moi. Au bout d'un moment, il plonge dans l'eau froide. Je trouve qu'il nage bien. De toute manière, quoi qu'il fasse, j'adore le regarder. Il me tue, je sens qu'il me tue. Je lui donne ma serviette quand il remonte sur la roche, et c'est moi qui sèche son dos. Je dis, suppliante, tout près de son oreille : « Une fois. Une seule fois. Personne n'en saura rien. » Il soulève les épaules, sans se retourner. Il murmure : « Moi, je saurais. » Je pose ma bouche sur son dos, en l'entourant de mes bras, je dis aussi bas que lui : « Puisque ça arrivera, de toute façon. » Il m'écarte et il se remet debout. Je reste sur les genoux, les yeux dans le vide.

J'entends la rivière, je pense que je suis avec lui comme Calamité avec moi. C'est incroyable. Je remue la tête pour dire bon, d'accord, sans le regarder. Et puis, je me lève moi aussi, on se rhabille et on s'en va.

Je le quitte sur le sentier. J'ai rangé le tee-shirt dans mon sac de toile, il est torse nu. J'essaie de sourire, mais c'est une catastrophe. Je dis : « Je vais voir Pin-Pon. Je ne veux pas rentrer avec toi. Si ta mère me fait une réflexion, en plus, je ne pourrai pas le supporter. » Je suis conne, mais c'est plus fort que moi, je tends la bouche pour qu'il m'embrasse. Il m'embrasse sur la joue et il s'en va

Mardi 13.

Je passe chez Brochard en fin de matinée. Je téléphone à Calamité. Je lui dis de venir me chercher au même endroit, à la même heure. Vous croyez qu'elle comprend ? Elle ne comprend rien du tout. Je ne peux pas lui parler, parce que la mère Brochard n'a rien de mieux à faire que de nettoyer et de renettoyer son bout de comptoir, juste devant moi, pendant que je téléphone, mais la pauvre demeurée crie dans l'appareil : « A Digne ? C'est bien ça ? A Digne ? Quel est le nom du café ? Je ne me rappelle plus. » Je dis : « Vous trouverez bien. A tout à l'heure. » Je raccroche au milieu de ses jérémiades. Je ne sais même plus si elle viendra ou non. Je m'en fiche. Je prends le paquet de lessive que la mère la Douleur m'a demandé de rapporter, je paie en faisant remarquer, mauvaise, une erreur de dix centimes, et je vais parler à Martine sur la terrasse.

Martine a quelques mois de plus que Bou-Bou, un visage rond avec des yeux qui rient, et des cheveux bruns coupés à la Mireille Mathieu. Je l'ai vue souvent toute nue, à la rivière, et elle est potelée de partout, très mignonne. Je traîne la pensée de Bou-Bou comme un rocher sur le cœur et c'est de lui qu'on parle.

Je dis : « Tu crois qu'il couche avec sa vacancière ? » Elle tourne la tête vers le rideau de perles de la porte pour s'assurer qu'une oreille de sa mère n'est pas enfilée dessus. Elle dit tout bas : « Sûrement. Quand ils m'accompagnent pour aller chercher de la lavande, ils me laissent seule. Marie-Laure revient avec la figure en feu. » Je dis : « Mais tu ne les as jamais vus ? » C'est elle qui rougit. Elle balance la tête, elle hésite mille ans. J'insiste. Elle murmure : « Une fois. Mais c'était par hasard, je n'ai pas cherché à les voir. Je suis partie tout de suite. » Elle m'énerve, j'ai envie de la prendre par les cheveux et de la secouer. Je dis : « Mais qu'est-ce qu'ils faisaient ? » Elle le sent à ma voix, que je m'énerve. Elle rougit encore plus. Elle regarde à nouveau le rideau de perles et elle me dit : « C'est Marie-Laure qui faisait. » Point final. Elle boit son café au lait, elle mange sa tartine, les yeux sur l'église ensoleillée.

Je dis : « Bon. » Je la laisse devant son guéridon et je rentre. Je me bouche les oreilles pour ne pas entendre les conneries de Mme la Gouvernante parce que je me suis trompée de marque de lessive. Je monte dans ma chambre et je claque la porte. Rien que de retrouver mon image, dans la glace de l'armoire, j'ai envie de la casser. J'ai envie de tout casser. Je reste immobile jusqu'à la fin de mes jours, en essayant de ne penser à rien. Je me sens écrasée, chaque minute un peu plus, depuis qu'il m'a laissé sa main. Je ne vois même plus l'intérêt d'aller à Digne. Je ne serai pas capable. Je ne serai plus capable de rien. Je suis ce qu'il a dit : minable, ignare, un boudin de village. Je l'indiffère. Un sac d'os comme Marie-Laure, il pense que c'est un rêve à côté de moi. Même avec son truc dans la bouche, elle doit continuer de lui dire des choses intelligentes. J'en ai marre. Mais marre.

A déjeuner, je baisse la tête, pour ne pas le voir. Je pique quatre frites dans mon assiette, je n'ai pas faim. Pin-Pon demande : « Qu'est-ce que tu as ? » Je dis : « Merde. » Il se tait. Ils pensent tous, bien sûr, que je suis mal fichue à cause du bébé. Quand Bou-Bou, qui n'a rien dit encore, fait entendre sa voix pour parler du Tour de France, je me lève et je monte dans ma chambre me préparer.

Je mets ce que j'avais prévu pour descendre Leballech en flammes. Je n'y crois même plus, je fais comme si. Ma robe bleu ciel, qui est décolletée, avec une couture sous les seins pour qu'ils pigeonnent. Pas trop courte, mais légère, coulant sur moi. Elle s'évase quand je tourne et on me voit en silhouette dans le soleil. Mes chaussures à fines lanières. Une culotte blanche en dentelle. Je prends mon sac en cuir blanc. Je range dedans mon argent et le flacon qui porte une étiquette de vernis à ongles. Je serre mes cheveux sur le dessus avec mon bandeau du même tissu que la robe.

Juste un peu de rouge à lèvres, un coup de rallonge à mes cils, et je m'en vais.

A Pin-Pon qui fait le chemin avec moi jusqu'à l'église, et qui trouve que je vais bien souvent voir ma maîtresse d'école, je dis : « C'est mieux que de me branler tout l'après-midi dans la chambre. » Il la ferme et il fait bien, parce que c'est justement le jour de l'année pour recevoir un sac à main en travers de la figure. Il me laisse devant l'arrêt des cars sans dire au revoir, mais c'est le dernier de mes soucis.

Je descends en ville dans un autobus plein de vacanciers et de vacancières qui vont à la piscine. Personne ne me parle. Ensuite, j'attrape en marche le car de deux heures et demie, pour Digne. J'ai un type à côté de moi qui lit un magazine et, au bout d'un moment, il l'a appris par cœur, il me le passe. La sécheresse. Giscard. Poulidor. La pollution des plages. Les Jeux de Montréal. Élisabeth Taylor. On a passé Barrême. Il y a une page d'histoires drôles, mais je ne peux pas lire autre chose que les titres. Si j'essaie de déchiffrer le reste, le bonhomme va croire que je veux manger son journal. De toute manière, je ne comprends pas les histoires drôles. Une fois sur dix, et encore. Il faut qu'on me chatouille en même temps pour que je rie. A mesure qu'on approche de Digne, j'ai le cœur qui bat la charge.

Le car me laisse sur la place de la Libération, dix minutes à ma montre avant quatre heures. On prépare le bal pour le soir. Des lampions partout. Il fait encore plus chaud qu'en route. Je transpire et je me sens déjà sale, et froissée, je me traîne. Je vais me planter en face de la station de taxis. Je regarde le vide devant moi, j'entends les voix confuses des gens, et brusquement, la Peugeot noire de Leballech s'arrête au bord du trottoir. Il est juste quatre heures quand je m'assois à côté de lui.

Je dis, gentille : « Vous êtes drôlement exact. » Rien que de voir ses yeux sur moi, mon cœur se calme, je me sens remonter d'un coup dans mon estime. C'est un sujet de film qu'on n'a jamais fait : le type de cinquante ans, vous voyez, qui vient à un rendez-vous de perdition pour retrouver sa saleté de jeunesse. Le démon de quatre heures pile, tout ça. Je suis sûre que son cœur à lui continue de taper comme un sourd, tandis que je referme la portière et qu'il met la voiture en route.

Il parle d'une voix funèbre, pour ne rien dire. Que tout le monde le connaît en ville. Que ça ne lui ressemble pas de se promener avec une fille qui n'a même pas l'âge de la sienne. Qu'il ne croyait pas que je viendrais. Il porte un pantalon gris clair, bien repassé par bobonne, un polo à peine plus foncé. Il a des bras de boxeur, comme ceux de Pin-Pon, couleur de terre brûlée, avec des poils blonds ou déjà blancs, je ne sais pas. Il sent un truc pour hommes que je connais, je ne me rappelle pas la marque ni qui sentait comme ça. Il me regarde une ou deux fois, pendant qu'on descend le boulevard, tout décoré de bleu-blanc-rouge, et je me répète que mes yeux ressemblent aux siens mais encore plus à ceux de ma mère, que c'est elle qui me les a donnés. Mes cheveux, leur volume, leur couleur, viennent des Montecciari, j'en suis sûre, et aussi la longueur de mes jambes par rapport au buste, comme mes trois frères.

Au rond-point par où je suis arrivée avec le car, on s'engage sur un grand pont au-dessus d'une rivière qui meurt au soleil. Leballech dit : « C'est la Bléone. » Ensuite, on roule le long de la Bléone, vers la Durance et Manosque, c'est écrit sur un panneau. Je demande où on va. Il répond qu'il ne sait pas, qu'il ne veut pas rester en ville. Il dit, pour le principe : « Vous vouliez peut-être votre bijou et qu'on se quitte tout de suite ? » Je regarde à travers le pare-brise, je dis non. Il roule. On ne parle plus jusqu'à ce qu'on ait fait mille kilomètres. Sa Peugeot n'est pas neuve, il n'y a plus de couvercle à la boîte à gants, mais elle marche tranquille, sans beaucoup de bruit. J'adore être en voiture, et rouler sans rien dire, et voir les arbres. Ensuite, il murmure : « Je ne comprends pas. » Je dis : « Ah, bon. » Je le sais bien, ce qu'il ne comprend pas. J'ai beau être ignare, c'est quand même à mon niveau, une pourriture de scieur de bois qui se voit apporter une pomme dans mon genre sur un plateau, sans l'avoir demandée. Il dit : « J'ai pensé vingt fois à votre coup de téléphone. Vous m'avez parlé comme si quelque chose, entre nous, était déjà décidé. Enfin, comme si nous nous connaissions déjà depuis longtemps. » Je répète : « Ah, bon. »

On s'arrête dans une espèce de château, à l'écart de la route, où il y a des chevaux, une piscine et un million de gens à moitié nus qui transpirent dans toutes les langues. A l'intérieur, dans une salle aux murs de grosses pierres, avec une cheminée pour caser les grand-mères qui ne servent plus, il fait frais, on s'assoit devant une table basse, en verre, et je prend un thé-citron, lui une bière. Il me regarde sans arrêt, à présent, et il voit bien que les touristes aussi.

Il me rend mon cœur en argent et ma chaîne. Il dit : « Vous allez prendre le studio de mon beau-frère, finalement ? » Il est penché vers moi, massif, avec des sourcils poivre et sel comme ses cheveux, il pourrait me briser d'une seule main. Je réponds en baissant la tête, l'air d'une conne qui n'ose pas demander où sont les lavabos : « Je n'y ai plus pensé. Si vous voulez que je le prenne, je le prendrai. » J'attends un siècle, les yeux sur la table, pour lui laisser le temps d'avaler sa salive et puis j'ajoute : « L'autre jour, vous voyez, je ne croyais plus à grand-chose quand je suis venue vous voir. Moi aussi, j'ai réfléchi à notre conversation, au téléphone. Je ne sais pas comment vous expliquer. J'avais peur et j'étais bien. » Je lève mes grands yeux pour le regarder, naïve comme je sais faire sauf avec Bou-Bou, et il incline deux fois la tête, en plissant les lèvres, d'un air de dire qu'il comprend, que c'est pareil pour lui. Eh oui, c'est quelque chose, la vie. Moi, je regarde à nouveau la table, les dessins de la moquette rouge qu'on voit à travers. Si on met la tête que je fais dans un film, les gens adoptent une orpheline en sortant.

Je ne lève plus jamais les yeux, après ça. Il me dit, au bout d'un long silence : « Vous n'êtes pas institutrice, n'est-ce pas ? » Je fais signe que non. Il demande : « Qu'est-ce que vous faites ? » Je soulève une épaule, je réponds : « Rien. » Il contemple le vide ou mon décolleté, je ne sais pas. Il murmure : « Jeanne. » Je souris tristement, en remuant le menton. Les larmes me viennent, je le sens et lui aussi. Il

pose sa main sur mon bras nu, il dit : « Ne restons pas
là. On va remonter en voiture et rouler un peu. Vous
avez du temps ? » Je dis : « Jusqu'à huit heures, huit
heures et demie. » Sa main glisse le long de mon bras,
il dit : « Vous n'avez pas bu votre thé. » Je bois mon
thé, il boit sa bière, on se tient la main entre nos deux
chaises, sans dire un mot.

Dans la voiture, pendant qu'il conduit, je me
rapproche de lui et je pose ma tête contre son épaule. Il
dit : « Jeanne, pourquoi êtes-vous venue à Digne ? » Je
réponds : « Je ne sais pas. N'importe quelle ville aurait
fait mon affaire. Mais je suis bien contente d'être
venue à Digne. » Bou-Bou peut bien se moquer de
moi, je suis une saleté d'actrice. Dans les pièces de
l'école, mon cœur battait trop vite, Mlle Dieu criait :
« Articule ! Articule ! » Elle disait que je parlais faux.
Dans la vie, je peux parler vrai. Surtout quand je n'en
pense pas un mot. Ou alors, c'est vrai un peu, je ne sais
pas. Être contre son épaule, par exemple. Même si
c'est celle d'un type que je finirai par tuer ou faire tuer.

Gold for men. J'ai trouvé d'un coup, voilà ce qu'il
sent. *Gold for men.* Philippe le vendait, dans sa pharmacie. C'est un Portugais, Rio, qui s'en met sur le visage
et le cou. J'étais folle de lui, il y a deux ans. Il m'a
embrassée sur la bouche, debout contre un arbre, il a
soulevé ma jupe pour caresser mes jambes, mais je l'ai
rabattue, c'est tout. Il se rasait dans les sapins, avant
d'aller au bal. Il a sorti une bouteille d'une boîte en
carton doré, il s'est aspergé d'une eau de toilette très
froide. *Gold for men.* Il ne s'est jamais rien passé entre
nous, sauf ça : il m'a embrassée debout contre un
arbre, pour épater ses copains qui construisent les

chalets, en haut du col. Je dis : « Retournons à Digne. Je vais prendre ce studio. »

Leballech se range au bord de la route, sur l'herbe sèche. Les autres voitures défilent derrière les vitres, à toute allure. Il me prend par les épaules et il me regarde longtemps. Je me vois dans ses yeux, très loin. Je respire à petits coups comme je sais faire, peur et envie en même temps, toute cette connerie. Et puis, il le fait. Il m'embrasse sur la bouche, il fourre sa sale langue entre mes lèvres, et alors, Elle revient, elle est là, sept ans ou douze ans ou quatorze, et elle me regarde avec amour, elle sait que je n'oublierai jamais, que je les tuerai l'un et l'autre comme je le lui ai promis.

On s'arrête au premier café qu'on trouve sur la route et je téléphone à Touret. Il n'est pas là. C'est Suzy qui répond. Je lui rappelle qui je suis et je lui dis que je veux louer le studio, que je passerai signer les papiers à sept heures. Leballech, près de moi, approuve des yeux chacune de mes phrases. Il pose sa main sur ma nuque quand je raccroche. Je lui souris, l'air du vaillant petit soldat qui a fait son devoir. Il sourit, lui aussi, en balançant la tête, et il boit une autre bière au comptoir, moi rien. Je vais jusqu'à la porte, un moment, pour qu'il me voie en silhouette sous ma robe, et que les autres clients me voient aussi, puis je reviens. J'appuie ma tête contre son épaule, je

le laisse imaginer qu'on l'envie parce que je suis à lui.
Ensuite, on remonte dans la voiture et on repart en
direction de Digne, 31 kilomètres.

Il dit, en conduisant : « Tu sais, j'ai eu mes
aventures, comme tout le monde. Mais depuis longtemps, j'étais un père tranquille, je ne m'occupais que
de ma famille et de mon travail. C'est tout à fait
extraordinaire ce qui m'arrive. » J'ai déjà sur les lèvres
de lui répondre que ce qui lui arrive, c'est mon cul sous
une robe bleue, mais ce n'est pas mon genre de dire des
gros mots. Je le laisse réciter son catéchisme. C'est
exactement celui de toutes les pourritures de bonshommes, à croire qu'ils l'ont tous appris chez le même
curé. Il n'y a que le prénom de l'épouse qui change, et
celui des gosses. Quand je sais que la sainte s'appelle
Fernande et les anges Estelle et Hubert, ce n'est plus la
peine d'écouter. Je regarde la route, les arbres. Je
pense à ce que je vais manger ce soir. A la fin de ses
conneries, ou même avant, je lui dis : « Je comprends.
Ce n'est pas votre faute, ni celle de personne. C'est
comme ça. » Il entoure mes épaules de son bras
protecteur, il continue de conduire en me tenant contre
lui.

A Digne, il me laisse dans une petite rue hypocrite.
Elle est parallèle au boulevard Gassendi, « à deux pas
de l'agence ». Il dit : « Il faut que je fasse un saut chez
moi, mais je t'attendrai ici dans une heure. » Je dis,
après avoir regardé ma montre : « Je n'aurai plus
beaucoup de temps. » Il répond : « Même pour quelques minutes, je veux te revoir avant que tu partes. »
Il pose une main sur mon genou et elle remonte peu à
peu, en repoussant le bord de ma robe. Je ne bouge

pas, je ne dis rien. Il regarde fixement ce qu'il fait, avec
presque l'air de souffrir. Il dit d'une drôle de voix :
« J'ai eu envie de toi dès que je t'ai vue. » Je dis : « Je
sais », un souffle. Il s'arrête en découvrant un bout de
culotte blanche. Il promène ses doigts là où ma peau
est la plus douce, et il rabaisse ma robe. Il dit : « Va
vite. Je t'attendrai. »

Je descends, je prends une petite rue qui donne sur
le boulevard et je me retrouve presque en face de
l'agence de Touret. Il est assis derrière le bureau
métallique quand je pousse la porte vitrée. Le ventilateur brasse toujours de l'air tiède. Suzy n'est pas là. Je
dis : « Bonjour, monsieur », et il se lève, tout excité, il
me serre la main. Il la garde d'ailleurs, selon sa bonne
habitude. Il dit : « Je vous attendais. » Il a le même
costume d'alpaga que la semaine dernière et le sourire
du Grand Méchant Loup. Il m'explique, les yeux sur
mon décolleté, qu'il va me faire une fleur. D'habitude,
avec le premier mois de loyer d'avance, il demande
une caution — un mois supplémentaire — pour
couvrir les frais en cas de dégâts. Il ne me demandera
pas la caution. « Non, ma petite demoiselle. » Je dis
merci, que c'est très gentil à lui.

Il lâche enfin ma main pour me faire signer un
papier. Je ne le lis pas, d'abord parce que je serais
bien en peine, sans lunettes, et puis je m'en fiche. Je
signe Jeanne Desrameaux. Enfin, Jeanne illisible. Il
me demande ma date de naissance, et je me vieillis de
deux ans, comme pour Leballech. Je dis que je suis née
à Grenoble. Il complète la feuille, il la fourre dans sa
poche. Il prend les clefs du studio dans un tiroir de sa
table et il me dit : « Je vous accompagne pour

l'inventaire. » Il se balance d'un pied sur l'autre, l'œil sur ma poitrine, comme s'il ne se tenait plus d'envie de me sauter, ou simplement de faire pipi.

Cette fois, il m'emmène rue de l'Hubac dans sa CX neuve. Je dis que j'ai soif. Avant de monter les trois étages, on entre dans un café, un peu plus loin. Comme Leballech, il boit de la bière, sauf qu'il appuie sur le bouton de sa montre avant de se décider. Il m'explique qu'il ne prend l'apéritif qu'après sept heures et demie. On n'est pas encore servi qu'il sort déjà son argent. J'agrippe le comptoir à deux mains, le cœur décroché net dans ma poitrine, et je ne sais pas comment je me retiens de crier. Je savais que je le reconnaîtrais, j'avais peur de le voir, et c'est plus terrible encore : je le vois. Il est exactement comme ma mère l'a décrit, il me glace le sang. C'est une pièce d'or montée sur deux cercles du même métal et qui se referment comme un piège.

« Combien je vous dois ? » J'entends la voix de Touret, lointaine, et puis il dit : « Ça ne va pas ? » Je souffle, mon cœur s'est remis à battre. Je dis : « C'est la chaleur. » On nous sert et je bois lentement mon vittel-menthe. On lui rend sa monnaie. Je le regarde ranger les billets avec soin. Je dis, aussi naturelle que je peux : « Il est bien, votre serre-billets. Il doit avoir de la valeur. » Il me le montre, dans sa main. Il dit, avec son vilain sourire : « C'est un napoléon. » C'est tout. Je pense qu'il pourrait se méfier, si j'insiste, mais je ne peux pas m'en empêcher : « Vous l'avez acheté où ? » Il fait un geste de la main par-dessus sa tête : « Il y a belle lurette que je l'ai ! C'est un ami qui me l'a donné, un Italien. » Les mots restent nets dans mes oreilles pendant qu'il contemple l'objet, se rappelle, boit une gorgée de bière. Il dit : « On avait fait une affaire ensemble. Il est mort, le pauvre, maintenant. »

Il balance la tête, il met son argent dans sa poche. Moi, je regarde sa bière. Instinctivement, je rapproche mon sac, que j'ai posé trop loin de moi, sur le comptoir. Mon sac me rassure. Je voudrais les tuer tous les deux ce soir, et je sais que c'est la dernière chose à faire. La secrétaire café au lait dont je ne me rappelle plus le nom décrirait la cliente qui a téléphoné pour voir son patron. Il faut lui laisser le temps de m'oublier, être patiente.

Et pourtant. Le serre-billets a brusquement tout rendu impossible. Je ne pourrai plus supporter de monter seule avec lui dans ce studio. Repousser ses pattes poilues. Je sais que je prendrai la pelle et que je frapperai sur sa tête et que je frapperai sur sa tête jusqu'à ce qu'il reste immobile dans la boue et les feuilles mortes. J'essaie de m'accrocher quelque part avec ma main gauche, j'entends un cri.

Et puis, je suis par terre, dans un bar, et il y a tous ces gens au-dessus de moi. Quelqu'un dit : « Ne la touchez pas. Il faut appeler police-secours. Surtout ne la touchez pas. » Il n'est pas mort. Ma maman m'a dit qu'il n'est pas mort. Il ne peut pas bouger, il ne peut pas parler, il ne dira rien à la police. Je n'étais pas avec lui dans la forêt, voilà. Il est tombé de l'échelle en coupant les branches d'un arbre. Il faut attendre. A l'hôpital, ils ont dit à ma maman qu'il faut attendre. Je suis par terre dans un bar. Je sais où je suis. A Digne. Je dis : « Où est mon sac ? Donnez-moi mon sac. » Ma robe va être toute sale. Il ne faut pas qu'Elle pleure. Il ne faut pas qu'Elle crie. Je suis sûre que je vais me relever.

Il est presque huit heures quand on sort du bar. Je dois avoir l'air d'une noyée. Mes cheveux sont tout collés sur mon front et sur mes tempes. Ils ont voulu me faire boire du cognac mais je l'ai recraché. Ils m'ont donné un café très fort. J'ai mal derrière la tête. Le monde ne tourne plus autour de moi. Je dis, comme mon andouille de mère : « Je vous donne bien du tracas. » Il dit : « Mais non. » Je lui ai fait peur, seulement. Est-ce que j'ai souvent ce genre de malaise ? Je réponds : « Non. C'est la chaleur, le car que j'ai pris, l'énervement. » Je mets une jambe devant l'autre comme Calamité quand elle est revenue des toilettes, après avoir enlevé son soutien-gorge. Elle doit commencer d'arpenter son bout de trottoir, la pauvre conne. Brusquement, je donnerais n'importe quoi pour être avec elle, tout de suite.

On s'arrête devant l'immeuble décrépi et Touret dit, attentif à mon visage : « Vous aurez la force de monter ? » Je fais signe que oui. Quand j'attrape la rampe, il lâche mon bras. Il monte derrière moi, mais je ne crois pas qu'il a le cœur de s'intéresser à mes jambes. Il a dû avoir tout le temps de les passer en revue, et cent cinquante personnes avec lui, quand j'étais par terre, dans le bar. Je m'arrête au second, pour reprendre des forces, et il dit : « Ne vous pressez pas. Respirez à fond. » Finalement, il ouvre la porte du studio et je vais tout de suite aux toilettes.

Je n'ai rien mangé à midi, je ne vomis que du liquide. Je nettoie le lavabo et je me lave la figure à l'eau froide après avoir enlevé ma robe. Je m'essuie avec mon mouchoir, je me recoiffe, je remets du rouge à lèvres. J'ai perdu deux faux ongles à ma main gauche. Probablement quand j'ai cherché à m'agripper au comptoir, avant de tomber. Je secoue ma robe et je la frotte avec mon mouchoir mouillé pour enlever les taches qui ont envie de partir.

Quand je le rejoins dans la pièce, Touret s'est assis dans le même fauteuil que la semaine dernière. Il dit : « Ah ! Ça va beaucoup mieux, non ? » Je réussis à sourire. Il dit : « C'est vraiment un été de fou. Il paraît qu'on ne compte plus les gens qui meurent d'insolation. » Je m'assois au bord du lit. Il est large pour deux personnes et recouvert de velours rouge. Il est arrangé en divan avec de gros coussins. Je sens sous mes cuisses ma robe humide.

Je regarde autour de moi et Touret dit, en se levant pour éteindre sa cigarette : « Pour l'inventaire, inutile de vous ennuyer. On s'arrangera toujours si vous cassez de la vaisselle. D'accord ? » Je m'en fiche, je ne sais même pas ce qu'il veut dire. Je dis : « Je vais vous payer le premier mois. » Il répond, debout : « Comme vous voulez. Mais ça peut attendre. » J'ouvre mon sac et je sors un billet de cinq cents francs de Cognata, trois de cent francs de ma mère. Je dis : « C'est bien ça ? » Il répète que ça peut attendre, qu'il doit me donner une quittance et qu'il n'en a pas sur lui. Je dis :

« Ça m'embête. Je pensais avoir les clefs, ce soir. » Il répond : « Les clefs, je peux vous les donner. »

Il a ouvert la fenêtre pendant que j'étais dans le cabinet de toilette. On entend la rumeur lointaine d'un orchestre en plein air et une femme qui crie après son bonhomme. Il referme les vitres en disant : « De toute manière, il fait plus chaud dehors que dedans. » Je sens le mauvais moment arriver, rien qu'à sa voix. Je me lève et je m'écarte du lit. Après mille ans, il me demande : « Vous avez donné rendez-vous à quel-qu'un içi, ce soir ? » Je ne le regarde pas. Je fais signe que oui. « Un ami ? » Je soulève juste un peu mon épaule, je ne réponds pas. Il dit : « Je ne veux pas être indiscret. C'est normal, après tout. » Quand je le regarde, il se frotte le menton du dos de la main. Je souris, gênée comme je sais le faire, et je dis : « Ce n'est pas ce que vous croyez. » On a l'air de deux courges, debout l'un devant l'autre. Je dis, en allant reprendre mon sac sur le lit : « Il faut que je descende, j'ai un autre rendez-vous avant. »

Je sais qu'il va m'attraper par le bras, et vouloir m'embrasser, tout le cirque. Mais je suis aussi grande que lui, avec seulement quatre centimètres de talons, et il n'a pas deux autres salauds avec lui pour me tenir. Il ne fait rien du tout. Il soupire. Je vais lentement vers la porte avec mon sac. Il dit : « Attendez. J'ai quelque chose à vous demander. » Je me retourne et je vois qu'il allume une autre cigarette. Il me demande si je connaissais son beau-frère, Jean Leballech, avant de venir à Digne. Je réponds non, en secouant la tête : « J'ai besoin de rayons pour mes livres et on m'a dit de m'adresser à lui. » Il me dit · « Il m'a téléphoné pour

demander votre adresse. » Je dis : « Je sais. » Il
voudrait poser une autre question, mais finalement, il
se contente de me regarder, puis il regarde le tapis.

Il change de ton pour me lancer : « Vous ne vous
fâcherez pas, si je vous dis que j'ai rarement vu une
aussi jolie fille que vous ? » Je ris. Je dis : « C'est
toujours agréable à entendre. » On se regarde mille
ans, moi avec les yeux agrandis que je sais faire. Je
dis : « J'espère que la prochaine fois que je vous verrai,
je ne tomberai plus dans les pommes comme une
imbécile. » Il rit lui aussi, dans le contre-jour. Il
répond : « Eh, eh, ça avait son charme, malgré tout. »
Je présume qu'il veut parler de la couleur de ma
culotte ou quelque chose. Je soulève l'épaule avec mon
air d'enfant de Marie, honteuse comme une écrevisse,
mais je l'emmerde.

Dehors, sur le trottoir, il me propose de m'accompagner en voiture. Je lui serre la main en disant non, que
j'ai rendez-vous tout près. J'ai les clefs du studio dans
mon sac, je suis soulagée de lui échapper sans histoires, ça doit me donner meilleure mine. Il me dit :
« Vous avez meilleure mine, maintenant. Je vous
revois quand ? » Impossible de récupérer ma main,
c'est elle, probablement, qu'il a décidé de garder en
caution. Je lui dis : « La semaine prochaine. Je vous
fais signe quand je reviens et c'est moi qui vous offre
l'apéritif. Dans *mon* studio ! » Rien qu'à voir mes yeux,
il a déjà de quoi rêver jusque-là. Il dit : « Formidable » et puis : « Pardon » quand je tire sur ma main,
comme s'il me l'avait chipée sans le faire exprès.

Je marche. La nuit tombe et les flons-flons d'un bal
m'arrivent par bouffée. Pin-Pon voulait qu'on aille

danser en ville, avec ses frères, mais j'ai dit non, que je déteste la cohue du 14 juillet. Je ne pourrais pas supporter de tenir la bougie, pendant toute la soirée, à Bou-Bou et à sa Marie-Laure.

Leballech m'attend au volant de sa voiture, à l'endroit qu'il a dit. Je m'installe à côté de lui en râlant contre son beau-frère : « Quelle colle ! Il ne me laissait plus partir. » Et ensuite : « Vous m'en voulez ? Je devenais folle, je vous jure. J'avais peur que vous ne m'attendiez pas. En plus, j'ai eu un malaise, à cause de la chaleur, ou des émotions, je ne sais pas. » Il me calme, il pétrit mes seins à travers ma robe. Je dis : « Je vous en prie, pas ici, pas maintenant. » Douce comme le miel. Je dis : « Regardez. » Je lui montre les clefs du studio. Il sourit, grave, et on reste tous les deux comme dans un feuilleton-tisane, les yeux sur la saleté de pare-brise, à penser à notre grand amour et au bon temps qu'on va se donner dans le petit nid.

Et puis, j'y vais de mon coup de scie : « Il a l'air d'un drôle de coureur, votre beau-frère. » Je le sens qui se hérisse, sans même le regarder. Il dit, sombre : « Il t'a fait des avances ? » Je souffle, je réponds : « Des avances ? J'étais malade de peur, oui. Je ne sais pas comment j'ai fait pour qu'il se tienne tranquille. C'est un obsédé, ce type. » Je le laisse crisper les mâchoires jusqu'à ce qu'il les casse et j'ajoute : « Excusez-moi de parler de votre beau-frère comme ça, mais vraiment, ça fait deux fois que je me trouve seule avec lui et deux fois que j'ai peur. » Il dit : « Ça ne m'étonne pas. Non, ça ne m'étonne pas. » Il me reprend dans ses bras, il frotte mon dos comme si j'avais froid. Fin de l'épisode. Il est neuf heures moins le quart à ma montre, celle du

tableau de bord ne marche plus. Calamité a dû
certainement se faire embarquer par un panier à
salade.

Je dis : « Mon chéri, il faut vraiment que je parte. »
Triste et tout. Il m'embrasse encore pendant mille ans,
je soupire à faire craquer ma robe et je descends. Je
dis, en le regardant dans les yeux, l'air paumé : « Je ne
peux pas revenir avant la semaine prochaine. Vous ne
m'oublierez pas au moins ? » Il ne se donne même pas
le mal de répondre, il demande : « Quand ? » Je lui
téléphonerai, pour entendre sa voix et pour lui donner
rendez-vous. Je serai prudente. Je parlerai de rayons
de livres. Je l'attendrai dans le petit nid. Mardi au plus
tard, je le jure sur ma tête. Quand je le quitte, c'est
tellement beau, tellement émouvant que j'y croirais
presque. Je vous jure, j'ai la poitrine gonflée de soupirs
et la gorge sèche. Une fois que j'en aurai fini avec eux
tous, je monterai à Paris et je jouerai dans les films.

A une heure du matin à ma montre, Calamité arrête
son Innocenti-quelque chose-matic devant le portail
de mon andouille de mère. Elle pleure. Je dis,
patiente : « Merde, maintenant, ça suffit. Vous ne
m'aidez pas, en pleurant comme une madeleine. » Je
la tire par l'épaule pour qu'elle se retourne vers moi.
Elle me regarde avec de grands yeux rouges quand je
fais la lumière. Elle dit : « Je ne peux — je ne — pas
m'en empêcher — je ne — peux pas. » J'éteins. Je la

garde dans mes bras mille ans de plus. Elle continue de
pleurer de plus belle chaque fois que j'essuie son visage
avec ma main. Mille ans.

Finalement, je dis : « Vous savez bien que ce n'est
pas ici que je descends. C'est chez Pin-Pon. » Elle
regarde comme une dingue autour d'elle. Elle sanglote
encore plus. On vient de Brusquet, où elle nous a fait
une omelette et de la salade. Elle pleurait déjà quand
on a quitté sa maison. Elle n'a pratiquement plus cessé
de pleurer depuis que je lui ai avoué que je suis sous la
coupe de deux salauds qui peuvent me défigurer ou me
rendre infirme ou me tuer, au choix, et qui m'obligent
à ce qu'on imagine. Elle n'imaginait rien, la pauvre
conne. Quand je lui ai expliqué qu'ils m'ont fourni un
studio pour que j'y reçoive des hommes, elle a plaqué
sa main sur sa bouche, et les larmes sont venues d'un
coup. C'est un miracle qu'elle nous ait ramenées
jusqu'ici, sans mettre en marche les essuie-glaces, mais
elle s'est arrêtée au moins cinq fois. Elle pleurait la tête
sur le volant. Je pleurais presque autant, d'ailleurs. Je
suis comme les singes. Quand quelqu'un fait quelque
chose, je le fais aussi.

Nous étions sur le divan du salon, au rez-de-
chaussée, quand l'idée m'est venue. Elle m'avait ôté
ma robe et ma culotte et fait mourir pour de vrai, alors
qu'avec elle, je ne meurs pratiquement jamais, j'invente. Moi, je ne lui en fais pas le quart, ça ne me vient
pas, mais je la touche à peine qu'elle est déjà partie. Ce
que j'aime, c'est la regarder quand elle meurt. Elle ne
crie pas, elle gémit comme si elle avait mal, mais elle a
un visage qui change, c'est incroyable, elle est belle de
plus en plus jusqu'à ce qu'elle retombe comme si elle

n'avait plus de nerfs. Et chaque fois, quand elle ouvre les yeux, personne ne devinera jamais ce qu'elle dit. Elle dit : « Mon Dieu, que j'ai honte ! » Je vous jure, c'est un cas. En plus, elle a de tout petits pieds de Chinoise — du 35, je ne suis pas sûre — et quand elle part, tous ses orteils se crispent, se crispent, et on n'a plus du tout envie de rire, c'est quelque chose qui n'a pas de nom. Désespéré, ce n'est pas tout à fait ça. Désespéré, affamé, sans défense, et ce qui veut dire que les choses ne peuvent pas durer toujours. Le tout en un seul mot. Moi, je peux donner la réponse : ses saletés d'orteils.

Je l'ai prise dans mes bras sur le divan bleu et je lui ai fait ma leçon avec cette voix qu'elle prenait, elle, quand elle était ma maîtresse. Il faut d'abord qu'elle garde le secret. Après que je serai mariée, les deux salauds me laisseront peut-être tranquille. Sinon. Elle a soulevé la tête, elle m'a regardée avec des yeux sans épouvante, rouges seulement d'avoir pleuré, et attentifs : « Sinon ? » J'ai répondu : « Sinon je me débarrasserai d'eux, d'une manière ou d'une autre. Ou je dirai tout à Pin-Pon, et c'est lui qui le fera. » Elle était tiède contre moi et j'étais brûlante.

Je dis dans la voiture : « Calamité, ramenez-moi. Je ne pourrai plus expliquer pourquoi je rentre si tard. » Elle bouge la tête plusieurs fois pour dire oui, en ravalant des sanglots, et elle nous remet en route. On traverse le village. Il y a encore de la lumière chez les Larguier et dans une chambre, au-dessus du café Brochard. Il y en avait aussi chez ma mère, à l'étage. Je garde encore une tache noire dans mes yeux, parce que je ne regardais que cette fenêtre en consolant ma pauvre abrutie. J'essaie d'arranger mes cheveux, avant d'arriver, mais je me dis que c'est inutile, Pin-Pon verra bien la tête que j'ai.

Calamité s'arrête devant le portail ouvert. Je lui laisse faire son demi-tour avant de descendre. Ses phares balaient la cour, et je vois un chat qui s'enfuit. Si jamais la Douleur le voit rôder autour de ses lapins, c'est un chat mort. Je dis à Calamité : « J'ai eu confiance en vous. Si vous répétez quoi que ce soit, vous ne pouvez pas imaginer ce qui m'arrivera. » Elle se jette contre moi et elle m'embrasse comme une perdue. Elle dit : « Mon amour, mon enfant. » Je la tiens par les épaules et j'insiste : « La police, c'est hors de question, vous comprenez ? On ne me croirait pas. Ce sont des gens bien considérés, tous les deux, pas du tout des maquereaux comme on les imagine. Ils ont femme et enfants et pignon sur rue. Et on ne retrouverait même pas mon cadavre, s'ils me tuaient. C'est arrivé à d'autres. »

Elle a mis à nouveau sa main devant sa bouche. Elle ne pleure plus, non. C'est encore plus terrible. Elle me regarde comme si j'étais déjà coupée en morceaux. L'horreur. Je ne sais pas comment elle va pouvoir rentrer chez elle. Je dis : « Bon. J'espère pour moi que vous avez compris. La seule personne, à part vous, à qui je me confierai, si les choses tournent mal, c'est Pin-Pon. » Je mets l'index sur son front, je dis : « Que ça vous reste là. » Je descends de la voiture, et elle essaie de m'agripper par un bras. Elle a une sorte de râle agressif, elle me regarde avec des yeux fous, couchée en travers du siège pour me retenir. Je dis : « Ne vous faites pas de souci. Moi, je serai prudente. »

Je dégage mon poignet. Quand elle se relève, je claque la portière. Je pars à grands pas vers la maison. Elle crie derrière moi : « Éliane ! » Je me retourne, et je dis, assez fort : « Venez me voir demain après-midi. Je vous jure que ça va, maintenant Rentrez doucement. A demain après-midi. »

Dans la cuisine, ce n'est pas Pin-Pon qui m'attend, mais la belle-mère. Elle est debout près de la table, en chemise de nuit de l'ancien temps. Je m'adosse au mur après avoir refermé la porte. Elle est colère, mais peut-être plus surprise que colère, en voyant ma tête. Elle dit : « Qu'est-ce qui s'est passé ? » Je ferme les yeux. J'entends la voiture de Calamité qui s'en va. Je dis : « Je me suis évanouie, chez Mlle Dieu. J'ai été très malade. » Je reste un siècle dans le noir. J'entends sa respiration et la mienne. Elle dit : « Ils ont ramassé tous les pompiers. Il y a des incendies terribles au-dessus de Grasse. » Je dis dans le noir : « Pauvre Pin-Pon. »

Quand j'ouvre les yeux, elle est venue tout près de moi, dans ses pantoufles. Elle me regarde sans méchanceté, sans amour non plus. Sa figure est brune et ridée. Ses yeux ont perdu toute couleur. Elle me dit : « Viens, va. Tu as besoin de dormir. » On monte. A l'étage, avant d'ouvrir la porte de la chambre, je l'embrasse sur la joue. Elle sent comme Cognata. Elle dit : « J'ai mis une vieille facture sur ton lit. Le camionneur qui a ramené le piano mécanique, c'est un homme que mon mari connaissait, il s'appelait Leballech. »

Je pense à Calamité en train de manquer un virage, en rentrant chez elle. Je dis, fatiguée : « Qu'est-ce que vous voulez que ça me fasse ? » Elle ne se vexe pas. Elle dit : « Je croyais que ça t'intéressait. J'ai fouillé mes affaires pendant tout l'après-midi pour retrouver cette facture. » Je baisse la tête, je dis : « Je pensais que j'avais vu votre piano quand j'étais petite. C'est très important pour moi, quand j'étais petite. » Elle ne dit rien pendant un moment, et puis : « Oui, c'est vrai. C'est au moins une chose que j'ai comprise, chez toi. »

Une fois seule dans la chambre, je prends le papier sur le lit, mes lunettes sur la table de nuit et je regarde C'est une facture d'il y a longtemps, en francs anciens, avec « Ferraldo & Fils » imprimé en haut. Elle était préparée pour le 19 novembre 1955 et elle est signée, très appliqué, *Montecciari Lello,* à l'encre. Il y a le nom du transporteur écrit à la main, comme tout le reste, probablement par la mère de Ferraldo : *J. Leballech.* Dans le bas, on peut lire : *payé en espèces le 21.11.55* et une signature. Je sors de mon sac la carte de Leballech, où il a écrit une adresse pour mes rayons de livres. En vingt ans, il n'a pas fait beaucoup de progrès. Je pense plus à Calamité qu'à lui et à tout ça. J'ai pris ma décision une fois pour toutes, au Brusquet, après avoir beaucoup tergiversé les derniers jours Maintenant, je suis fatiguée.

Avant de m'endormir, je retrouve sur moi l'odeur de Mlle Dieu, mélangée à ce truc de Dior. C'est drôle, l'odeur de quelqu'un. Mon papa — arrête. Ma maman. J'aime son odeur plus que tout. Bou-Bou. J'écarte l'idée qu'il est au bal. Je me dis qu'il dort au fond du couloir, tranquille. Je ne lui en veux plus. Je lui ferai l'amour, aussi sûr que je suis vivante. Et puis, et puis, et puis. J'ai encore dans les yeux la route qui

défile dans la lumière des phares. Notre père qui êtes
aux cieux, faites que cette conne arrive.

Je me réveille au lever du jour, trempée de sueur.
J'ai fait un rêve horrible. Je n'ai pas fermé les volets de
la fenêtre et une clarté froide envahit peu à peu la
chambre. J'entends Mickey qui prépare son café, en
bas, juste au-dessous de moi. Pin-Pon n'est pas rentré.
Je me lève et je vais jusqu'à l'armoire vérifier que le
flacon est bien dans la poche de mon blazer rouge. Je le
sors pour le regarder, pour vérifier que c'est le même.
Dans mon rêve, c'est ma maman qu'on empoisonnait.
Sous mes yeux, dans le bar de Digne. Je savais qu'elle
allait mourir et je criais. Ensuite, ils lui arrachaient des
poignées de cheveux, toute sa figure était couverte de
sang. Mlle Dieu était là, et Pin-Pon et Touret. Mais pas
Leballech. On disait qu'il allait venir et tout le monde
riait et on m'obligeait à manger les cheveux de ma
mère.

Je ne sais pas combien de temps je reste debout dans
la chambre, toute nue. J'entends Mickey, dans la cour,
qui essaie de faire partir son camion. Je vais à la
fenêtre. Je me demande ce qu'il va faire, si tôt, un
14 juillet. Peut-être qu'il a ramené Georgette avec lui,
cette nuit. Je ne peux pas voir si elle est dans la cabine.
Je le regarde s'en aller, et puis j'enfile mon peignoir
blanc marqué *Elle,* je descends à la cuisine. Il n'y a
personne. Je me fais du café, en me retournant

plusieurs fois, parce que j'ai l'impression que quelqu'un est derrière moi. Finalement je sors avec mon
bol et je m'assois sur le banc de pierre, près de la porte,
et je bois mon café qui fume dans les premiers rayons
du soleil rouge, entre les montagnes.

Ensuite, ça va mieux, comme toujours. Je marche
pieds nus dans la cour et je vais jusque dans la prairie,
derrière, où l'herbe est douce et mouillée. Je ne sais pas
l'heure qu'il est. La grande tente des campeurs est
silencieuse, en bas de la prairie. Je ne m'approche pas.
Je trempe mes pieds dans l'eau de la rivière, mais elle
est glacée, je ressors tout de suite. Je reste assise sur
une grosse pierre, en essayant de ne penser à rien.
Quand je ne pense à rien, je pense toujours aux mêmes
conneries. Cette fois, je me revois mourir sur le divan
bleu du Brusquet, la tête de Calamité entre mes
genoux relevés. Elle m'a dit que c'était tellement fort
que j'ai tiré sur ses cheveux, sans me rendre compte.
C'est une chose qui a dû revenir dans ma saleté de
rêve, j'imagine.

Au bout d'un moment, un des campeurs de la
prairie — le plus grand des deux — s'amène avec un
grand seau en toile pour prendre de l'eau à la rivière. Il
est en boxer-short élimé, bronzé couleur brique, avec
des poils sur la poitrine décolorés par le soleil. Il dit :
« Bonjour, vous êtes bien matinale. » On ne s'est
encore jamais parlé. Il me dit son prénom, François, et
je lui montre le mien, brodé sur mon peignoir. Il dit :
« Ce n'est un prénom, ça. » Je dis : « Non ? Eh
bien, vous avez perdu une illusion de plus. » Il me
demande si j'ai pris mon café. Il me dit : « Venez en

boire un autre avec nous. » Je réponds d'accord et je le suis.

On marche tous les deux pieds nus jusqu'à la tente et j'apprends qu'ils sont tous de Colmar, dans le Haut-Rhin. Je ne sais même pas où c'est mais je dis : « Ah ! bon ! » comme si j'y avais passé ma vie. Il me demande d'où me vient mon accent. Je réponds : « Ma mère est autrichienne. » Il essaie de me parler allemand et je répète : « Ja, Ja. » Je comprends un peu mais c'est tout ce que je sais dire. Finalement, il laisse tomber

Son copain et les deux filles viennent de se réveiller. Le copain porte un pantalon de toile, une des filles un vieux jean coupé aux genoux et l'autre un slip avec une main ouverte imprimée sur le derrière. Elles se baladent toutes les deux les seins à l'air. Ils sont bien bronzés et sportifs et tout ça. On me présente Henri et je lui serre la main. Il est moins beau que François, mais pas mal sauf qu'il n'est pas rasé depuis longtemps. La fille blonde comme les blés, en jean coupé, s'appelle Didi et l'autre, la plus jolie, avec de petites doudounes dures et bien rondes, Mylène. Elles font le café et on le boit assis par terre devant la tente. Ils sont bien tranquilles, ici. Personne devant ni derrière. Didi me raconte qu'ils n'avaient pas assez d'argent pour aller en Sicile, alors ils sont restés là. Les garçons travaillent tous les deux dans une banque, à Colmar. Je dis : « Pourquoi ils n'ont pas emporté la caisse ? » mais on sourit seulement pour me faire plaisir, ça tombe à plat. Je vois les matelas pneumatiques, à l'intérieur de la tente. Il n'y a pas de séparation et je demande : « Pour baiser, comment vous faites ? » Mais ça aussi, ça tombe à plat. Enfin, je comprends qu'ils commencent à me trouver tarte et pas du tout comme ils pensaient, je la boucle.

Je suis là depuis quatre mille ans, et je connais leur saleté de vie à tous, jour du baptême compris, quand on entend quelqu'un qui vient, et c'est qui ? Un type éreinté, avec du noir sur le visage et les mains, en chemise sale, le pantalon tout fripé et les bottes minables. Il a l'air aussi ravi que le coureur favori de Mickey quand on l'interroge à la télé. Il lui ressemble, d'ailleurs, à certains moments, en deux fois plus costaud. Il salue d'un geste tout le monde, en disant : « Excusez-moi, j'ai les mains sales. » A moi, il dit : « Tu es déjà dehors ? » Pas la peine que je retourne à l'école pour comprendre qu'il va me faire la tête toute la journée parce que je n'ai rien sous mon peignoir et que tout le monde a dû s'en rendre compte. Que les autres filles montrent leurs nénés, il s'en fiche. Pour être juste, il ne les regarde même pas. Il n'y a que moi qu'il regarde. Je me lève, en disant au revoir, merci pour le café, tout ça, et on revient tous les deux vers la maison, à travers la prairie. Je dis : « Écoute, Pin-Pon, c'est tout à fait par hasard que je suis là. » Il répond, sans me regarder : « Je ne te reproche rien. Je suis fatigué, c'est tout. » Je marche trois ou quatre pas plus vite pour le rattraper, je prends son bras. Il dit : « Et puis, ne m'appelle pas Pin-Pon. »

Quand on arrive, Bou-Bou, Cognata et Mickey revenu sont dans la cuisine. Bou-Bou, en pyjama, mange ses douze mille tartines. Il me dit : « Brochard vient de passer. Ta maîtresse d'école a téléphoné pour dire qu'elle est bien rentrée. » J'ai une boule aussitôt dans la gorge, ça me paraît une grande preuve d'amour qu'elle y ait pensé, mais je dis : « Comment tu fais pour avaler tout ça ? » Il soulève les épaules et il sourit. Je meurs quand il sourit. Je fais la bise à Cognata et je monte.

Dans la chambre, Pin-Pon se déshabille et se couche dans le lit défait. Il dit : « Il faut que je dorme un peu. Ce soir, on ira danser tout seuls. » Je reste assise à côté de lui. Il n'a pas pris le temps de se laver, il sent la fumée. Il garde les yeux ouverts un moment. Et puis, il les ferme, il dit : « Verdier a une clavicule cassée. Tu sais, le jeune qui était avec moi, au *Bing-Bang,* quand je t'ai connue ? » Je dis : « Oui, je me rappelle. » Il dit : « Il a une clavicule cassée. »

Je suis contente que Mlle Dieu ait téléphoné. C'est une vraie preuve d'amour. Enfin, je trouve. C'est une plus grande preuve d'amour que n'importe quoi d'avoir peur que quelqu'un se fasse du souci pour vous. Tout le monde — sauf ma mère — pense que si quelqu'un se fait du souci pour moi, je m'en fiche. Ce n'est pas vrai. Seigneur, non. Il ne faut pas que je montre mes sentiments, voilà tout. Qu'elle ait téléphoné chez Brochard, c'est une plus grande preuve d'amour que celle qu'elle pensait me donner, hier soir, à Digne, quand je l'ai retrouvée dans sa voiture. Elle était depuis longtemps à m'attendre, garée en face du *Provençal.* Passé les jérémiades parce que j'étais en retard, la première chose qu'elle m'a dite, c'est : « Je suis allée voir tes parents, samedi après-midi. Ta mère m'a montré ta robe de mariage. J'avais apporté une demande de reconnaissance de paternité pour ton père. Je n'ai pas pu le convaincre de la signer, mais tu verras, un jour ce sera rajouté sur ton livret de famille. »

Voilà. Samedi après-midi, je traînais en ville, je ne savais plus où aller pour me supporter. Après avoir téléphoné à Leballech, je pleurais en dedans comme cette pauvre conne peut pleurer en dehors. Elle est allée chez nous. Elle a cru qu'elle allait me rendre heureuse et que tout serait merveilleux et que je comprendrais enfin qu'elle m'aime comme elle dit, depuis que j'ai quatorze ans, ou quinze ans, depuis toujours. Je comprends, d'ailleurs. Je ne suis pas *insensible,* sûrement pas. Je ne suis pas *insensible,* ni *asociale,* ni *caractère pervers,* comme une orientatrice de merde l'a tapé à la machine, après des tests de merde, à Nice. Et un docteur avec elle, qui voulait presque m'enfermer. Seulement. Seulement, ce qui m'a traversé la tête, quand Calamité m'a raconté sa bonne action, ce n'est pas qu'elle m'aimait, ou que je devais sauter de joie à me fendre le crâne contre le toit de sa mini. Ce qui m'a traversé la tête, c'est qu'elle l'avait vu, *lui,* qu'elle lui avait parlé, qu'elle était entrée dans sa chambre, et moi pas. Et moi pas, voilà.

Je suis devant la fenêtre, le front contre la vitre. J'ai le soleil en face. Je me dis que j'irai le voir dans ma belle robe blanche, le jour du mariage, quand ils seront tous en train de boire et de rire et de se raconter leurs conneries. Pour la première fois depuis quatre ans, neuf mois et cinq jours. Et ensuite, avant que juillet se termine, Pin-Pon verra sa famille partir en lambeaux, comme la mienne. Il perdra ses frères comme j'ai perdu mon père. Où est mon père ? Où est-il ? J'ai de la peine quand j'imagine mon andouille de mère avec les trois salauds, ce jour de neige, je les hais pour ce qu'ils lui ont fait. Mais je m'en fiche, en fin de compte, voilà la vérité. Je m'en fiche quand je pense à ce qu'ils nous ont fait, à lui et à moi. Où est-il ? J'ai frappé à coups de pelle un sale bonhomme qui n'était pas mon papa, un bonhomme que je ne connaissais pas — il faut que tu arrêtes, maintenant, arrête — il me disait : « Je te donnerai de l'argent. Je t'emmènerai en voyage. A Paris. »

Le soleil me brûle les yeux.

Je mettrai Pin-Pon en lambeaux. Il prendra un des fusils de son ordure de père et je lui dirai : « C'est Leballech, c'est Touret », pour qu'il les tue. Je serai Elle. Tout effacé. Je viendrai à mon papa et je lui dirai : « Ils sont morts tous les trois, maintenant. Je suis guérie et toi aussi. »

Je me rends bien compte que je suis dans l'escalier, assise sur une marche, une main sur la rampe. Ma joue est contre le bois verni et je vois par moments la cuisine en bas, la clarté de la fenêtre. Il n'y a pas de bruit, rien, seulement ma respiration. J'ai dû arracher mes faux ongles un à un, comme ça m'arrive, je les sens dans mon autre main, que je tiens fermée contre ma bouche. Je pleure en pensant à son visage. Il vient sur le chemin, jusqu'à notre maison. Il s'arrête à quelques pas de moi pour que j'aie à courir, pour que je saute dans ses bras. Il rit. Il crie : « Qu'est-ce qu'il a rapporté le papa, à sa chérie mignonne ? Qu'est-ce qu'il a rapporté ? » Rien ni personne ne pourra me faire entendre que c'est *avant*. Je veux, je veux que ce soit encore *maintenant*. Et que ça ne finisse jamais. Jamais.

L'exécution

Tous ces feux, cet été.

La nuit, je n'arrive pas à dormir. Je revois les pins qui brûlaient sur les collines, le passage des canadairs au ras des incendies, les nappes d'eau qui s'abattaient avec un bruit de grosse mitraille, miroitantes dans des trouées de soleil, à travers la fumée.

Je revois le mariage, aussi. Elle dans sa longue robe blanche, ajustée avec tant d'amour et d'habitude par sa mère qu'on aurait cru une seconde peau. Le voile qu'elle a enlevé, dans la cour, et qu'elle a déchiré pour en donner un morceau à chacun. Le sourire qu'elle avait ce jour-là. J'ai regardé ses yeux dans l'église, quand j'ai passé l'alliance à son doigt. J'y ai vu à nouveau, plus mouvantes que jamais, ces ombres qui me faisaient penser à un vol d'oiseaux perdus, l'automne, entre les montagnes. Son sourire était juste au bord des lèvres, si incertain, si fragile que j'avais pitié, oui, j'avais pitié d'elle, j'aurais donné n'importe quoi pour la comprendre et pour l'aider. Ou alors j'invente, maintenant, je ne sais plus.

On était trente-cinq ou quarante pour le repas. Et

puis d'autres sont venus et d'autres encore, du village
ou d'ailleurs, et dans le milieu de l'après-midi, quand
on dansait, on était le double, peut-être plus. J'ai
ouvert le bal avec Elle. Une valse, pour faire plaisir à
sa mère et à la nôtre. Elle tenait sa robe d'une main,
pour ne pas la salir, et elle tournait, elle tournait, et à
la fin, elle s'est laissée aller contre moi en riant, elle ne
retrouvait plus son équilibre. Elle m'avait dit très peu
de chose, au cours de la matinée, mais là, j'ai entendu :
« Quelle merveille, quelle merveille... » Je l'ai serrée
contre moi. Je la tenais par la taille en revenant vers les
tables, au milieu des invités qui me donnaient de
grandes tapes dans le dos. Même à présent, il me suffit
d'y penser pour sentir à nouveau dans ma main la
douceur de son corps à travers sa robe.

Plus tard, je l'ai regardée danser avec Mickey, mon
garçon d'honneur, qui lui avait enlevé sous la table, au
déjeuner, une jarretière bleue de nos grand-mères, la
seule que nous ayons pu trouver pour respecter la
tradition. Tous les hommes avaient tombé le veston et
la cravate, mais même en bras de chemise, mon
sprinter à la manque avait l'air d'un prince puisqu'il
dansait avec une princesse. J'ai dit à Bou-Bou, qui
était à côté de moi : « Tu te rends compte ? » Un bras
autour de mes épaules, il a plaqué un gros bécot sur
ma joue, pour la première fois depuis qu'il s'est mis
dans la tête que ce n'est pas viril d'embrasser son frère.
Il m'a dit : « C'est une journée formidable. »

Oui. Le soleil sur les montagnes, autour de nous, les
rires des gens parce qu'Henri IV faisait le clown, le vin
qui coulait, les disques qu'on alternait pour que les
jeunes et les vieux puissent danser, tout était bien.

J'avais trouvé une infirmière, en ville, pour garder jusqu'à huit heures du soir le beau-père paralysé. Eva Braun était là. Je croisais quelquefois son regard, qui est bleu comme celui de sa fille, et elle me souriait en pressant les paupières pour me dire qu'elle était contente. Je suis sûr qu'elle l'était vraiment, nous en avons reparlé depuis. Elle ne savait pas plus que moi ce que Celle-là nous préparait.

A un moment, j'étais devant la porte de la grange, j'entendais la musique et les cris, je me suis mis à rire tout seul. J'ai pensé : « Voilà, c'est mon mariage. Je suis marié. » J'avais beaucoup bu et les sons ne m'arrivaient pas aux oreilles comme d'habitude. J'avais l'impression de rire dans un autre monde que celui de la noce. Ceux qui dansaient dans la poussière n'étaient pas réels. Ce n'était même pas vraiment notre cour, celle que j'avais toujours connue.

C'est peu après, autant que je m'en souvienne, que j'ai commencé à la chercher, Elle, et que personne ne savait où elle était. Bou-Bou s'occupait dans la grange de l'installation stéréo qu'un copain de collège lui avait prêtée. Il m'a dit : « Je l'ai vue entrer dans la maison, il y a cinq minutes. » Je suis allé dans la cuisine, où beaucoup de gens riaient et buvaient, mais elle n'y était pas. J'ai dit à notre mère : « Eh oui, j'ai déjà perdu ma femme. » Elle ne l'avait pas vue depuis un moment.

Je suis monté à l'étage. Il n'y avait personne dans notre chambre et j'ai regardé une nouvelle fois, par la fenêtre, ceux qui dansaient dans la cour. Eva Braun était assise à une table avec Mme Larguier. Mlle Dieu était seule près de la source, un verre à la main. J'ai vu

aussi Juliette et Henri IV, Martine Brochard, Moune
la coiffeuse, d'autres amies d'Elle dont j'ignore le nom.
Je n'ai pas vu Mickey et je suis allé frapper à sa porte.
Georgette a crié, affolée : « Non ! N'entrez pas ! » et
j'ai compris que je les dérangeais. Chaque fois qu'on
frappe à une porte, quelque part, il y a Mickey derrière
en train de perdre sa prochaine course avec Georgette.

Je suis redescendu. J'ai fait à nouveau le tour de la
cour, en la cherchant des yeux. Je suis allé sur la route
pour voir si elle n'était pas dehors avec quelqu'un.
Ensuite, je suis allé parler à Eva Braun. Elle a regardé
autour d'elle, inquiète, et elle m'a dit : « Je pensais
qu'elle était avec vous. » J'ai trouvé Mlle Dieu dans la
grange, en train de choisir des disques avec Bou-Bou et
son copain, le propriétaire de la stéréo. Elle avait
beaucoup bu, elle aussi, elle avait les yeux vagues et la
voix bizarre. Elle m'a dit qu'elle avait vu Éliane
descendre dans la prairie, « pour inviter les campeurs », mais que cela faisait déjà un bon moment.
Elle était la seule, avec Eva Braun, à dire Éliane, et je
ne sais pas pourquoi, cela m'irritait. Je ne l'avais
rencontrée qu'une fois — elle était venue l'après-midi
du 14 Juillet, trois jours avant — et dès le premier
regard, j'avais senti que je ne l'aimerais pas. Expliquer
pourquoi, maintenant, ne servirait à rien. C'est ma
bêtise, autant que la sienne, qui est la cause de tout.

J'ai traversé la cour en me forçant à marcher d'un
air naturel, pour ne pas déranger les invités, mais je
n'ai pas pu m'empêcher de courir en descendant la
prairie. La Volkswagen des campeurs n'était pas sous
les arbres et la tente était vide. Je respirais fort. Je ne
sais pas ce que je m'étais imaginé J'avais pensé à ce

14 Juillet où elle était rentrée si tard — une heure et demie du matin, m'a dit notre mère — et où je l'avais trouvée là, nue sous son peignoir éponge, alors que le soleil était à peine au-dessus des crêtes. Je suis resté un instant sous la tente à réfléchir. J'ai regardé autour de moi les matelas gonflables, les vêtements qui traînaient, la vaisselle en fer qui n'était pas lavée. Il flottait une odeur de tambouille et de caoutchouc. J'avais encore ce sentiment que les choses n'étaient pas tout à fait réelles, mais je n'étais pas ivre. Je me suis dit que les campeurs devaient partir à la fin du mois et que s'ils voulaient louer plus longtemps notre bout de prairie, je trouverais un prétexte pour refuser.

Quand je suis sorti, j'ai failli me heurter à Bou-Bou, qui venait me rejoindre. Il m'a demandé : « Qu'est-ce qui se passe ? » J'ai haussé les épaules, j'ai répondu : « Je ne sais pas. » On a marché tous les deux jusqu'à la rivière et je me suis passé de l'eau froide sur la figure. Il m'a dit que j'avais beaucoup bu et que, quand on a bu, on voit tout de travers, même les choses les plus simples. Il était possible, après tout, qu'Elle ait voulu rester seule un moment. C'était un jour de grande émotion, pour elle. Il m'a dit : « Elle est très émotive, tu sais bien. » J'ai bougé la tête plusieurs fois pour dire qu'il avait sans doute raison. J'ai remis son nœud papillon en place, et on est revenu à pas lents à travers la prairie.

Dans la cour, c'est moi qu'on réclamait. J'ai dansé avec Juliette, puis avec Moune, puis avec Georgette qui était descendue de la chambre de Mickey. Je me forçais à rire avec tout le monde. Henri IV est allé me chercher du vin au tonneau, devant l'appentis des bicyclettes, et j'ai bu le verre d'un trait. C'était du vin de notre vigne, elle n'en produit pas beaucoup mais il est bon.

Je regardais de temps en temps Eva Braun. Elle avait beau sourire quand quelqu'un passait devant elle, je savais que son inquiétude ne faisait que grandir. Mlle Dieu était à une autre table, triste devant un verre vide. Je l'ai vue se lever et aller le remplir. Elle faisait autant d'efforts pour marcher droit que moi pour avoir l'air de m'amuser. Elle portait une robe noire très décolletée, dont le tissu se prenait dans le sillon de ses fesses, elle ne cessait pas de tirer dessus. Je la trouvais ridicule et j'étais content, d'une certaine façon, qu'elle le soit.

A sept heures, Elle n'était pas revenue. A ceux qui me demandaient où elle était, je répondais : « Elle est allée se reposer un peu. » Je me rendais compte, de plus en plus, qu'on ne me croyait pas et que les invités se taisaient quand je passais près d'eux. A la fin, je suis allé parler à Mickey. Je l'ai entraîné au portail et je lui ai dit : « On va prendre la voiture d'Henri IV et on va faire un tour, pour voir si Elle n'est pas sur la route. »

On a traversé le village désert — tout le monde ou presque était chez nous — et on s'est arrêté d'abord au café Brochard. La mère Brochard n'avait pas voulu fermer, de peur de rater la vente d'une épingle de sûreté à un touriste qui aurait craqué son pantalon, mais elle tenait quand même à voir la noce, et c'est le père Brochard qui était de garde. Il était tout seul à l'intérieur, bien au frais devant un de ces magazines qu'il n'ose pas regarder quand sa femme est là, il se soutenait au picon-bière. Il n'avait pas vu Elle depuis qu'elle était sortie à mon bras de l'église en face, le matin. Il m'a dit que j'avais bel air et la mariée aussi.

On est allé ensuite chez Eva Braun. C'était le dernier endroit où il était imaginable de trouver Elle, puisque sa mère était chez nous, mais Mickey disait : « Qu'est-ce que ça nous coûte d'aller voir ? On ne sait jamais. » Quand on est entré, après avoir frappé en vain à la vitre de la porte, il y avait un grand silence dans la maison. La cuisine n'est pas une salle commune, comme chez nous, une cloison la sépare de la pièce principale. Mickey voyait les lieux pour la première fois. Il regardait autour de lui avec des yeux tout plissés de curiosité. Il m'a dit : « Chapeau. C'est drôlement bien arrangé. » J'ai levé la voix pour demander : « Il y a quelqu'un ? » J'ai entendu bouger dans une chambre, à l'étage, et l'infirmière que j'avais engagée, Mlle Tusseau, est descendue, un index sur les lèvres. Elle nous a dit : « Il dort, maintenant. »

Nous avons vu tout de suite, à son air abattu, qu'il s'était passé quelque chose. Elle avait les yeux rouges comme quelqu'un qui a pleuré. Elle s'est assise en tirant une chaise derrière elle et elle a soupiré avant de me dire : « Mon pauvre garçon, je ne sais pas qui vous avez pris pour femme, ça ne me regarde pas, mais j'ai passé un moment effroyable. » Elle a répété en me regardant dans les yeux : « Effroyable. »

J'ai demandé si Elle était là-haut, et elle a répondu : « Dieu du Ciel, non. Mais elle est venue. » Mlle Tusseau a une quarantaine d'années. Elle n'est pas vraiment infirmière, elle fait des piqûres et garde les malades. Ce jour-là, elle portait un tablier blanc sur une robe bleue, et il était déchiré. Elle nous l'a montré

en disant : « C'est elle qui m'a fait ça. » Ensuite, elle
remuait la tête, les yeux pleins de larmes, incapable de
parler.

Je me suis assis en face d'elle et Mickey aussi. Il était
gêné d'être là et il m'a dit que si je préférais, il pouvait
m'attendre dans la voiture. Je lui ai répondu non, que
j'aimais mieux qu'il reste. Je ne savais plus si j'étais
ivre ou pas. Tout était encore plus irréel que chez moi.
Mlle Tusseau se tamponnait les yeux avec un petit
mouchoir roulé en boule. Il a fallu attendre longtemps
pour qu'elle nous raconte ce qui s'était passé, et
longtemps aussi pour arriver au bout, parce qu'elle
faisait sans arrêt des digressions pour qu'on soit bien
certain que tout le monde avait bonne opinion d'elle,
en ville, et qu'elle avait adouci l'agonie de beaucoup de
gens, et tout ça. Mickey, moins patient, ou moins
alourdi par le vin que moi, lui disait : « Bon, d'accord.
Ensuite. »

Cet après-midi-là — c'est la version de Mlle Tusseau, mais je n'en connais pas d'autre —, Elle est
arrivée vers cinq heures, seule, dans sa robe blanche de
mariée. Elle n'apportait pas un morceau de la pièce
montée ou une bouteille de clairette, rien. Elle voulait
juste voir son père. Le voir. Elle était « très émotion-
née », cela se voyait, cela s'entendait à sa voix.
Mlle Tusseau a trouvé que c'était gentil de sa part de
quitter la noce pour montrer à son père paralysé
qu'elle pensait à lui. Elle-même, par exemple, si elle ne
s'est jamais mariée, c'est à cause de la santé de ses
parents, quand ils étaient encore de ce monde. « Bon,
d'accord. Ensuite. »

Elles ont commencé à gravir l'escalier toutes les

deux et là, les choses se sont gâtées. Le vieux, de sa chambre, a reconnu le pas de sa fille et il s'est mis à hurler et à l'insulter. Il hurlait qu'il ne voulait pas qu'Elle entre. Avant que Mlle Tusseau ait pu la retenir, elle a traversé le couloir en courant et elle est entrée.

Il a hurlé encore plus fort, il ne voulait pas qu'Elle le voie, il gigotait dans son fauteuil, les bras devant son visage, comme s'il devenait fou. Elle s'est quand même avancée vers lui, en repoussant Mlle Tusseau « avec une sauvagerie incroyable ». C'est à ce moment qu'elle a déchiré le tablier. Elle ruisselait de larmes et sa poitrine se soulevait à grands coups, comme si elle n'arrivait pas à respirer. Elle ne regardait que son père. Elle ne pouvait pas parler. Elle est restée une bonne minute debout devant lui, qui continuait de cacher sa figure, on voyait qu'elle faisait des efforts terribles pour dire quelque chose, et puis elle s'est laissée tomber à genoux, elle a entouré ses jambes mortes avec les bras et elle s'est accrochée à lui en criant à son tour. Pas des mots. Juste un cri qui n'en finissait plus.

Mlle Tusseau a essayé de lui faire lâcher prise, en la menaçant d'appeler les gendarmes, mais elle se débattait « comme une furie », et c'était dangereux parce qu'elle risquait d'entraîner son père et le fauteuil avec elle. Le vieux ne criait plus. Il pleurait. Elle s'est calmée elle aussi, au bout d'un long moment, et elle est restée comme ça, la tête sur ses jambes. Elle murmurait : « S'il te plaît, s'il te plaît. » Tout le temps, comme une litanie. A la fin, le vieux lui a dit, la figure toujours cachée : « Va-t'en, Éliane. Va chercher ta mère. Je veux ta mère. »

Elle s'est levée sans répondre. Elle l'a regardé longtemps encore, debout, et puis elle a dit : « Nous serons bientôt comme avant. Tu verras. J'en suis sûre. » Du moins, c'est ce que Mlle Tusseau a compris. Le vieux n'a pas répondu. Quand Elle a été partie, il a encore pleuré, tout seul dans son fauteuil, avec un pouls « très inquiétant ». Mlle Tusseau lui a donné un calmant mais ce n'est qu'une heure après que son cœur s'est apaisé et qu'il s'est endormi.

Il y a eu autre chose. Il y avait toujours autre chose, avec Elle. Quand elle est redescendue dans la cuisine pour partir, elle est allée se passer de l'eau sur le visage, elle s'est regardée dans la glace au-dessus de l'évier. Elle s'est aperçue que Mlle Tusseau l'observait. Elle lui a dit, sans se retourner, avec sa franchise habituelle et les mots qui lui venaient le plus facilement, ce qu'elle pensait des vieilles filles, ce qu'elles devraient essayer plutôt que de s'occuper des affaires des autres et, si j'ai bien compris, quelque chose encore que Mlle Tusseau a trouvé particulièrement « effroyable » parce qu'elle ne savait même pas que ça existait.

C'est Mickey, de lui-même, qui a pris le volant quand nous sommes remontés en voiture. Il n'a pas mis le moteur en marche tout de suite. On est resté là, devant le portail qu'Eva Braun a garni de rosiers grimpants, lui à fumer une cigarette, moi à réfléchir. Et puis, il m'a dit : « Tu sais, dans ce que racontent les bonnes femmes, il faut en prendre et en laisser. Elles exagèrent toujours. » J'ai répondu oui, bien sûr. Il a ajouté : « D'ailleurs, il est certainement gaga, le pauvre vieux. Tous les jours de l'année enfermé dans une chambre. Tu te vois ? » J'ai répondu oui, bien sûr.

A son avis, c'était une histoire toute simple, on voit les mêmes dans toutes les familles, et puis ça passe. Quand Elle était venue vivre avec moi sans être mariée, son père s'était juré de ne plus la revoir. Que je me mette à sa place. Et elle a pensé, brave fille au fond, que le jour de la noce, c'était l'occasion ou jamais de faire la paix. Là-dessus, on la reçoit comme un pion dans un jeu de quilles, et devant une étrangère encore. Que je me mette à sa place, à Elle. J'ai répondu oui, bien sûr. Il m'a demandé, sans méchanceté, si je n'avais pas autre chose à répondre, pour varier un peu. A son avis, Elle devait se cacher dans un coin, avec un seul désir, ne voir personne, comme une môme. Je devais bien le savoir qu'avec ses grands airs pour jouer les terreurs, c'était une môme.

Je l'ai regardé. Mon frère Mickey. La transpiration et le soleil lui avaient fait mousser les cheveux dans tous les sens autour de la tête. Il a les cheveux de notre père, de vrais cheveux de Rital. Je pensais qu'il avait raison sur tout, sauf sur l'essentiel — cette scène incroyable entre Elle et celui qu'elle n'appelait jamais que « le connard », ou « l'autre connard » — c'est-à-dire raison sur rien, mais j'ai dit : « D'accord, d'accord. Allons voir si elle n'est pas revenue. »

Elle n'était pas revenue. Mickey a ramené Eva Braun chez elle, pour libérer l'infirmière, et la nuit a commencé de tomber. Je n'ai rien dit à Eva Braun, puisque de toute manière elle saurait tout et le reste en posant les pieds dans sa cuisine. Je l'ai embrassée sur les joues et elle a serré très fort mon bras. Elle m'a dit, triste, avec son accent allemand : « Ne vous mettez pas en colère. Ce n'est pas sa faute. Je vous jure que ce

n'est pas sa faute. » J'avais une question terrible à lui
poser, j'ai failli le faire, et puis j'ai vu ses yeux bleus,
son visage confiant, je n'ai pas pu. Je voulais lui demander si, cinq ans avant, Elle n'avait pas été pour
quelque chose dans l'accident de son père. Il y a des
moments où je ne suis pas aussi Pin-Pon qu'on le croit.

Beaucoup d'invités étaient partis, les autres s'en-
gouffraient dans leur voiture. On me disait merci, au
revoir, avec une gaieté que je sentais factice. Il restait
dans la cour des bouteilles vides, des verres vides, des
morceaux du voile d'Elle, de la poussière remuée qui
flottait presque immobile à quelques centimètres du
sol. Devant la grange, autour des tables sur tréteaux,
quelques personnes écoutaient les histoires d'Henri IV. Il y avait Bou-Bou et son copain de collège,
Martine Brochard, Georgette, Tessari et sa femme,
d'autres gens que je ne connaissais que de vue. Juliette
et notre mère mettaient des couverts sur la nappe la
plus propre. Notre mère m'a dit : « On va quand
même manger un morceau. »

Mlle Dieu était assise dans la cuisine, à côté du
fauteuil de Cognata. Elle aussi m'a dit : « Ne vous
mettez pas en colère quand elle va revenir. » Elle a
ajouté : « Vous le regretteriez, plus tard, quand vous
la connaîtrez vraiment. » Cognata voulait savoir ce
que nous disions. J'ai remué la main pour qu'elle se
taise et j'ai répondu à Mlle Dieu : « Pourquoi ? Vous la
connaissez mieux que moi ? » Elle a baissé la tête,
parce que j'avais parlé fort, et elle a dit : « Je la
connais depuis plus longtemps. » Elle avait l'air
dessaoulée, elle s'était recoiffée. Ses seins, dans
l'échancrure de sa robe noire, étaient blancs et d'un

volume qu'on ne pouvait pas ne pas remarquer. Elle a senti que je les regardais et elle a posé sa main dessus. Je ne sais pas pourquoi, mon animosité est tombée d'un coup. J'ai dit : « Bon, bon. Vous étiez sa maîtresse d'école, c'est vrai. »

J'ai sorti une bouteille de vin d'un placard et j'ai servi trois verres sans rien demander. La blonde de mes rêves a pris celui que je lui tendais avec un petit signe de tête pour dire merci. J'ai trinqué avec Cognata et j'ai dit : « A votre santé, mademoiselle Dieu. » Elle a répondu : « Vous pouvez m'appeler Florence. » J'ai dit que son élève l'appelait toujours Mlle Dieu. Elle a ri. Pas beaucoup, mais c'était la première fois que je la voyais rire. Elle m'a dit : « Oh ! non. Vous savez comment elle m'appelle ? Calamité. Elle n'a aucun respect pour moi. » Elle a posé à nouveau, en buvant, une main sur ses seins trop découverts. Nous nous sommes regardés un instant et j'ai dit : « Elle n'a aucun respect pour personne. »

Plus tard, notre mère a servi dehors les restes du repas de noce. Bou-Bou avait tiré un fil depuis la grange pour brancher une lampe au-dessus de la table, mais l'électricité, de ce côté de la cour, ne marche que quand elle veut, sans qu'on lui demande rien, et le fil n'était pas assez long pour la ramener de la cuisine. Après avoir discuté un bon moment, on est arrivé à la conclusion que c'était trop de travail de transporter la table devant la maison, et on a allumé des lampes à pétrole et des bougies. Cognata trouvait, d'accord avec Juliette et Florence-Calamité, que c'était « féérique ».

On se retrouvait encore une quinzaine, finalement. Le copain de Bou-Bou et Martine Brochard mangeaient en silence, tout occupés d'un coup de toudre qui leur était tombé dessus, apparemment, quand tout le monde se disait au revoir et qu'ils s'étaient enfin dit bonjour. Henri IV posait des devinettes qui faisaient rire Mickey aux éclats, que Juliette et Georgette se défendaient d'entendre, que je n'écoutais pas. L'air était chaud, ma gorge douloureuse, comme autrefois, quand j'étais petit, et que je ne voulais pas avoir l'air du cow-boy qui chiale.

J'ai serré la main de Mlle Dieu qui rentrait chez elle. J'ai serré les mains d'un couple que je ne connais pas. A un moment, Bou-Bou m'a dit : « Dimanche prochain, Mickey gagne à Digne. C'est une course pour lui. Tu vas voir. » Je vais vous dire. Je ne sais plus ce que je raconte. J'ai pensé comme une chose évidente que nous ne verrions, ni Elle ni moi, le dimanche prochain.

Il était presque onze heures quand Elle est revenue. Je m'étais placé le dos au portail, exprès, pour ne pas la voir quand elle reviendrait. Je l'ai vue arriver dans le regard des autres. Tout le monde se taisait et me regardait, en se demandant comment j'allais réagir. Je me suis retourné, juste une seconde, et elle était immobile à l'entrée de la cour, dans sa robe blanche dont le bas était sali par la terre, ses longs cheveux répandus, le visage comme je ne peux pas le décrire. Ou alors, fatigué, d'accord. J'ai regardé mon assiette. Elle s'est approchée, j'entendais ses pas derrière moi. Elle s'est arrêtée tout près, elle s'est penchée, elle m'a embrassé sur la tempe. Elle m'a dit, dans un tel silence que tous les autres pouvaient l'entendre : « Je ne voulais pas rentrer avant que tu sois seul. Je pensais que la société était partie. »

Bou-Bou, qui était à côté de moi, s'est levé de sa chaise, elle a pris sa place. Elle a regardé ce qui restait dans l'assiette qui était devant elle et elle s'est mise à manger. C'était plus pour avoir l'air de quelque chose que par faim, je le sais. Elle n'avait jamais faim. Elle mangeait volontiers du pain et du chocolat, de temps en temps. Elle ne buvait jamais beaucoup non plus. Un vittel-menthe, au-dehors. De l'eau dans sa main, à la source. Mickey, pour détendre l'atmosphère, a dit : « On ne t'appellera plus Éliane, mais Désirée. » Elle a souri, la bouche pleine, et elle a pris ma main sur la table sans me regarder. Elle a répondu, après avoir avalé : « Je vous emmerde tous. »

Elle l'a dit sur un tel ton qu'après un flottement de surprise, tout le monde a préféré en rire. Cognata, qui n'avait pas entendu, s'est fait expliquer. Elle a ri, elle aussi, et elle a dit, en s'adressant à moi plus qu'aux autres, parce qu'elle me regardait, une chose qui m'est restée gravée dans la tête pour toujours. Elle a dit : « La petite ne sait même pas ce que les mots signifient. Elle emploie n'importe lesquels pour dire qu'elle existe, comme quelqu'un qui tape sur un piano sans connaître les notes, au moins ça fait du bruit. »

Personne n'avait jamais entendu parler ma tante de cette manière, sauf Elle, je crois, qui continuait de piquer avec lassitude des légumes dans son assiette, sans paraître concernée. Cognata, nous a dit : « Tenez. Écoutez puisque vous avez des oreilles ! » Elle a frappé du bout des doigts sur la table, et j'ai compris avant qu'elle l'ait fait ce qu'elle voulait me faire comprendre. Ses petits yeux délavés ne me quittaient pas, c'était toujours à moi qu'elle s'adressait. Trois points, trois traits, trois points. Elle m'a dit en riant, avec sa voix cassée de vieille qui ne s'entend plus : « J'ai raison, hein ? J'ai raison ? » Je n'ai rien répondu. Les autres n'avaient pas tous compris, et elle a dit, en riant toujours : « J'étais cheftaine quand j'étais jeune. C'est tout ce que je me rappelle du morse. » Et en finissant de rire : « Vous voyez, si c'est tout ce que je me rappelle, ça prouve justement qu'on doit être beaucoup à vouloir dire la même chose. On fait des bruits différents, voilà tout. »

C'est Elle qui a mis le point final à cette journée. Elle tenait toujours ma main sur la table. Elle a parlé à Cognata sans que sa voix sorte de sa bouche, juste avec les lèvres, personne n'a rien entendu, mais Cognata est partie de rire une fois encore, toussant et s'étouffant, au point qu'Henri IV et Mickey se sont levés pour lui taper dans le dos. Tout le monde voulait savoir, évidemment, ce qu'Elle avait dit, mais Cognata ouvrait de grands yeux dans le vide, en cherchant à respirer normalement, et elle secouait la tête, elle secouait la tête. Alors, je me suis tournée vers Elle, et je lui ai parlé pour la première fois depuis qu'elle était revenue. Je lui ai demandé : « Qu'est-ce que tu lui as dit ? » Elle a pressé ma main. Elle m'a répondu, net pour tout le monde : « Je lui ai dit que j'ai envie de ma nuit de noces, que je ne peux plus me tenir, et que tous vos bla-bla, c'est des conneries. » Textuel. On était encore quelques-uns autour de la table. Ils peuvent tous vous le confirmer.

Elle était restée des heures au bord de la rivière, en un endroit appelé *Palm Beach*. Ensuite, il était trop tard pour revenir sans que je lui fasse une scène devant tout le monde, elle avait attendu la nuit et que les invités soient partis. Plus le temps passait, plus elle avait peur que je la batte, et ça ne l'engageait guère à revenir. Ce n'était pas tellement les coups qui l'effrayaient, mais d'être battue devant tout le monde.

C'est ce qu'elle m'a dit le lendemain matin. Il n'y avait personne à la maison, sauf Cognata, en bas, et nous pouvions parler tranquillement. J'étais allongé dans le lit, comme tous les dimanches quand je me suis marié la veille, et elle était assise nue à côté de moi, les pieds par terre, ma main gauche serrée entre ses cuisses — elle prétendait qu'elle avait meilleur moral avec ma main gauche à cette place, c'était son yoga personnel.

Elle ne m'a pas parlé de sa visite à son père avant de savoir que j'étais au courant. D'abord, elle a dit merde, en se regardant fixement dans la glace de l'armoire, et ensuite, en me regardant moi, que c'était sans importance, qu'elle se fichait bien de ce vieux connard qui sentait le pipi. Tout ce qu'avait pu me raconter la viande pas fraîche qui lui servait de nounou, c'était des mensonges. A force de nettoyer toute seule les toiles d'araignée qu'elle avait quelque part, elle avait fini par dégoûter les pauvres bêtes,

maintenant elles se baladaient au plafond. Si on
parlait d'autre chose, plus gai ?

Je lui ai demandé pourquoi, si elle s'en fichait tant,
elle était allée voir son père. Elle a répondu sans
hésiter : « Il m'avait promis qu'il me reconnaîtrait si je
me mariais. Je tiens à voir son nom sur mon livret de
famille. » Elle avait une sorte de génie pour vous
clouer le bec avec la seule raison que vous n'attendiez
pas. J'ai demandé quand même pourquoi elle tenait
encore à ce nom puisque à présent, elle portait le mien.
Elle m'a répondu, à nouveau sans hésiter : « Pour
l'emmerder. Si elle claque avant lui, c'est moi qui
aurai un jour l'héritage de sa sœur Clémence. Au
moins je pourrai dédommager ma mère de la vie qu'il
lui a faite. Et ça, crois-moi, ça l'emmerde. » Je ne
connaissais même pas l'existence de cette sœur Clémence et si elle n'avait pas parlé de sa mère, je ne
l'aurais pas crue, parce que se préoccuper d'un
héritage n'était pas dans son caractère. Elle avait à peu
près tous les défauts, sauf d'être intéressée. Même
notre mère était obligée de le reconnaître. Elle a
demandé à nouveau si on ne pourrait pas trouver un
sujet de conversation plus marrant pour elle et j'ai
laissé tomber celui-là pour un moment.

Je lui ai parlé de Mlle Dieu. Elle a ri. Elle m'a dit :
« Tu vois, je serais jalouse si tu remettais ça avec la
Loulou-Lou de M. Loubet, ou avec la Marthe qui
t'écrivait des lettres. Mais Mlle Dieu, si elle te plaît, ça
m'est égal que tu le lui fasses, sauf que je veux
regarder. » Elle m'observait dans l'armoire à glace et
j'ai dû faire une telle tête qu'elle a ri encore plus fort,
en se jetant en arrière et en rebondissant sur le

matelas. Tout ce que j'ai trouvé à dire, c'est : « Tu as lu mes lettres ? » Elle est redevenue sérieuse, elle a remis ma main gauche à la place qui lui donnait le moral, elle a répondu : « Pas toutes, c'est trop con. » Ensuite, elle a dit : « Elle était institutrice, elle aussi. » Elle a réfléchi un long moment, les yeux dans la glace pour se regarder, puis elle a soupiré un bon coup — elle soufflait droit devant elle, ce n'était jamais vraiment un soupir —, et elle a dit : « Remue-ta main. J'ai envie de moi. »

Dans l'après-midi, nous sommes allés tous les deux au café Brochard. J'ai fait une partie de boules sur la place, associé à Henri IV, et on a gagné cent francs chacun à des jeunes vacanciers qui étaient en hôtel, près d'Allos. Elle avait mis sa robe en nylon bleu ciel, elle nous regardait, assise sur la terrasse, à côté de Martine et du père Brochard. Avec ses longues jambes bronzées, sa lourde chevelure sombre qu'elle rejetait toujours de côté d'un simple mouvement du cou, ses yeux clairs et immobiles comme deux tâches venues d'un autres univers, elle était la plus belle des femmes qu'on ait jamais vues, et c'était la mienne, c'était ma femme, je ne savais même plus jouer aux boules.

J'avais tant de questions à lui poser qu'une vie n'aurait pas suffi pour que je la comprenne, mais j'avais compris au moins une chose, la veille, debout dans la tente des campeurs, c'est que je ne pouvais plus que la perdre. Je n'acceptais pas, non. Je me disais que je n'accepterais jamais. Je prendrais plutôt un des fusils de mon père. Je ne sais plus ce que je raconte. Sauf que j'avais compris que j'allais la perdre, parce que d'autres — un campeur de Colmar, mettons

— étaient plus beaux que moi, et qu'elle était trop jeune, et trop animale, et que plus je poserais des questions, plus je deviendrais pour elle emmerdant, et Pin-Pon, et moche : je n'avais aucune chance. Sur la place, en laissant Henri IV gagner tout seul leur argent à des types qui avaient appris à jouer aux boules à Paris, je me répétais que je n'avais aucune chance.

Plus tard, on est allé voir la Delahaye, tous les deux. Elle ne pouvait pas encore rouler, mais elle allait pouvoir bientôt. J'ai eu l'idée, au début de juillet, de remplacer le moteur par celui d'une Jaguar que j'ai ramenée après un accident, de l'autre côté du col. Auparavant, j'avais fait au moins cinquante pièces à la fraise, en huit mois. Chacune de ces pièces, je les ai fabriquées deux ou trois fois. Il n'y a que mon patron ou Tessari qui comprennent le travail que ça représente. Le moteur de la Jaguar, en fin de compte, ne valait pas la peine que je me casse la tête à trouver des supports. Tessari m'a dit, avant même de tout mettre par terre, que c'était du temps perdu. Il voit les choses avec son oreille. Il m'a aidé à desosser, puisqu'il était venu pour ça, mais il avait raison. Ce sont des choses incroyables. Celui qui conduisait la Jaguar — ils sont morts à trois, là-dedans —, même s'il n'avait pas manqué son virage, le moteur lui éclatait dans les mains quelques kilomètres plus loin. Les coussinets de bielles n'existaient même plus.

J'avais briqué la carrosserie de la Delahaye, qui est beige d'origine, et l'intérieur aussi, pour la lui montrer, et Elle a été impressionnée. Elle n'a pas dit grand-chose, sauf merde, évidemment, mais je voyais dans ses yeux qu'elle aimait ma voiture. Elle a touché des doigts le tableau de bord en acajou, le cuir des sièges. Elle a murmuré : « Delahaye. » Elle m'a regardé avec cet air qui me plaisait, naïve et douce et sérieuse à la fois, et elle m'a dit : « Tu fais un drôle de mari, tu sais. » On est resté là une dizaine de minutes, elle m'a demandé des précisions sur la provenance de la bagnole — on m'a raconté que c'était celle d'un ministre de l'ancienne république, mais allez savoir — et puis Juliette est descendue et Henri IV est arrivé.

On a pris l'apéritif et dîné avec eux. J'étais étonné de voir que Juliette lui parlait, à Elle, avec une gentillesse tranquille, comme si elles étaient de vieilles amies. On a fait une belote à quatre, ensuite, et comme je l'ai dit, Elle jouait assez bien aux cartes — elle avait la mémoire de tout ce qui tombait — on leur a gagné cent cinquante francs avant onze heures. Mickey est venu nous rejoindre un peu plus tard. On s'est tous assis sur les marches en bois, dehors, et pour leur faire plaisir, j'ai fumé un cigare de mon patron. C'est une chose formidable de fumer. Et d'être comme ça, sur des marches en bois, une nuit d'été, avec votre voix qui résonne différente parce qu'Elle est à côté de vous, la tête appuyée sur votre épaule, et que vous pensez : « Je ne vais peut-être pas la perdre. Non, elle m'aime pour de bon, moi et personne autre. » Et de savoir que vous allez rentrer à pas lents à travers le village endormi, Mickey devant qui marque les buts de sa vie avec des cailloux, et Elle tout près, sa chaleur douce sous la robe, dans votre bras.

C'était le dimanche soir, 18 juillet. Je l'ai perdue le mercredi 28. Notre mariage a duré onze jours, celui de la cérémonie compris. Ensuite, j'ai fait ce qu'il ne faut pas faire. On devrait vivre son enfer sans rien dire. Moi, j'allais partout, je posais des questions partout pour la retrouver. J'étais grotesque. Je l'ai retrouvée le vendredi 6 août. Je suis allé décrocher une carabine de mon père. Une Remington à répétition automatique, deux cartouches dans le magasin, une dans la chambre, calibre 280 de la marque. C'était avec cette arme que j'avais tué deux sangliers, l'hiver dernier. Je suis venu au garage pour scier le canon. J'ai repensé à ce dimanche soir où je fumais un cigare, mon amour contre moi.

Il n'était pas question que je parte en congé en plein été. Nous avions décidé, Henri IV et moi, que je prendrais quinze jours à la fin septembre, quand les grands troupeaux de vacanciers auraient pris le chemin du retour, et aussi — c'était important pour moi — quand la sécheresse s'arrêterait et, avec elle, les incendies. Depuis le début de juillet, je n'avais pas passé trois nuits de suite à la maison.

Je lui avais dit, à Elle, que nous ferions alors notre voyage de noces, dans la Delahaye impeccable, comme je l'avais rêvé. Nous n'avions pas choisi où nous irions, la Suisse ou l'Italie. Je voyais que ça ne l'intéressait pas. Elle répondait : « Comme tu veux. » J'aurais aimé aller en Italie du Sud — le Mezzogiorno, disait mon père — et voir l'endroit d'où il est venu,

Pescopagano, à une centaine de kilomètres au-dessous de Naples. J'ai cherché le nom sur une carte routière, il était imprimé de la grosseur de mettons Barrême ou Entrevaux. Je pense qu'il n'aurait pas été difficile de retrouver là des cousins, des cousines qui ne nous connaissent pas, des enfants de ses sœurs restées au pays. Dans les années 60, pour Noël, on recevait encore une carte de vœux, signée par tout le monde : Peppino, Alfredo, Giorgia, Gianbattista, Antonio, Vittorio, avec un timbre que Cognata détachait à la vapeur, pour la collection de son beau-frère, à Marseille. Mais elle soulevait son épaule gauche, sans même écouter, ça ne l'intéressait pas. De toute manière, septembre, c'était trop loin. Elle savait mieux que moi que nous n'irions pas jusque-là, je le comprends aujourd'hui.

Elle était rentrée deux nuits très tard, pendant la semaine qui avait précédé le mariage, raccompagnée les deux fois par Mlle Dieu. Elle était toujours la même, du moins pour notre mère ou quelqu'un qui n'aurait pas fait trop attention : un moment très gentille, un moment insupportable, un jour à rire pour des riens, un autre renfermée comme une huître. Je savais, depuis le premier soir où nous avions dîné ensemble, qu'elle pouvait passer d'une humeur à l'autre, sans même que quelque chose d'extérieur soit intervenu. C'était comme ça. Je la quittais après le déjeuner abattue par des pensées qu'elle ne voulait pas me dire, et le soir, quand je la retrouvais, elle se moquait de tout et de tout le monde, elle provoquait notre mère et Bou-Bou avec des gros mots, on ne pouvait plus la tenir.

Au lit, c'était pareil. Non pas qu'elle m'ait jamais refusé de faire l'amour — sauf une ou deux fois peut-être, parce qu'elle était mal fichue —, au contraire, elle en avait toujours envie. Mais pas de la même façon. Certains soirs, l'amour était doux pour elle comme un refuge, son abandon me brisait le cœur. C'était le plus souvent, je dois le dire. Et puis, sans que rien ne l'ait annoncé que son mutisme, à table, ou simplement un brusque entêtement pour avoir raison envers et contre tout dans une discussion sans intérêt, une autre femme était dans mes bras, qui n'était pas elle, qui était un être avide et malsain, et qui m'angoissait parce que tout ce qui est malsain m'angoisse. Elle m'a dit un jour : « Les conneries du cul, ce n'est ni moche ni rien. C'est comme de boire ou de manger. Tu as beau faire, tu en auras encore envie le lendemain. » Ou bien je n'ai rien compris à ce qu'elle voulait dire, et son langage était l'expression même du désespoir, ou voilà comment elle parlait de l'amour : « Les conneries du cul. »

Oui. Notre mère, ou Mickey, ou même Cognata, qui s'était mise à l'adorer, parce qu'Elle lui avait offert le portrait à l'huile de mon oncle d'après une photo, ou même Bou-Bou qui, lui, avait trouvé le moyen de faire imprimer son visage à elle sur un tee-shirt, tout le monde la voyait telle qu'elle était entrée le premier jour dans notre maison. On la connaissait un peu mieux, c'est tout. Moi-même, forcément plus attentif, je ne remarquais pas un changement que j'aurais pu définir. Ses yeux étaient bleus ou gris, selon la lumière, comme ils l'avaient toujours été. Ils me semblaient seulement un peu plus clairs, un peu plus fixes, ils me donnaient plus souvent l'impression de deux taches froides et étrangères dans un visage qui m'était devenu plus familier que le mien. Mais après tout, le soleil avait accusé le contraste entre ses yeux et sa peau, depuis le mois de mai. Pour ses états d'âme, c'était pareil. Il me semblait que les périodes d'insouciance étaient de plus en plus courtes, celles où elle restait muette, sombre et immobile de plus en plus longues, de plus en plus fréquentes. Mais la chaleur éprouvait tout le monde — sauf Cognata qui vieillit confinée dans l'ombre de la cuisine —, et je croyais encore qu'elle portait un bébé.

Le mardi après le mariage, en rentrant le soir, j'ai appris par notre mère qu'elle était partie en début d'après-midi, sans dire où elle allait. Elle avait mis sa robe rouge, qui se boutonne de haut en bas, et pris son sac blanc. Elle n'avait rien dit pour moi. Elle avait l'air préoccupé, mais pas plus. A Cognata qui lui avait demandé : « Où tu vas ? » elle avait répondu par sa mimique favorite, gonfler les joues et souffler droit devant elle.

J'ai dit : « Bon. » Mickey ni Bou-Bou n'étaient encore rentrés. Je suis monté dans notre chambre, je me suis changé. J'ai fouillé dans le tiroir où elle rangeait son linge, sans idée précise, mais avec mauvaise conscience. J'ai feuilleté les photos qu'elle gardait. La plupart sont celles de son concours de beauté, à Saint-Étienne-de-Tinée. Elle est en maillot de bain deux pièces, avec des chaussures à talons, elle a des jambes provocantes et le reste aussi. Je n'ai jamais aimé ces photos. Il y en a d'autres où elle est enfant, à Arrame. Elle ne se ressemble pas, sauf pour la clarté des yeux. Deux taches qui vous mettent mal à l'aise, parce que les iris n'ont même pas impressionné le papier. Elle est toujours à côté de sa mère. Elle n'avait aucune photo de son père, je ne saurai probablement jamais comment il est fait. Elle m'a dit un jour qu'elle les a toutes déchirées.

Je me suis étendu sur le lit et j'ai attendu, les mains croisées derrière la tête. Un peu plus tard, Bou-Bou et Mickey sont rentrés. Bou-Bou est venu me voir. On a discuté de choses et d'autres, mais le cœur n'y était pas. Ensuite, on est descendu dîner, sans Elle, et on a regardé un film à la télé. On était au quart de l'histoire, que je n'arrivais pas à suivre, quand Henri IV est entré dans la cour, en DS. Les autres se sont levés avec moi, sauf Cognata, qui n'avait rien entendu, ni vu par la fenêtre. C'est drôle, parce qu'on était habitué, surtout cette année, à voir débarquer Henri IV pour m'avertir qu'on venait de téléphoner de la caserne, mais on a tous pensé qu'il s'agissait d'Elle et qu'il lui était arrivé quelque chose, je ne sais pas pourquoi.

Henri IV m'a dit : « La petite est en ville. Elle a manqué le dernier car. Je lui ai dit de prendre le taxi de Cazenave, mais elle ne veut pas, elle veut que ce soit toi qui viennes la chercher. » On était tous autour de lui, devant la porte. Je lui ai demandé si elle n'avait rien. Il a eu l'air étonné. Il m'a dit : « Elle est embêtée d'avoir manqué le car. Qu'est-ce que tu veux qu'elle ait ? Elle marche à ta rencontre. » Notre mère a soupiré. Mickey et Bou-Bou sont retournés voir le film. Henri IV m'a dit : « Prends la voiture. Je t'attends. J'ai lâché le poste quand William Holden retrouve sa petite amie et qu'elle doit se marier avec l'autre. Elle s'est décidée, finalement ? »

J'ai roulé en coupant les virages. J'ai failli emboutir une 504 pleine de monde et le conducteur, le coup au cœur passé, a klaxonné comme un fou. Elle m'attendait avant le pont, debout sur le bord de la route. Je me suis arrêté à sa hauteur et je suis descendu. Elle a reculé de plusieurs pas, en disant d'une voix blanche : « Fais bien attention. Le jour où tu me frappes, tu ne me vois plus. » Je suis quand même allé jusqu'à elle, je lui ai fait baisser les bras qu'elle croisait devant son visage, et je l'ai giflée à la volée, en la retenant pour l'empêcher de tomber. Seule sa tête est partie en arrière. Des larmes lui sont venues sur le coup et elle a murmuré, après un instant, les yeux baissés : « Merde, alors. Merde. »

Elle respirait avec effort. Sans la lâcher, je lui ai demandé : « D'où tu viens ? » Elle m'a dit en rejetant ses cheveux de côté : « Je m'en fiche que tu me frappes. » Elle portait sur la joue l'empreinte de mes doigts. Elle me regardait avec une méchanceté qui m'a rappelé brusquement les paroles de Mlle Tusseau, dans la cuisine d'Eva Braun, trois jours avant. Je l'ai lâchée. J'ai essuyé mon front en sueur avec l'avant-bras, en traversant la route, et je suis allé m'asseoir sur le talus. Moi aussi, je respirais avec effort. Mon cœur battait à grands coups.

Elle a traversé à son tour, beaucoup plus loin. Elle est restée immobile ensuite pendant une éternité, dans sa robe rouge, son petit sac à la main. Le soleil était descendu depuis longtemps derrière les montagnes, mais il faisait encore jour, et l'air était chaud et sentait les sapins. Je m'en voulais, parce que la gifler était la dernière chose à faire pour qu'elle me parle, et en plus, ça ne me ressemblait pas. Je n'avais jamais porté la main sur personne depuis l'école communale. A la fin, j'ai dit : « D'accord, je regrette. Viens, quoi. » Elle n'a pas fait la tête, elle est venue.

Elle s'est laissée tomber à côté de moi et elle m'a entouré de ses bras. Elle m'a dit : « J'ai perdu un talon, je boite. » Comme ça, d'une voix naturelle. Ensuite, la tête contre ma poitrine, elle m'a dit : « Je suis allée à Digne voir les magasins. J'ai manqué le car de sept heures. Sinon je serais revenue depuis longtemps. » J'ai demandé : « Tu as fait les magasins et tu n'as rien acheté ? » Elle m'a dit : « Non. Je n'ai besoin de rien. C'était juste pour sortir de la maison. Je me marre trop entre ta mère et ta tante, j'attrape des rides. »

Deux voitures qui montaient vers le col sont passées devant nous. Elle s'est écartée de moi uniquement parce que j'ai bougé pour qu'elle le fasse. Il suffisait d'être un peu au-dessus d'elle pour voir ses seins libres, dans cette robe, et elle ne fermait jamais les boutons du bas. J'ai dit : « Boutonne ta robe. Tu ne la trouves pas encore assez courte ? » Elle a obéi sans souffler ni rien. J'étais malade à l'idée qu'elle s'était promenée tout un après-midi sans moi dans les rues de Digne, affublée comme ça, sous des regards qui achevaient de la déshabiller. J'imaginais que certains poussaient du coude leurs petits copains pour qu'ils profitent du spectacle, et les plaisanteries. Peut-être même qu'on avait essayé de l'aborder, en se disant qu'elle devait être une fille facile pour en montrer tant. Je regardais fixement la route, le front à nouveau en sueur, mais ce ne devait pas être bien difficile de deviner ma pensée car elle m'a dit doucement : « J'en ai marre, moi aussi, de cette robe. Je ne la mettrai plus jamais. »

Je l'ai ramenée à la maison. Personne n'a rien dit. Elle a mangé un peu, en regardant William Holden d'un œil et les faux ongles de sa main gauche de l'autre. C'est seulement alors que j'ai remarqué qu'elle n'avait pas son alliance.

Quand le film a été fini, tout le monde est monté, sauf nous deux. Elle voulait prendre un bain dans sa baignoire en tôle avant d'aller dormir. Je lui ai demandé : « Tu as perdu ton alliance ? » Je n'ai pas vu ses cils bouger. Elle a simplement répondu : « Je me suis lavé les mains en entrant. Je l'ai enlevée. » C'est vrai qu'elle s'était lavé les mains. J'ai tourné les yeux vers l'évier, mais elle a soufflé avec fatigue, elle a pris son petit sac accroché au dossier de sa chaise. Elle a sorti son alliance et me l'a montrée. Elle m'a dit : « Si jamais tu poses la tienne sur cette saleté d'évier, il faudra démolir tous les tuyaux pour la récupérer. Je fais attention aux choses, moi. »

Je suis allé chercher sa baignoire au cellier. En revenant, j'ai mis de l'eau à chauffer sur la cuisinière à butane, dans la grande bassine. On entendait, là-haut, Bou-Bou discuter avec Mickey. Elle était immobile à la table, le menton dans ses mains. J'ai demandé : « Ça coûte cher, le car, pour Digne ? » Elle n'a pas répondu. Elle a soufflé une fois encore, mais avec agacement, et elle a repris son sac. Elle n'a pas fouillé — elle savait toujours où elle rangeait ses affaires — elle a sorti simplement deux tickets de car, et elle les a posés sur la table. Elle m'a dit, en se levant : « Tu commences vraiment à exagérer. »

Quand son bain a été prêt — à peine tiède — je me suis assis, j'ai jeté un coup d'œil sur les tickets. Digne, l'aller et le retour. J'ai pensé que ma mère et Cognata sont nées à Digne, et puis aussi que Mickey courait là-bas le dimanche suivant. Elle a déboutonné sa robe rouge et l'a enlevée, tournée vers moi. Elle me l'a envoyée dans les bras. Elle m'a dit : « Ta mère peut en faire des chiffons pour cirer les chaussures. » Son corps était presque uniformément bronzé — le derrière à peine plus clair quand elle a ôté sa culotte — et cela aussi me rendait triste, et jaloux, et bête. Elle m'avait dit, quand je l'avais remarqué, les premiers temps, qu'elle allait seule ou avec Martine Brochard dans un endroit, au bord de la rivière, où il ne passe jamais personne. Dans un village comme le nôtre, si vous connaissez un endroit où il ne passe jamais personne, c'est que vous n'y avez pas vécu.

Je l'ai regardée se laver. Elle se lavait souvent deux fois par jour, comme si elle sortait de la mine. L'application qu'elle mettait à se savonner, à se frotter, à se resavonner avait quelque chose d'aberrant. Je lui ai dit, ce soir-là encore : « Tu vas t'arracher la peau, un de ces jours. » Elle a répondu : « Si tu montais te coucher ? J'ai horreur qu'on me regarde quand je me lave » J'ai vérifié qu'elle avait une serviette à portée de la main, j'ai pris son sac sur la chaise, les deux tickets de car, et je suis monté. Je n'étais pas sur la troisième marche, qu'elle a dit : « Ne sois pas bête. Laisse mon sac. » C'était une voix douce, un peu triste, celle qu'elle avait quand elle oubliait son accent. Je lui ai demandé : « Pourquoi ? Tu as peur que je découvre quelque chose dedans ? Tu as bien lu mes lettres, toi. » Elle me tournait le dos, dans sa baignoire. Elle a soulevé une épaule et c'est tout. Elle n'a rien répondu. J'ai continué de monter.

Mes frères avaient fermé leurs portes, mais il y avait de la musique, en sourdine, chez Bou-Bou, au fond du couloir. Il écoute Wagner en faisant ses devoirs de mathématiques, pendant l'année scolaire. En vacances, c'est le Rock-folie et les voyages dans le futur. Il m'a donné à lire un de ses bouquins, une fois. Un homme qui devenait de plus en plus petit et qui finissait par être la proie d'un chat et même d'une araignée. Un vrai cauchemar. Je me sentais, ce soir, sur la même pente, je ne saurais pas expliquer pourquoi.

Dans notre chambre, j'ai regardé à nouveau les tickets de car pour Digne, puis j'ai renversé le contenu du sac blanc sur le lit. J'ai mis de côté les trucs de bonne femme : un tube de rouge à lèvres, un peigne, une boîte pour les cils, un flacon de vernis à ongles, un kleenex, une pochette d'aiguilles à coudre avec du fil et même une brosse à dents et un tube-échantillon de dentifrice. Elle emportait toujours une brosse à dents avec elle. Maniaque. J'ai écarté aussi l'argent qu'elle avait : un peu moins de trois cents francs. Elle n'était pas dépensière, elle ne m'a jamais rien demandé, sauf pour son coiffeur ou des babioles. Restaient une feuille de papier pliée en quatre, son briquet Dupont, ses cigarettes mentholées, son alliance, une photo d'elle enfant, format identité, au dos de laquelle quelqu'un avait écrit : *La plus mignonne,* d'une encre bleue qui

s'était fanée. J'ai pensé que c'était son père ou sa mère.
Son père, plutôt, parce que les femmes n'ont pas ce
genre d'écriture.

J'ai déplié la feuille de papier. C'était celle d'un bloc
publicitaire Total que j'avais ramené du garage et qui
était rangé dans le buffet, en bas. Sur deux lignes, avec
application et tant de fautes d'orthographe que c'était
à croire qu'elle le faisait exprès, Elle avait écrit :

> *Alors, Ducon, qu'est-ce que tu as gagné*
> *à fouiller dans mon sac ?*

Je n'ai pas ri, je n'ai pas trouvé que c'était drôle. Au
contraire. Je l'ai imaginée devant la table de la cuisine,
en train de tracer ces deux lignes au stylo-bille,
pendant que j'étais au cellier pour lui ramener sa
baignoire. C'était le seul moment où je l'avais laissée
seule. Si elle savait déjà que je fouillerais dans son sac,
elle avait pu en sortir ce qu'elle ne voulait pas que j'y
trouve. De toute façon, même si elle s'arrangeait pour
ne jamais rien garder avec elle que je ne devais pas
voir, et même si ce mot avait été écrit bien avant et
restait en permanence dans son sac, son idée montrait
qu'elle se méfiait de moi. Quand on se méfie, c'est
qu'on a peur, d'une manière ou d'autre. Ou alors, elle
voulait justement que je m'inquiète, elle titillait un
nerf, mais pourquoi ?

J'ai remis ses affaires en place et je me suis couché.
Quand elle est entrée dans la chambre, nue et le visage
lisse, je ne l'avais pas entendue monter l'escalier. Elle a
étalé sa serviette-éponge sur l'appui de la fenêtre
ouverte, sa culotte lavée dessus et elle est venue

s'allonger près de moi. Nous sommes restés longtemps côte à côte, sans parler. Puis elle a tendu le bras et elle a éteint la lampe. Dans le noir, elle m'a dit : « Ma joue me cuit encore. Tu m'as frappée fort. » Je n'ai pas répondu. Elle m'a dit : « Si quelqu'un voulait me frapper comme ça, tu me défendrais ? » Je n'ai pas répondu. Un moment après, elle a soupiré — un vrai soupir — et elle m'a dit : « Je suis sûre que tu me défendrais. Sinon, tu ne m'aimerais pas. » Elle a cherché ma main et elle l'a placée entre ses cuisses, pour avoir bon moral. Ensuite, elle s'est endormie.

J'ai commencé à travailler tout de travers, le lendemain, comme je n'ai plus cessé de le faire. Si Henri IV l'a remarqué, il n'a rien dit. Je reprenais chaque fois ce que j'avais oublié de faire ou mal fait, mais je n'avais qu'Elle en tête, et ce qu'elle pouvait me cacher.

Dans l'après-midi, c'était plus fort que moi, j'ai tout laissé en plan, je suis allé dans la 2 CV jusqu'à la maison. Elle n'y était pas. Cognata m'a dit : « Elle est sûrement allée prendre son bain de soleil. Elle a quand même le droit de bouger un peu. » J'ai couru jusqu'à la tente, en bas de la prairie, mais elle était vide, encore une fois. J'ai marché le long de la rivière jusqu'à *Palm Beach*. Il n'y avait personne. Je suis revenu au garage à pied, par le chemin qui arrive au cimetière. En passant, je me suis arrêté devant la maison d'Eva Braun. Je n'ai pas osé aller demander si Elle était là.

Je dois dire quelque chose dont j'ai honte, pour qu'on me comprenne. La nuit du mariage, quand elle a été endormie, je me suis levé pour examiner sa robe blanche. J'ai découvert des taches de résine dans le dos. Elle s'était appuyée, à un moment ou à un autre, contre un sapin. Je me suis rappelé ce Portugais dont elle m'avait parlé, le premier soir, à l'*Auberge des Deux-Ponts,* et qui l'avait embrassée contre un arbre. Je me suis recouché. J'ai réfléchi longtemps, comme un imbécile. Elle n'avait pas fait attention à sa robe parce qu'elle était encore sous le coup de la scène avec son père, c'était l'évidence. Mais je l'imaginais quand même contre un arbre avec quelqu'un. Dans sa robe de mariée. Quelqu'un qui lui aurait dit : « Je veux te voir le jour de ton mariage. » Et elle aurait dit oui, elle y serait allée. Je suis encore plus Pin-Pon qu'on le croit, quelquefois.

Le soir de ce mercredi, comme d'habitude, je devais descendre à la caserne, en ville. Je suis allé reprendre la 2 CV à la maison, et Elle n'était toujours pas rentrée. Notre mère m'a dit, sans me regarder : « Si tu commences à te torturer, tu n'as pas fini. » J'ai crié : « Quoi ? Qu'est-ce que tu veux dire ? » Elle a répondu, le sang retiré de son visage : « Ne me parle pas sur ce ton. Si ton père était encore là, même à ton âge, tu ne le ferais pas. » Elle a compris que je regrettais d'avoir crié, elle m'a dit : « Mon pauvre petit. Demande-lui, maintenant, la layette qu'elle tricotait. Demande-la-lui. » J'ai vu dans ses yeux qu'elle était sans haine contre Elle, qu'elle avait seulement pitié de moi. Je suis sorti avec mon casque, je suis monté dans la voiture. J'ai attendu un bon moment avant de mettre le moteur en route. J'espérais la voir brusquement revenir. Finalement, j'ai roulé jusqu'à la caserne.

Il devait être huit heures quand j'y suis arrivé. Elle était là. Il y avait une demi-douzaine de pompiers avec elle. Ils la faisaient sauter en l'air comme une crêpe, jupe soulevée par-dessus la taille, sur une toile retrouvée Dieu sait où. qu'on nous a fournie dans le temps pour rattraper au vol les gens qui se jettent du sixième étage et qui n'a jamais servi, parce qu'il n'y a pas de sixième étage, ni de cinquième, et rarement de second dans notre beau pays. Elle poussait des cris à effrayer toute la ville, elle riait comme si c'était un rêve, et ils la faisaient rebondir, en riant presque aussi fort qu'elle et en répétant tous en chœur : « Et hop! Et hop! » Croyez-moi, il était fier de sa femme, Pin-Pon. Quand ils l'ont posée par terre, soudain gênés, Renucci m'a dit : « Écoute, on ne faisait rien de mal. » Je lui aurais volontiers craché à la figure.

Je ne suis pas resté avec eux. Je l'ai ramenée à la maison. J'ai doublé le camion jaune de Mickey dans la montée du col. Il a klaxonné mais je n'avais pas l'esprit à lui répondre. Elle lui a fait des signes par la portière, avec la main. Elle m'a dit : « Allez, c'est fini. Ne sois pas comme ça. » J'ai répondu : « J'en ai marre que tous mes copains voient le cul de ma femme. » Elle s'est renfermée sur elle-même, l'épaule contre la portière, et on n'a plus parlé jusqu'au dîner.

A table, on était tous les six, et elle ne mangeait pas. Notre mère lui a dit : « Je vais finir par croire que c'est ma cuisine qui ne te plaît pas. » Elle a répondu :

« Vous avez gagné un porte-clefs. J'aime mieux celle de ma mère. » Bou-Bou a ri, et Mickey aussi. Notre mère n'a pas fait une histoire, ni Cognata, qui n'avait rien compris, et qui a tapé doucement sur la main de la petite, avec son sourire de gâteuse. Moi, j'ai dit : « Au fait, on ne te voit plus beaucoup tricoter. » Elle ne m'a pas répondu. Elle a regardé notre mère. Ensuite, elle a lancé à Bou-Bou : « Tu devrais me passer un peu de ton appétit, moi j'ai autre chose à te donner en échange. » J'ai demandé : « Quoi ? Qu'est-ce que tu as à lui donner ? » Tout le monde sentait que je m'énervais et me regardait. Elle a remué la nourriture dans son assiette, l'air de chercher une mouche dedans, et elle a répondu, un peu plus bas — je sentais qu'elle faisait la forte mais qu'elle avait peur de recevoir la même que la veille sur la route : « Un peu de ce que tu n'aimes pas que tes copains voient. » Comme rien n'arrivait, elle a ajouté : « J'ai pris un kilo, depuis que je suis ici. Tout dans le derrière. Après, ta mère m'attrape parce que je ne mange pas. » Bou-Bou et Mickey se sont mis à rire. Moi, j'ai pensé seulement qu'elle n'avait pas répondu quand je lui avais parlé de sa layette.

J'ai attendu d'être seul avec elle dans la chambre pour lui poser la question une seconde fois. Elle a fini de se déshabiller, elle m'a dit, sans me regarder : « Je suis minable, pour le tricot. C'est mieux d'acheter tout fait. » Elle a rangé sa jupe et j'ai surpris son air, dans la glace, quand elle a refermé l'armoire. L'air de me prendre pour ce que j'étais. J'ai dit, en me contenant : « Tu crois que c'est indiqué, pour une femme enceinte, de faire la folle comme ce soir, à la caserne ? » Elle n'a

pas répondu. Elle a soufflé droit devant elle. Elle a
enfilé son peignoir blanc et s'est mis à laver sa culotte
dans la bassine en faïence qui nous servait de lavabo.
Elle lavait toujours sa culotte sitôt enlevée, ou son
collant, les rares fois où je l'ai vue en porter un : quand
elle mettait sa robe noire pour sortir, elle trouvait que
c'était plus chic. J'ai dit, la gorge sèche : « C'est une
invention, ce bébé ? Réponds-moi. » Elle s'est arrêtée
un instant, sans se retourner, mais elle a juste penché
la tête de côté, elle n'a pas répondu davantage. J'ai fait
les deux pas qui me séparaient d'elle et je l'ai frappée,
la main ouverte.

Elle a crié tout de suite, en essayant de rattraper son
équilibre, et je l'ai frappée encore, mais les coups
tombaient sur le haut de sa tête ou sur les bras. Je
criais aussi. Je ne sais plus ce que je lui disais. De me
répondre, c'est peut-être tout. Ou que c'était une
salope, qu'elle n'avait pas besoin d'inventer une chose
pareille pour qu'on se marie. Mes frères, qu'on avait
laissés en bas, sont entrés soudain dans la chambre et
ils m'ont agrippé et tiré en arrière. Je voulais revenir
sur elle et l'obliger à parler, j'ai envoyé Bou-Bou loin
de moi, et c'est notre mère, livide, qui m'a agrippé à
son tour. Mickey répétait : « Fais pas le con, merde !
Fais pas le con ! »

Elle était à genoux au milieu de la chambre, la tête
dans ses bras, elle pleurait avec des sanglots qui
étaient comme des frissons de tout le corps. Quand j'ai
vu qu'il y avait du sang sur mes mains et sur son
peignoir, ma colère est tombée brusquement, je me
suis senti vidé de mes forces. Bou-Bou s'est agenouillé
devant elle pour lui faire lever la tête. Elle a compris

que c'était lui et elle s'est accrochée à son cou en continuant de trembler et de pleurer. On a vu que le sang lui barbouillait toute la figure.

Notre mère s'est emparée d'une serviette, qu'elle a trempée dans l'eau et elle nous a dit : « Sortez, laissez-moi. » Mais il n'y a rien eu à faire pour qu'Elle lâche Bou-Bou. Elle s'est remise à crier, en le serrant contre elle encore plus fort. Finalement, elle est restée accrochée à lui pendant que notre mère nettoyait son visage, et elle me regardait fixement, les yeux agrandis et pleins de larmes. Il y avait de l'étonnement et une sorte de supplication enfantine, dedans, mais pas de rancune comme on aurait pu s'y attendre. Elle saignait du nez, elle avait une pommette enflée, et des sanglots rentrés lui coupaient la respiration. Notre mère lui disait : « Là, là. C'est fini. Calme-toi. » Mickey m'a pris par le bras et je l'ai suivi hors de la chambre.

Un long moment plus tard, notre mère est descendue nous rejoindre dans la cuisine. Elle nous a dit : « Elle ne veut pas que Bou-Bou s'en aille. » Elle s'est assise devant la table, en face de moi, et elle a pris sa tête dans ses mains. Elle a dit : « Toi qui étais le plus calme et le plus gentil. Je ne te reconnais plus. Je ne te reconnais plus. » Elle a essuyé ses yeux et m'a regardé. Elle m'a dit : « Tu l'as tapée n'importe où, même sur la poitrine. » Je ne pouvais pas lui répondre. Mickey a dit pour moi : « Il ne savait plus ce qu'il faisait. » Elle a répliqué : « Justement », et elle a repris sa tête dans ses mains.

On est resté tous les trois immobiles très longtemps. Cognata était couchée. On entendait un bruit de conversation à l'étage, mais sans distinguer les mots.

Ensuite, Bou-Bou est descendu. Sa chemise était tachée de sang. Il m'a dit : « Elle ne veut pas coucher dans votre chambre, cette nuit. Je vais lui laisser la mienne et je dormirai avec toi. » Il est allé remplir un verre d'eau et il est remonté. Nous l'avons entendu la conduire dans sa chambre, ils ont dû parler encore, et puis il est descendu à nouveau. Je lui ai demandé si elle était calmée, il a haussé les épaules. Il m'a regardé une seconde et il m'a dit : « C'est toi qui ferais bien de te calmer. » Il était très secoué par ce qu'il venait de vivre, avec des traits creusés, un teint qu'on devinait blafard sous son hâle. Il est sorti dans la cour sans ajouter un mot.

Je ne me suis endormi qu'au matin. Bou-Bou respirait régulièrement à côté de moi. J'attendais dans le noir que les heures passent. Et puis, j'ai dormi un peu. C'est tout ce que je me rappelle de cette nuit. Mes idées allaient dans tous les sens. Je la revoyais, barbouillée de sang, s'accrocher à mon frère. J'avais peur, après ce que m'avait dit notre mère, de lui avoir donné un coup grave, dont elle garderait la trace. Je la revoyais se mettre à laver sa culotte. Elle n'avait pas enlevé son alliance pour plonger les mains dans l'eau savonneuse. Du coup, l'explication qu'elle m'avait donnée la veille, quand j'avais remarqué qu'elle ne l'avait pas au doigt, que valait-elle ? Son visage surpris dans la glace de l'armoire. L'air de se dire : « Pauvre con. » Mon arrivée à la caserne, pour la trouver en train de rebondir sur la toile. Ce dimanche de soleil, tout au début, où j'étais au comptoir d'un tabac, avec Tessari et d'autres types, et que nous regardions son corps en transparence, sous sa robe de nylon. Ce que m'avait raconté Tessari, ce matin-là. Ce que m'avait raconté Georges Massigne, une nuit de printemps, assis sur la place du village, alors que tous les jeunes s'étaient endormis dans le camion.

Je me suis levé, je suis descendu faire ma toilette dans la cuisine. Notre mère était déjà debout. Elle m'a préparé mon café comme d'habitude. Nous n'avons rien dit, sauf moi, en partant : « A tout à l'heure. » J'ai marché jusqu'au garage et travaillé toute la matinée avec les mêmes idées confuses dans la tête.

A midi, quand je suis revenu à la maison, elle n'était pas sortie de la chambre de Bou-Bou. Il était monté la voir un peu plus tôt. Il m'a dit : « Sois gentil. Laisse-la, pour le moment. » Je lui ai demandé si elle était beaucoup marquée. Il m'a répondu : « Une boursouflure sur la joue. » Nous avons déjeuné sans elle et je suis reparti au garage.

Le soir, vers sept heures, elle était dans la cour, en jean et en polo, elle faisait une partie de boules avec Bou-Bou. Je me suis approché. Elle m'a souri gentiment, d'un sourire terrible à voir, à cause de sa joue enflée. Elle m'a dit : « C'est pas demain que tu pourras me prendre pour partenaire. Je reste toujours à zéro. » Elle a essuyé ses mains l'une contre l'autre et elle m'a laissé l'embrasser en murmurant : « Fais gaffe, ça fait drôlement mal quand on appuie. » Ensuite, elle a repris ses boules et j'ai joué une partie avec eux. Je croisais moins son regard que d'habitude, mais c'est tout.

Elle a réintégré notre chambre, cette nuit-là, et nous sommes restés longtemps étendus côte à côte, sans bouger, dans le noir. Elle s'est mise à pleurer, presque sans bruit. J'ai dit, sincère : « Je te promets que je ne te frapperai plus jamais, quoi qu'il arrive. » Elle m'a répondu, après s'être essuyée avec le drap : « Je voulais rester avec toi. Tout le monde me faisait comprendre que tu me laisserais, quand tu n'aurais plus envie. C'est pour ça. » Nous parlions par murmures. Sa voix était un souffle, j'entendais à peine les mots. Je lui ai dit que ça m'était égal de ne pas avoir d'enfant, qu'au contraire je n'en voulais pas entre elle et moi, pas tout de suite. Mais j'avais peur qu'elle me cache quelque chose, ou quelqu'un, ça me rendait fou. Elle est restée à nouveau silencieuse, peut-être une minute, peut-être plus. Et puis, elle a mis ses bras autour de moi, dans l'obscurité, elle a posé sa joue intacte sur ma poitrine, et elle a murmuré : « Si je te cache quelque chose, ce n'est pas du tout ce que tu crois. C'est un ennui qui n'a rien à voir avec toi et que je ne peux pas te dire, pas maintenant. Dans quelques jours, je serai fixée. Si je dois te le dire, je te le dirai. »

Elle a senti que je tendais le bras pour rallumer la lampe, sur la table de nuit, et elle m'a retenu, en disant : « Non, s'il te plaît. » Je lui ai demandé dans le noir si c'était un ennui qui concernait sa santé — la première chose qui me venait à l'esprit — ou peut-être sa mésentente avec son père, mais elle a murmuré : « Je t'en prie. Ne me pose pas de question. Puisque je t'aime. »

Je crois que je suis plus ou moins comme tout le monde, et nous sommes de drôles d'animaux. Je me sentais comme libéré d'un poids, même si ce qu'elle attendait, « pour être fixée », était le résultat d'une analyse de sang ou d'une tumeur maligne, ou pire encore. Oui, je n'étais pas fier de moi, mais c'est vrai. Libéré. J'ai chuchoté : « D'accord. » Je l'ai embrassée dans les cheveux. J'avais beaucoup de sommeil en retard et je me suis endormi.

Notre mère m'a réveillé alors que le jour se levait à peine. Elle m'a dit que la Renault rouge de la caserne était dans la cour et que Massard m'attendait. Le feu avait repris au-dessus de Grasse. Je me suis habillé en vitesse et j'y suis allé. Dans la soirée, d'une voiture de la préfecture, j'ai pu donner un coup de fil à Henri IV pour prévenir que je ne pourrais pas rentrer, qu'on était battu sur des kilomètres. Il m'a dit qu'on avait montré l'incendie à la télé, que je fasse attention.

Je suis revenu au village le samedi soir, un peu avant la nuit, toujours transbahuté par Massard. Elle est restée près de moi pendant que je prenais ma douche, à côté de la source. Elle avait encore un bleu sur sa pommette, mais il virait au brun et se confondait presque avec la couleur de sa peau. Ou elle l'avait bien maquillé, je ne sais pas. Je l'ai trouvée triste, mais elle a répondu : « Je me suis fait du souci. Et puis, je suis toujours comme ça quand la nuit tombe. »

Il y avait eu un soleil d'Afrique, toute la journée, et l'air était chaud et sec, mais pour moi, après la fournaise dont je sortais, c'était un air doux et vivifiant. Elle était en bikini rouge, celui que je lui avais acheté pour son anniversaire, sans plaisir parce que ce n'était qu'un bout de tissu qui en montrait plus qu'il ne cachait, mais ce soir-là il ne faisait que rendre plus impatiente l'envie que j'avais d'elle. Je lui ai dit de venir derrière le rideau de la douche, avec moi, comme elle l'avait fait un autre soir, mais elle n'a pas voulu, sauf pour se mouiller en vitesse et ressortir.

On a dîné dehors, les garçons également en maillot de bain, et notre mère avait fait la polenta. Personne n'avait très faim, à cause de la chaleur. Par contre, on remplissait les verres à peine reposés sur la table, et j'ai dû raisonner Mickey qui courait le lendemain. Il disait : « Si je suis rond, je roulerai plus vite. » En vérité, il avait vraiment le moral pour cette course, il était sûr de gagner. Il y avait une belle bosse, sur le circuit, et il n'a rien de trop comme grimpeur, mais il se sentait capable de recoller vingt fois de suite à l'avant dans la descente et d'emballer un faux sprint, de très loin, pour leur casser les jambes à tous, et de fuser comme un bouchon de champagne cinquante mètres avant la ligne. Enfin, on finissait par y croire, on était bien. Notre mère avait dû avoir une explication avec Elle, pendant mon absence, et qui s'était bien terminée car elle lui parlait un peu sur le même ton que Cognata, en disant « ma petite ». Même pour lui faire remarquer que son bikini ne couvrait pas la moitié de ce que le Bon Dieu lui avait donné, elle a ri, elle l'a gratifiée d'une petite tape indulgente sur le derrière.

On est resté un moment dehors, dans la nuit, assis autour de la table qu'Elle avait aidé, même si c'est incroyable, à débarrasser. Mickey parlait de Merckx avec Bou-Bou, qui prétend toujours que son règne est fini, que Maertens va éclater, c'était toute une histoire. Elle était à côté de moi, j'avais un bras autour de sa taille. Sa peau était brûlante. Elle s'est mêlée un moment à la conversation pour se faire expliquer qui

était Fausto Coppi, parce que Bou-Bou et moi, par
sentimentalité peut-être, en souvenir de notre père, on
ne manque jamais une occasion d'attaquer Mickey là-
dessus et de dire que c'était lui, le plus grand. Mickey
s'est lancé comme toujours dans l'énumération complète des victoires d'Eddy Merckx, depuis sa première
course amateur. Personne ne peut contester qu'il faut
quatre heures pour arriver au bout et nous sommes
montés nous coucher.

J'ai fait pour la dernière fois l'amour avec Elle cette
nuit-là. Et quelque chose, déjà, était cassé. Je ne le
savais pas encore, bien sûr, je pensais seulement que
notre dispute était trop récente, qu'il lui fallait oublier
que je l'avais battue. Elle gémissait, dans mes bras,
docile à ce que je voulais, mais je la sentais inquiète, et
préoccupée, et quand enfin le plaisir lui est venu, au
bout d'un long, long tunnel pour l'atteindre, elle n'a
pas crié, ni gémi plus fort, elle a juste pressé son visage
transpirant contre mon épaule, les bras autour de mon
cou, avec une douceur triste, enfantine, comme si
justement elle savait, elle, que c'était la dernière fois.

Le lendemain, on a déjeuné dans une brasserie du
boulevard Gassendi, à Digne, pendant que Mickey
rejoignait les autres concurrents au départ, une heure
avant la course. Avec Elle et moi, il y avait Bou-Bou,
Georgette, et le petit frère de Georgette — dix ans et
fana de Poulidor. On était près d'une vitre, on voyait

les gens qui commençaient à s'agglutiner devant les barrières en métal, le long du trottoir. Il y avait beaucoup de banderoles publicitaires et des supporters promenaient sur leurs bonnets en papier le nom d'un coureur de Digne, Tarrazi. Il y avait une fanfare aussi, qu'on entendait par les portes ouvertes, et beaucoup de conversations.

Elle avait mis sa robe d'été blanche. On ne voyait plus que je l'avais frappée. Elle avait l'air contente d'être là et que Bou-Bou la plaisante et se fasse pardonner en disant qu'elle était la plus belle, et même de discuter avec le petit frère de Georgette.

Au dessert, je les ai laissés à table et je suis allé assister Mickey pour le départ de la course. J'ai vérifié une dernière fois son vélo et ses roues de rechange dans la camionnette des individuels. Au coup de pistolet, il s'est placé en danseuse, bien tranquille, au milieu du peloton. J'ai suivi un instant des yeux son maillot rouge et blanc puis j'ai descendu à pied le boulevard, à travers la foule, pour retourner à la brasserie. J'ai eu juste le temps d'avaler une glace qu'on annonçait déjà le premier passage des coureurs et le premier sprint.

On a foncé sur le trottoir, Bou-Bou et moi, et on a vu que Mickey se tenait dans le peloton, à côté de Deuffidel, de Majorque et du Toulonnais qui avait gagné la course à Puget-Théniers, quinze jours avant. Il avait l'air d'un pacha. Bou-Bou était déçu qu'il ne dispute pas le premier sprint, pour avoir la prime, mais je lui ai dit qu'il en restait dix-neuf et que, de toute manière, c'est le dernier qui compte.

Il leur fallait autour de dix minutes pour boucler le circuit. Au second passage, on était encore à table. On

a recommencé, avec Bou-Bou, à jouer des coudes pour
atteindre les barrières. Mickey s'abritait toujours
derrière ses trois zigotos, le coup de pédale facile, les
mains en haut du guidon. Au moins pour le début, il
n'avait pas cette figure ricanante qu'il prend après une
grimpette qui l'a fait souffrir. J'ai dit à Bou-Bou : « On
va gagner, tu vas voir. » Je l'ai dit aussi à Elle, en
revenant dans la salle. Elle m'a répondu : « Je veux. »
Je revois son visage. Elle n'était plus, pour beaucoup
de raisons, celle que j'avais connue au *Bing-Bang*,
moins de trois mois avant, mais j'ai ressenti un peu la
même chose qu'à ce moment-là. Je ne sais pas bien
expliquer. Elle avait à nouveau ce que j'ai toujours
aimé chez les enfants. Ils posent sur vous des yeux sans
calcul et sans méfiance, ils savent d'emblée qui vous
êtes et que vous les aimez. En général, ils s'en fichent.
Ou alors, c'est moi qui était redevenu, à ses yeux, celui
avec qui elle avait dansé la première fois, un dimanche
de mai. Je ne sais pas. Je comprends certaines choses,
à présent, mais pas tout.

Dans l'après-midi, on s'est mêlé à la foule, place de
la Libération, pour voir les passages des coureurs sur
la ligne et notre Mickey qui, à partir du huitième ou
neuvième tour, gagnait tous les sprints. Il déboulait
chaque fois, sur la droite ou sur la gauche, en partant
derrière Tarrazi qui va vite, et il le remontait dans les
derniers mètres, comme un chat. Les haut-parleurs
n'arrêtaient plus de répercuter tout au long du boulevard : « Premier, Michel Montecciari, Alpes-Maritimes, dossard 51 » et les primes qu'il gagnait, offertes
par les magasins de la ville. Ou de nous annoncer,
entre deux passages, qu'il était lâché en haut de la

côte, et qu'il n'avait pas rejoint dans la descente, des sottises pour dramatiser la course, mais on pouvait en être sûr, quand les premiers coureurs viraient au rond-point, très loin, sous les banderoles, le maillot rouge et blanc de Mickey était juste derrière le maillot vert de Tarrazi et tous les gens de Digne, autour de nous, se mettaient à gueuler que mon frère était un fumier d'embobineur : « Vous allez voir, il va encore lui faire le même coup ! » C'est en me disputant avec des types, après un sprint exactement comme les autres, sauf que leur Tarrazi avait essayé de retenir mon frère par le maillot, que je n'ai pas fait attention à Elle et que je l'ai perdue dans la foule.

Je l'ai cherchée un moment, et Bou-Bou aussi. Georgette, elle, était partie acheter une glace pour son petit frère et ça n'arrangeait pas les choses, parce que j'avais peur, en plus, d'égarer le marmot. Quand Georgette est revenue, les coureurs arrivaient au rond-point pour la quinzième fois, elle m'a dit : « Elle a dû aller aux toilettes dans un bistrot. Elle n'a plus quatre ans, quand même. » On a regardé Mickey grimacer, régler tout le monde en force et se relever, mission accomplie, pour se remettre dans la roue des autres et souffler un peu. J'ai eu le sentiment fugitif qu'il le prenait à son aise et que ce serait le moment rêvé, quand il venait de gagner un sprint, pour le contrer et partir loin devant, mais c'était une idée désagréable, je n'y ai plus pensé.

J'ai marché à travers la foule jusqu'en bas du boulevard, en jetant un coup d'œil dans les cafés. Elle n'était nulle part. Après des palabres sans fin avec le service d'ordre, j'ai pu traverser la chaussée en courant et remonter l'autre trottoir jusqu'à la place de la Libération. J'étais trop préoccupé pour suivre la course, je n'écoutais même pas ce que déversaient sur nous les haut-parleurs.

Quand j'ai rejoint Georgette, elle m'a appris que c'était le dix-huitième tour et que Mickey, comme le reste du peloton, était lâché. Après avoir gagné le seizième sprint, il s'était relevé pour se reposer, tout content de lui, et trois coureurs, dont celui qui avait gagné à Puget, Arabedian, en avaient profité pour appuyer sur les pédales et mettre les voiles. Je me faisais du souci à cause d'Elle, et cela m'a déprimé un peu plus. Bou-Bou n'était pas là. Il devait continuer à la chercher. J'ai dit à Georgette : « Ils vont revenir », mais je ne savais plus, au fond, si je parlais de Mickey et du peloton, ou d'Elle et de Bou-Bou. Georgette m'a répondu : « Personne ne veut mener, alors c'est Mickey qui s'appuie tout le travail. »

En effet, Arabedian et ses deux compères ont passé la ligne à la fin du dix-huitième tour, et Mickey, entraînant le peloton, était à plus de quarante secondes derrière. Il avait ce rictus imbécile qu'on lui voit toujours quand il n'en peut plus, et son maillot était trempé. J'ai crié, en courant le long de la chaussée — il m'a entendu, il me l'a dit plus tard —, mais il n'a pas réagi. Pour ceux qui ne le connaissaient pas, il avait l'air de rigoler et de s'en foutre, mais il était fait comme un rat.

A un moment, j'ai vu que Bou-Bou nous avait rejoints, au milieu des gens. Il était décomposé. Je lui ai demandé : « Tu as vu Elle ? » Il a secoué la tête, il ne m'a même pas regardé. J'ai pensé qu'il était décomposé à cause de Mickey. Maintenant, je sais bien ce que je raconte. Je raconte exactement ce qui s'est passé sans me faire plus intelligent que je ne l'étais à ce moment-là. J'ai dit à Bou-Bou, mon frère : « Je peux avoir huit cents francs sur le vélo qu'on doit donner au gagnant. Si Mickey ne s'entend pas avec une locomotive, il ne reviendra plus. » Bou-Bou a fait oui de la tête, mais il ne m'écoutait pas vraiment. Un peu après, les haut-parleurs ont annoncé que Mickey et Spaletto, un pistard de Marseille, avaient quitté le peloton et chassaient derrière Arabedian. Tout le monde a poussé des hurlements et Georgette m'a embrassé avec des rires, et c'est alors que je l'ai vue, Elle.

De l'autre côté de la place, au bord d'un trottoir, elle était comme une somnambule — oui, une somnambule, c'est la première pensée qui m'est venue. Elle marchait et s'arrêtait et repartait en s'écartant des gens qui étaient sur son passage. Elle regardait par terre. J'ai compris par tous les atomes que j'ai dans le corps qu'elle ne savait pas où elle était, ni ce qu'elle faisait, qu'elle était perdue. Je l'ai compris, je vous le jure, et elle était pourtant à plus de cent pas de moi, juste une silhouette en robe blanche, si petite, si seule, et j'ai bousculé ceux qui étaient devant moi, et j'ai couru à travers la chaussée sous les coups de sifflet d'un agent, en criant : « Éliane ! »

Quand je l'ai attrapée par un bras et retournée vers moi, ses yeux pleins de larmes étaient encore plus grands et plus pâles que je les avais jamais vus. J'ai dit : « Mais qu'est-ce qui t'arrive ? » Elle a remué à peine ses lourds cheveux noirs, elle m'a répondu d'une

voix méconnaissable : « J'ai mal derrière ma tête, j'ai
mal » Je l'ai conduite, docile, loin de la foule, dans
une petite rue où nous nous sommes assis sur une
marche, à l'entrée d'un immeuble. Je lui ai dit :
« Reste tranquille. Ne bouge pas. » Elle a répété :
« J'ai mal derrière ma tête. » Deux rides profondes,
que je ne lui connaissais pas, creusaient son visage
depuis les ailes du nez jusqu'au-dessous des lèvres, et
ses yeux étaient larges et vides, il n'y avait plus aucune
vie dedans. Elle était comme stupéfiée.

Je l'ai gardée contre moi, entourée de mon bras,
pendant un long moment. J'entendais les cris sur la
place, au passage des coureurs. J'entendais les haut-
parleurs. Je n'entendais rien. Je n'osais plus bouger, ni
rien faire, je la sentais inerte et loin de tout. Elle
aspirait l'air par la bouche, comme c'était son habitude sous le coup d'une émotion, mais ce n'était pas
tout à fait pareil, elle était sans émotion, elle regardait
droit devant elle, sans rien voir, et sa respiration par la
bouche était régulière, presque naturelle.

Quand elle a remué enfin et s'est détachée de moi,
elle a murmuré : « Ça va, maintenant. Ça va. » Je ne
voulais pas l'interroger tout de suite sur ce qui s'était
passé, je me suis contenté de l'aider à se relever. J'ai
épousseté sa robe. Je lui ai demandé si elle voulait
boire quelque chose. Elle a répondu non d'un signe de
tête. Elle m'a regardé. J'ai vu à nouveau des larmes
affluer dans ses yeux clairs. Et puis, elle a pris ma main
et nous sommes revenus vers la foule.

La course était finie et Mickey avait gagné. Georgette et son petit frère sautaient sur place, les poings
serrés, en criant. Ils étaient trop à leur joie pour faire

attention à nous. Bou-Bou, lui, a eu un sourire de soulagement en voyant qu'Elle m'accompagnait. Il m'a dit ensuite : « Mickey veut que tu saches que Spaletto est un type de parole. »

Je suis allé discuter avec le marchand de cycles qui offrait un vélo de course au vainqueur. Il m'a emmené dans un café, il m'a donné huit cents francs à la place. J'ai retrouvé Spaletto, après bien des détours dans la cohue, et j'ai partagé. Elle et Bou-Bou me suivaient partout comme mon ombre. Je voyais qu'elle avait des frissons, par instants, mais elle semblait contente que Mickey ait gagné, elle souriait en entendant le nom des Montecciari dans les haut-parleurs. Bou-Bou la tenait par la main, comme moi un peu plus tôt. Il semblait content lui aussi, mais je connais mes frères, il était soucieux et triste quand il la regardait à son insu.

Nous sommes revenus au village dans la DS du patron, sans Mickey, qui était invité à dîner par les organisateurs, et sans Georgette, évidemment. En route, nous n'avons parlé que de la course. J'ai laissé le petit frère de Georgette en ville, devant la porte de ses parents, et nous n'étions plus que nous trois dans la montée du col, quand elle a voulu s'arrêter pour vomir. Je l'ai accompagnée jusqu'au talus, mais elle a fait des gestes du bras pour que je m'éloigne. Je suis revenu à la voiture. J'ai dit à Bou-Bou : « C'est une insolation. Sûrement. » Il a bougé la tête pour me donner raison, mais il n'a pas répondu. Elle est remontée dans la voiture, le visage défait, sans un mot. Elle a fait juste un mouvement des doigts pour me dire de me remettre en route, qu'elle avait hâte de rentrer.

En arrivant devant chez nous, elle a murmuré :

« Non. Chez ma mère. » J'ai senti, et Bou-Bou aussi, qu'elle ne pourrait pas en dire plus, qu'elle allait vomir à nouveau ou s'évanouir ou quelque chose. J'ai traversé le village. Des gens étaient encore assis à la terrasse de Brochard. Je suis entré dans la cour d'Eva Braun et quand je me suis arrêté devant la porte de la maison, le soleil nous a frappés de face, éblouissant, entre deux crêtes. Je l'ai aidée à descendre. Sa mère, en la voyant, n'a rien dit, mais le sang s'est retiré de sa figure.

Dans leur cuisine, assise sur les genoux d'Eva Braun, Elle est restée immobile très longtemps, sans prononcer un mot. Le vieux, là-haut, criait comme un abruti et j'ai crié aussi, à travers le plafond, pour qu'il se taise. Bou-Bou m'a pris par le bras et m'a dit : « Viens, ne restons pas là. » Je l'ai écarté, je me suis penché sur Elle, qui était accrochée à deux bras au cou de sa mère, je lui ai dit : « Éliane, parle-moi. Je t'en prie. Parle-moi. » Elle n'a rien répondu, elle n'a pas bougé. Je ne voyais rien de son visage, sous ses cheveux. Eva Braun m'a dit, de sa voix douce, avec son accent boche · « Votre frère a raison. Laissez-la ici, cette nuit. »

Enfin, voilà comment les choses se sont passées. A peu près. Qui peut dire exactement comment les choses se passent ? On ne voit que soi. Je ne voyais pas son visage. Tout occupé à essayer de le voir, je ne voyais pas celui de sa mère, celui de Bou-Bou. J'avais le sentiment que sa mère et Bou-Bou étaient contre moi — parce que je l'avais battue quelques jours plus tôt, je ne sais pas —, j'avais le sentiment d'être rejeté par Elle et par eux et par tout le monde, d'être seul, et impuissant à me faire entendre. J'ai dit à Eva Braun : « Demain nous parlerons. » J'ai touché les cheveux d'Elle, très doucement, et je suis sorti.

Chez nous, ce soir-là, je suis resté assis dehors, dans l'obscurité, jusqu'au retour de Mickey. Une voiture l'a déposé au portail. Je l'ai appelé, comme il traversait la cour, et il est venu s'asseoir près de moi. Je lui ai raconté ce qui s'était passé. Il m'a dit : « Elle est déprimée, depuis sa dispute avec son père. Et puis, il y a eu la vôtre, de dispute. Et ce soleil, tout l'après-midi. Le bitume fondait, j'en sais quelque chose. » Je lui ai demandé comment était son dîner. Il m'a répondu : « Pas mal. » Beaucoup de gens lui conseillaient de passer professionnel. Il m'a dit : « J'ai encore tout l'été pour réfléchir. » En fait, il n'avait guère envie de parler de lui.

On a gardé le silence un bon moment, l'un à côté de l'autre, puis il est allé chercher une bouteille et deux verres dans la cuisine. Pendant qu'on buvait, il m'a dit : « Ce qui la tracasse, je n'en sais rien, mais elle finira par te mettre au courant. Ce dont je suis sûr, c'est qu'elle n'a rien à se reprocher depuis qu'elle te connaît. » J'ai fait celui qui ne comprenait pas — je comprenais très bien, il avait la même idée que moi — et il m'a expliqué : « Mettons qu'elle ait connu quelqu'un avant toi, et qu'il ne veuille pas la laisser tranquille, qu'il la menace, ou quelque chose. Ce sont des choses qui arrivent. Lis les journaux. » Je lui ai dit : « Si on la menace, pourquoi elle ne m'en parlerait pas ? » Il m'a répondu : « On la menace peut-être de te faire du mal *à toi.* » Il a dit cela comme si c'était l'évidence. Je n'avais jamais envisagé la chose de cette

façon. Je la soupçonnais de plus en plus d'avoir revu
— ou été obligée de revoir — « quelqu'un qu'elle avait
connu avant moi », mais j'imaginais qu'elle l'avait fait
par un reste d'attachement sentimental, pour amortir
la peine.

Je me suis levé, j'ai marché dans la nuit de la cour.
J'ai dit à Mickey : « Dans ce cas, elle a rencontré ce
type à Digne, cet après-midi. Et mardi dernier, quand
elle est allée soi-disant voir les magasins. Il doit
habiter Digne. » Dans l'air frais qui descendait sur
nous entre les montagnes, je sentais mon front en
sueur. Mickey m'a dit : « Écoute, c'était une supposi-
tion, rien de plus. Arrête de t'énerver. Elle te parlerait
peut-être plus volontiers si tu arrêtais de t'énerver. Au
lieu de ça, tu la tabasses. » C'était une chose incroyable que Mickey, ce teigneux, me parle de cette
manière, et pourtant, il avait raison. J'aurais voulu
être déjà au lendemain, et la prendre dans mes bras, et
lui dire qu'elle pouvait avoir confiance en moi, que je
ne m'énerverais plus.

Je ne pouvais pas bien distinguer le visage de
Mickey, assis sur le banc de pierre près de la porte, il
ne pouvait donc pas distinguer le mien. J'ai dit :
« Pauvre Mickey, va. Pour une fois que tu gagnes, on
ne te fait pas honneur. On devrait tous être en train de
fêter ça et voilà comment ça se passe. » Vous ne
devinerez jamais ce qu'il a répondu. Il a répondu :
« J'ai du vin dans mon verre. Et des courses, j'en
gagnerai d'autres. »

J'ai dormi très peu et mal, une fois encore. Si le manque de sommeil, pendant toute cette fin de juillet et le début d'août, peut expliquer certaines choses, je veux bien. J'ai regardé, au matin, mon visage dans la glace de l'armoire. Vous me voyez, je ne suis ni beau ni moche, mais je suis trop fort, je pèse trop lourd, je m'en voulais d'être ce que je suis. Je n'avais pas l'intention d'aller chez Elle — chez sa mère — avant midi ou une heure. Je voulais la retrouver reposée, parler tranquillement avec elle, lui redonner confiance. Et j'avais ce mari en face de moi, dans la glace. Trente ans passés, des muscles et de la graisse partout, quatre-vingt-sept kilos de certitude de lui déplaire. Je me suis bien lavé, bien rasé, j'ai emporté une chemise et un pantalon propres pour qu'elle ne me voie pas en bleu de travail.

J'ai fait ce qu'il y avait à faire, au garage, du mieux que j'ai pu avec toutes les idées qui me traversaient la tête. Mickey, qui rapportait en ville un chargement de bois, s'est arrêté devant les pompes vers dix heures. On est allé tous les deux prendre un café chez Brochard. On n'a pas parlé, sauf pour dire qu'il faisait chaud ou qu'on a mal fait de ravaler l'église, qu'elle était davantage une église avec la patine du temps. Je savais qu'il avait changé tout son itinéraire pour passer me voir et qu'il allait encore se faire engueuler par Ferraldo. Il est comme ça, Mickey, con comme un verre à dents mais il ne vous laisse jamais tomber.

Quand je suis arrivé chez ses parents, Elle était assise sur un pan de mur en ruine au fond de la cour,

elle portait une robe à rayures rouges que je ne lui
connaissais pas, qu'elle avait dû retrouver dans une
armoire. Elle regardait par terre, les bras le long du
corps, elle avait cet air de poupée qu'on a laissée dans
un coin. Au bruit de mes pas, sur les cailloux, elle a
tourné la tête et elle a eu un grand sourire, une détente
de tout le corps, elle a couru vers moi. Elle m'a dit,
dans mes bras : « Je t'attendais, tu sais. Je t'attends
depuis, depuis... » Elle ne pouvait pas dire depuis
quand elle m'attendait. Je riais. J'étais heureux. Elle
dressait son visage sans maquillage, sans rimmel, sans
rien, vers moi — son visage —, et elle m'a dit : « Je t'ai
fait du mal. Pardonne-moi tout, en une seule fois. Ce
n'était pas ma faute. » Je riais. Elle m'a dit : « Viens.
Ma mère va nous faire à manger. Tu vas voir. Elle
cuisine très bien. » J'avais déjà déjeuné plusieurs
dimanches chez Eva Braun, je le savais. Ce qu'elle me
disait m'a fait une impression terrible.

Elle m'a conduit par la main jusqu'à leur cuisine.
Elle m'a dit, en baissant la voix : « Ma mère est avec
mon papa, là-haut. Il est malade, tu comprends. » Elle
a vu que j'étais glacé, en la regardant et en l'écoutant,
elle est redevenue d'un coup celle que je connaissais —
à la seconde même. Les choses se sont passées telles
que je les raconte. Elle m'a dit : « Oui. Tu me crois
dingue. » Plus de sourire. Un air de déception. Elle
m'a dit : « Tu te trompes. »

Elle a sorti une bouteille d'apéritif d'un placard, un
vermouth bon marché, elle m'a servi un verre. J'ai
demandé : « Tu reviendras, ce soir ? » Elle a fait oui de
la tête, plusieurs fois. Elle s'est assise en face de moi, le
menton dans ses mains, elle m'a dit, en retrouvant une

ombre de gaieté : « Nous sommes mariés maintenant. Tu ne te débarrasseras pas de moi, tu sais. » J'ai toujours aimé son visage quand elle n'était pas maquillée. A ce moment, je l'ai aimée plus que tout, ma propre vie.

J'ai déjeuné avec Elle et Eva Braun. Elle m'a raccompagné au portail. Nous n'avions pas beaucoup parlé devant sa mère. Elle marchait à pas lents, un bras autour de mon corps, elle semblait attendrie et très douce. Je n'ai pas voulu gâcher ce moment, je me suis dit que je l'interrogerais plus tard sur ce qui s'était passé la veille, pendant cette éternité où elle avait disparu.

J'ai travaillé tout de travers encore, parce que l'heure n'avançait pas et que l'impatience me rongeait. Et puis, enfin, je m'étais lavé et changé, au fond du garage, et j'allais partir, quand on a téléphoné de la caserne pour me dire que Renucci passait me prendre, que des foyers d'incendie, une nouvelle fois, s'étaient rallumés au-dessus de Grasse. J'ai passé une main sur ma figure, en me retenant de laisser éclater la rage que je ressentais. J'ai dit : « Bon. D'accord », et j'ai raccroché.

J'ai couru la chercher chez sa mère, mais elle n'y était plus, elle m'attendait chez nous. Elle était avec Bou-Bou et Cognata, dans la cuisine. Ils faisaient un rami. Elle avait enfilé son jean et le tee-shirt trop grand sur lequel son visage était imprimé en rouge. Elle avait rassemblé ses cheveux sur le dessus de la tête, avec des épingles, mais elle ne s'était toujours pas maquillée. Je l'ai trouvée adorable ainsi, et j'avais encore plus de regrets de devoir la quitter.

Elle est montée avec moi dans notre chambre. Pendant que je me préparais, elle m'a dit : « Je ne veux pas que tu partes en te faisant du souci pour moi. Je vais bien aujourd'hui. » Je lui ai demandé ce qu'elle avait fait, la veille, à Digne, pendant presque une heure et demie. Elle m'a répondu : « Rien. Je me sentais m'évanouir, au milieu de cette foule, ou bien c'était la chaleur. J'ai voulu sortir de là un moment. Et puis, mon mal de tête est devenu si fort que je ne savais plus où j'étais. Je crois que c'est d'être restée si longtemps au soleil. » Elle me regardait en face, elle semblait dire la vérité. Je l'avais rarement entendue prononcer tant de mots à la suite, c'est tout. J'ai dit : « Oui. C'était un début d'insolation. Tu aurais dû couvrir ta tête. »

J'ai embrassé sa bouche, avant de sortir de la chambre, et la bouche de sa photo sur sa poitrine. Elle a ri. J'ai senti ses seins nus sous le tee-shirt, contre mes joues. J'ai voulu les embrasser aussi, en soulevant le tissu. Elle s'est écartée. Pour atténuer sa brusquerie, elle a dit : « S'il te plaît, ça m'ennuierait d'être obligée de me finir toute seule. » C'était une réflexion bien dans sa manière, mais je ne sais pas, je suis parti plus malheureux que jamais.

Entre le Loup et l'Esteron, à plus de mille mètres d'altitude, les collines flambaient. Il n'y avait pas de route pour les atteindre, pas d'eau à proximité, rien que le feu. C'est la sortie la plus éreintante que j'aie faite cet été. On avait appelé l'armée — ils avaient fini par prendre l'habitude d'un travail pour lequel ils ne sont pas entraînés — mais nous ne comptions, en définitive, que sur les canadairs et ils faisaient leur vaet-vient dans le massif des Maures. Nous n'avons pas pu sauver le quart de ce que le feu voulait nous prendre.

Je suis revenu au village dans la nuit du mardi. Notre mère est venue m'ouvrir, dans sa chemise de coton, et elle est restée avec moi pendant que je me lavais dans la cuisine, elle m'a servi à manger. J'ai appris qu'Elle n'avait pas prononcé dix phrases de la journée mais qu'elle n'avait pas été désagréable. Un peu absente. Dans ses rêves. Elle avait fait des réussites dans notre chambre. Elle avait aidé à repasser le linge. Pas bien, elle ne savait pas repasser. Elle était restée debout pour m'attendre jusque vers minuit. J'ai dit à notre mère : « Qu'est-ce que tu penses de tout ça ? » Elle a haussé les épaules en signe d'ignorance. Elle m'a dit : « On ne peut pas la comprendre. Hier après-midi, pendant que tu étais au garage, elle a voulu m'accompagner sur la tombe de ton père. Elle est restée une minute avec moi, peut-être moins, et elle est partie. » J'ai répondu : « Elle a voulu te faire plaisir, mais elle ne supporte pas les cimetières. Elle me l'a dit une fois. »

Quand je suis entré dans notre chambre, sans bruit, Elle dormait profondément. Elle était couchée dans sa moitié de lit, la plus près de la porte. Elle ne pouvait pas dormir du côté du cœur. Je l'ai regardée dans la lumière du couloir. Son visage de sommeil était totalement différent de celui du jour. Elle avait les joues rondes des enfants, une petite bouche gonflée. Elle respirait si doucement que j'ai dû me pencher pour entendre son souffle. Elle avait rejeté le drap. Elle était nue, les jambes repliées, sa main gauche glissée entre ses cuisses. Elle était belle et attendrissante. J'ai effleuré des doigts la toison courte et bouclée de son ventre. J'aurais voulu la réveiller à peine et la prendre, je n'ai pas osé. Sitôt couché à mon tour, la porte refermée, j'ai pensé que je n'allais jamais sur la tombe de mon père, et je me suis endormi.

J'ai ouvert les yeux très tard, et pourtant mal reposé parce que j'avais fait des rêves désagréables dont je ne me rappelais rien. Je ne me souviens jamais de mes rêves, je sais seulement s'ils étaient agréables ou non. Elle n'était plus dans le lit. J'ai regardé par la fenêtre et j'ai vu qu'elle était allongée sur le ventre, en slip de bikini rouge, près de la source, ses lunettes sur les yeux, en train de lire une vieille revue trouvée dans la grange. J'ai crié : « Ça va ? » Elle a levé la tête, en cachant ses seins d'un bras. Elle m'a répondu ˙ « Ouais. »

Je suis allé boire mon bol de café près d'elle. Elle était couchée sur une serviette de bain. Je lui ai dit : « Tu crois que tu n'es pas assez bronzée ? » Elle m'a expliqué qu'elle voulait rester bronzée tout l'hiver « Je stocke. » Elle m'a interrogé sur les incendies de la veille. Elle a voulu un peu de mon café. Ensuite, je lui ai demandé de remettre son soutien-gorge, parce que Bou-Bou sortait de la cuisine et venait vers nous, dans son boxer-short à fleurs. Elle a soufflé droit devant elle, et elle m'a dit . « Tu sais, depuis le temps que je vis avec vous, il m'a déjà vue, ton frère. » Mais elle s'est redressée, tournée vers le bac de la source, et elle a remis son soutien-gorge.

Elle m'a accompagné sur une centaine de mètres, quand je suis parti au garage. Elle sautillait, pieds nus, entre les cailloux, au bord de la route. Je lui ai demandé ce qu'elle comptait faire de sa journée. C'était le fameux mercredi 28. Elle a soulevé une épaule, en faisant la moue. Je lui ai dit : « Si tu restes au soleil comme ça, tu finiras poitrinaire. Et puis, mets un chapeau sur ta tête. » Elle a répondu d'accord, Hector, ou quelque chose du même genre. Elle a tendu les lèvres, en fermant les yeux, pour que je l'embrasse. Je l'ai regardée repartir en sautillant vers notre portail, dans son bikini rouge, les mains écartées à hauteur des épaules, les fesses plus qu'à moitié dehors. C'est la dernière fois que je l'ai vue avant le 7 août, samedi dernier.

A midi, je suis allé avec Henri IV remorquer un camion en panne du côté d'Entraunes, nous avons mangé un sandwich en route. Le soir, quand je suis rentré, notre mère m'a dit qu'Elle était partie dans l'après-midi, avec son grand sac de toile et une valise, sans vouloir dire où elle allait. Bou-Bou, à ce moment, était à la piscine, en ville, avec son amie Marie-Laure. Notre mère n'avait pas pu la retenir.

Je suis monté d'abord dans notre chambre. Elle avait emporté sa valise en skaï blanc — la plus petite des deux —, ses affaires de toilette et de maquillage, du linge, et, autant que je pouvais en juger, deux paires de chaussures, son blazer rouge, sa jupe beige, sa robe à col russe, sa robe en nylon bleu ciel. Ma mère m'a dit qu'en s'en allant, elle portait son jean délavé, son polo bleu marine.

Je suis allé chez les Devigne. Eva Braun ne l'avait pas revue depuis l'avant-veille. Je lui ai demandé : « Mais elle ne vous a rien dit ? » Elle a secoué lentement la tête, les yeux baissés. J'ai dit : « Vous n'avez pas une idée de l'endroit où elle est allée ? » Elle a secoué la tête. J'étais essoufflé, en sueur. De voir cette femme aussi muette, aussi calme, j'avais envie de la secouer. J'ai dit : « Elle a emporté une valise de vêtements. C'est tout le souci que vous vous faites ? » Elle m'a regardé en face, alors, et elle m'a répondu : « Si ma fille ne m'a pas dit adieu, c'est qu'elle va revenir. » Je n'ai rien pu en tirer d'autre.

A la maison, Bou-Bou était de retour. Il a compris à ma figure que je ne l'avais pas trouvée chez sa mère, il a détourné la tête, il n'a rien dit. Mickey est rentré une demi-heure plus tard. Elle ne lui avait fait aucune confidence. Il n'avait pas idée où elle pouvait être. Je suis retourné au garage avec lui, dans son camion jaune, et j'ai téléphoné à Mlle Dieu. J'ai laissé sonner longtemps mais personne n'a répondu. Juliette m'a dit, une main sur mon bras : « Ne te tracasse pas. Elle va revenir. » Henri IV regardait par terre, les mains dans ses poches, une serviette de table pendue à son maillot de corps.

J'ai attendu jusqu'à une heure du matin, dans la cour, avec mes frères. Bou-Bou ne parlait pas. Moi non plus. Seul Mickey faisait des suppositions. Elle avait eu un de ses coups de cafards et elle était allée voir Mlle Dieu. Elles avaient dîné toutes les deux au restaurant, comme pour son anniversaire. Ou bien n'importe quoi, il n'y croyait pas lui-même. Je savais, moi, qu'elle était partie pour de bon, qu'elle ne reviendrait pas. C'était une certitude dans mon sang. Je ne voulais pas m'effondrer devant eux, j'ai dit : « Allez. On va se coucher. »

Le lendemain, à huit heures, j'ai eu Mlle Dieu au téléphone. Elle ne l'avait pas vue. Elle ne savait rien. Au moment où j'allais raccrocher, elle a dit : « Attendez. » J'ai attendu. Je percevais sa respiration comme si j'étais dans la pièce où elle se trouvait. Finalement, elle a dit « Non. Rien. Je ne sais pas. » J'ai crié dans l'appareil . « Si vous avez quelque chose à dire, dites-le-moi ! » Elle est restée muette. Je l'entendais respirer plus vite. J'ai dit : « Eh bien ? » Elle a répondu : « Je ne sais rien. Si elle revient ou si vous avez du nouveau, je vous en prie, prévenez-moi. » Si vous avez du nouveau. J'ai dit qu'elle pouvait y compter, que ce serait mon premier souci, et j'ai raccroché sans dire au revoir.

Je suis retourné à midi chez Eva Braun. Elle était assise dehors, un sécateur à la main, les yeux rouges. Elle m'a dit, avec son accent qui me rappelait celui d'Elle : « Je suis sûre qu'elle ne me laissera pas sans m'envoyer un mot. Je connais ma fille. » J'ai dit : « Et moi, là-dedans, qui je suis ? Un chien ? » Elle m'a regardé, elle a baissé la tête. Elle a répondu : « Rien ne vous empêche d'être sûr, comme moi, qu'elle va vous envoyer un mot. » C'était la même logique que celle d'Éliane, une logique qui me dépasse, qui me clouait le bec peut-être, mais en me brisant, en me laissant chaque fois un peu plus insatisfait, un peu plus dans le noir. J'ai dit, debout devant elle : « Elle est allée retrouver un amant, voilà ce dont je suis sûr. Et vous savez qui. » Elle n'a pas levé les yeux. Elle a secoué doucement la tête, avec un petit soupir pour me montrer que cette idée était absurde. Elle m'a répondu : « Cela, elle vous l'aurait dit en face, vous le savez bien. »

Elle m'a fait à déjeuner, ce jour-là encore, mais nous n'avons pas beaucoup parlé. Je me rendais compte pour la première fois à quel point sa fille, physiquement au moins, lui ressemblait. Le nez court, les yeux clairs, une lenteur des gestes et de la démarche. Avant que je parte, elle m'a dit : « Un jour, si elle me le permet, je vous raconterai quelle gentille petite fille elle était, et comme elle a souffert. » Elle faisait des efforts pour ne pas laisser les larmes affluer sous ses paupières, mais je sentais qu'elle allait pleurer tout son saoul dès qu'elle serait seule. J'ai demandé : « Et votre mari, vous l'avez mis au courant ? » Elle a remué la tête pour dire non.

Le lendemain, en fin de matinée — ou le surlendemain, je ne sais plus — Eva Braun est venue me trouver au garage, en tablier. Le facteur, que j'avais vu passer dans sa 2 CV jaune et qui n'avait rien pour moi, venait de lui apporter une carte postale de sa fille. C'était une carte qui représentait un modèle de voiture de nos grands-pères, pas un paysage. Elle avait été tamponnée par la poste le 29 juillet. Elle venait d'Avignon. C'est la première chose que j'ai regardée — d'où elle venait. Tout mon esprit est parti à la dérive.

Elle avait écrit, au stylo-bille, dans son orthographe personnelle, sans point ni virgule :

Ma Maman chérie,

Ne te fais pas de mauvais sang, je vais bien et je reviendrai bientôt. Je ne sais pas quoi écrire à Pin-Pon, alors montre-lui

ma carte, il n'est pas bouché, il comprendra l'intention. Surtout
qu'on dise à Cognata que je vais bien, aux autres aussi. Je n'ai
plus de place, alors j'arrête. Pas de mauvais sang. Bises de ta
fille.

Elle avait rayé une signature — *Elle,* je présume —
et tracé en majuscules, au bout de la dernière ligne qui
courait sous l'adresse : ÉLIANE.

Je me suis assis sur le marchepied du camion que
j'étais en train de réparer. J'avais pris la carte entre
mes deux index, pour ne pas la salir, et je l'ai
retournée. J'ai lu à ce moment, sous le modèle de
la voiture qui l'illustrait et que je n'aurais pas
reconnu :

1930. Delahaye. Type 108.

J'ai demandé à Eva Braun si elle connaissait
quelqu'un qui habitait Avignon. Elle a fait signe que
non. Après un long moment de silence, elle m'a
demandé, elle, si j'avais compris l'intention de sa fille.
J'ai fait signe que oui. Elle m'a demandé si c'était une
intention gentille. J'ai fait signe que oui.

Je sais, maintenant, ce qu'Elle avait à faire dans
cette ville où elle n'avait jamais mis les pieds. Qu'à
travers son pauvre entêtement et sa solitude, elle ait
pris le temps, dans un Prisunic, un tabac, de choisir
justement cette carte, ou même qu'elle ait seulement
pensé à l'acheter en tombant dessus, cela prouve bien
qu'elle m'aimait, non ?

La mienne, de Delahaye, est une 20 CV, 6 cylindres, 3 carburateurs, avec le volant à droite, et elle a été conçue pour tourner autour de 170 km/heure. Elle ne les fera jamais plus, probablement, mais c'est encore une bonne voiture, et elle m'a beaucoup aidé à me supporter pendant la longue semaine qui a suivi. J'ai travaillé dessus la moitié de mes nuits, pour retarder le moment de retrouver la chambre vide, et même, deux ou trois fois, j'ai dormi au garage. Je n'avais même pas envie de parler à mes frères. Pour dire quoi ?

Le dimanche, mon patron m'a prêté sa DS et je suis allé à Avignon. J'ai laissé la voiture le long des remparts. J'ai marché dans la ville à pied. Je suis entré dans plusieurs hôtels, au hasard, pour demander si elle était là. Un horrible après-midi. Les gens me bousculaient sur les trottoirs. Je voyais des amoureux, des filles du même âge qu'Elle au bras de garçons plus à l'aise dans la vie que moi, j'étais seul, j'avais chaud. De toute manière, je l'ai su plus tard, Elle n'était plus à Avignon, ce dimanche. Elle avait continué sa course. Je suis remonté dans la DS à la tombée du jour, je suis resté longtemps à regarder les pierres des remparts à travers le pare-brise, et puis j'ai tourné la clef de contact, je suis parti. J'avais sur moi la carte postale que sa mère m'avait laissée. Je me suis arrêté en route du côté de Forcalquier, pour dîner dans un bistrot, je l'ai regardée. Pas relue, je la savais par cœur.

Le mercredi, dans la nuit, le moteur de la Delahaye tournait rond pour la première fois. Henri IV était avec moi. Il m'a dit : « Il faut revoir tout ça, mais tu es au bout de tes peines. » Il entendait comme moi des ratés à l'échappement, il a mis sa main à la sortie du tuyau. J'ai dit : « S'il n'y a plus que ça, je l'arrangerai facilement. » J'ai dormi dans l'atelier. Au matin, Juliette est venue me réveiller. On m'appelait d'en ville, pour un autre incendie, je ne sais où. J'ai dit au téléphone que je n'y allais pas. J'espérais chaque jour qu'Elle allait revenir. Je voulais être là quand elle rentrerait.

La veille, j'avais fait un tour à la caserne, acheté un tube d'aspirine à la pharmacie pour regarder de près la tête de ce Philippe qu'Elle a connu. Il a quarante ans, à peu près ma taille. Il est mince comme elle me disait qu'elle aimait les hommes. Il a l'air d'un étudiant vieilli — d'un intellectuel, si on veut —, il parle de manière abrupte, en détournant le regard, parce qu'il est timide. Je lui ai dit que j'étais le mari d'Elle. Il le savait. Je lui ai demandé s'il l'avait vue récemment. Il a secoué la tête. Il m'a dit : « Excusez-moi », il s'est occupé d'une cliente. Je voyais que son assistante, une fille de trente ans, aux cheveux courts, au visage renfrogné, se préparait à partir. Je l'ai attendue un peu plus loin, sur le trottoir. Je l'ai interrogée sans rien obtenir, sauf une menace d'appeler la police.

Ensuite, je suis passé devant le cinéma *Le Royal*. J'ai regardé, comme je vous l'ai dit quand j'ai commencé à vous parler, l'affiche d'un film de Jerry Lewis qu'on passait en fin de semaine. J'ai vu arriver Loulou-Lou pour la séance du soir. Elle m'a dit qu'elle était libre, le lendemain après-midi, et je lui ai donné rendez-vous à quatre heures, à la sortie de la ville.

Le jeudi, donc, à quatre heures, j'ai vu Loulou-Lou, dans la 2 CV du garage. Les nouvelles vont vite, dans un pays comme le nôtre, et je n'avais pas besoin de lui dire grand-chose pour qu'elle comprenne où j'en étais. Elle m'a dit : « Mon mari est à Nice. Ne restons pas là. Viens chez moi. » Elle habite une maison ancienne, sur la route de Puget-Théniers. Elle m'a donné une canette de bière, on a parlé. Elle m'a dit : « Cette fille n'était pas pour toi. Ce n'est pas que j'ai quelque chose contre elle, je ne la connais pas. Mais tu ne sais pas quel genre d'homme elle a pu rencontrer avant d'habiter ton village, tu ne sais rien d'elle. » On a parlé longtemps, pour ne remuer que les mêmes idées qui m'empêchaient de dormir.

A un moment — d'autres canettes avaient suivi la première — j'ai passé une main sous la jupe de Loulou-Lou, assise en face de moi dans sa cuisine, j'ai dit des sottises du genre : « Tu me comprends, toi », tout ça. On est allé dans la chambre conjugale et elle s'est déshabillée. J'ai eu honte de la voir nue — je ne sais pas expliquer — je me suis trouvé minable vis-à-vis d'Éliane et vis-à-vis d'elle. J'ai dit : « Excuse-moi. » Elle m'a raccompagné à sa porte. Avant que je m'en aille, elle m'a dit : « Parle à ton frère. » Je n'ai pas compris, c'était tellement loin de moi. Quand elle a dit : « Ton frère », j'ai pensé à Mickey. Elle a ajouté : « Le plus jeune. Si elle est partie le mercredi 28, il le savait avant toi. Je les ai vus ensemble, dans l'après-midi, près de la piscine municipale. »

Je vous raconte tout très exactement. J'ai répondu, avec méfiance : « Qu'est-ce que tu veux me faire croire ? » Elle m'a dit : « Rien, sauf que je les ai vus ensemble, et qu'ils étaient serrés l'un contre l'autre, debout dans la traverse derrière la piscine, et qu'ils avaient l'air triste tous les deux. Voilà. » J'ai dit : « Tu es une belle salope. » Même la main que j'avais envie de lui mettre sur la figure tremblait. Il me semblait que je tremblais de la tête aux pieds.

J'ai couru vers la 2 CV et je suis rentré au village. Bou-Bou n'était pas à la maison, ni notre mère. J'ai crié à Cognata : « Où est Bou-Bou ? » Elle ne savait pas. Elle a dit, en essayant de se lever de son fauteuil : « Mon Dieu, qu'est-ce que tu as, Florimond ? » J'ai claqué la porte, mais elle l'a rouverte derrière moi, et elle m'a crié, avant que j'atteigne la voiture dans la cour : « Bou-Bou n'a rien fait de mal, c'est impossible ! » Je me suis retourné pour lui répondre, et je me suis rendu compte qu'elle n'entendait pas, que je ne pourrais pas me faire entendre, j'ai fait un geste du bras pour lui dire de rentrer, qu'elle ne se tracasse pas. Je tremblais toujours — ou j'en avais l'impression. Je ne m'étais jamais senti dans cet état.

J'ai laissé la voiture sur la place, je suis rentré chez Brochard. Le soleil du dehors, à travers le rideau de perles que j'ai remué, allait jusqu'au comptoir. J'ai vu Georges Massigne et d'autres garçons avec lui. Ses beaux-frères, je ne sais pas. Je sentais ma chemise coller à mon dos, froide. J'ai entendu quelqu'un lancer dans le tintement des perles : « Voilà encore Pin-Pon qui cherche sa femme. » Peut-être pas ça. Quelque chose comme ça. Je suis allé vers Martine. Elle était assise à une table, en face de son béguin du mariage, celui qui nous avait prêté l'électrophone-stéréo. Je lui ai demandé si elle avait vu Bou-Bou, si elle savait où il était. Elle ne savait rien. Elle me regardait avec des yeux étonnés, un peu craintifs. La mère Brochard a dit quelque chose dont je n'ai pas le souvenir — je sais qu'elle a parlé, c'est tout — et je me suis retourné vers Georges Massigne. Tous ceux qui ont assité à la scène vous diront qu'il n'a rien dit, ni rien fait pour m'énerver davantage. C'est vrai. Ils vous diront peut-être que je suis rentré exprès chez Brochard pour lui chercher querelle. Cela, ce n'est pas vrai. Je ne savais pas qu'il était là.

J'ai dit à Georges Massigne : « Tu te marres de me voir comme ça ? » Il m'a répondu : « Écoute, Pin-Pon, personne n'a envie de se marrer. » Je lui ai dit de ne plus m'appeler Pin-Pon. Il a soulevé les épaules, en détournant la tête. Je lui ai dit : « Peut-être que tu te vantes partout d'avoir eu ma femme avant moi ? » Il m'a regardé en face, le nez pincé, l'œil en colère. Il m'a répondu qu'il ne fallait pas confondre, que celui des deux qui l'avait prise à l'autre, c'était bien moi. Il l'a appelée Celle-là et il m'a appelé Pin-Pon. Je lui ai lancé mon poing dans la figure. J'ai déjà dit que je n'ai pas l'habitude de me battre, que c'est la seule fois dans ma vie d'adulte que ça m'est arrivé. Je ne sais pas donner de coup de poing, mais enfin, je fais ma taille, je fais mon poids, Georges Massigne est parti en arrière, les lèvres éclatées. Il s'est jeté sur moi dès qu'il a repris son équilibre, avant même que les autres interviennent, et je l'ai frappé à nouveau, par réflexe, pour l'écarter.

Ensuite, ceux qui étaient là nous séparaient. Je me sentais tout vide à l'intérieur, mais mon cœur battait à grands coups. Georges Massigne saignait de la bouche. On lui a passé une serviette du comptoir et quelqu'un s'est écrié qu'il avait des dents cassées. La mère Brochard parlait d'appeler les gendarmes au téléphone. Georges a dit non, que j'étais fou. Il a dit, avec le sang qui coulait sur son menton et sur sa chemise : « Vous ne voyez pas qu'il devient fou ? » Je me suis aperçu alors, en voulant m'en aller, que quelqu'un me tenait par le bras, et c'était Bou-Bou. Je ne l'avais pas vu arriver.

J'ai fait monter mon frère dans la 2 CV. Il revenait de la vigne, avec notre mère, quand Cognata lui avait dit que je le cherchais. Je ne voulais pas avoir une discussion avec lui à la maison, c'est à la vigne que je l'ai ramené. Elle est à l'écart du village, en surplomb de la route, il faut grimper un chemin de terre raide pour y arriver.

Dans la voiture, je lui ai demandé : « C'est vrai que tu étais avec Elle, mercredi dernier, derrière la piscine municipale ? » Il a eu l'air surpris que je le sache, mais il a dit oui. En baissant la tête, il a ajouté : « Ne va pas t'imaginer des choses. » Il a beau être aussi grand que moi, peut-être même un peu plus, j'ai toujours regardé Bou-Bou comme un bébé. Je lui ai répondu : « Je n'imagine rien du tout. C'est toi qui vas me raconter. »

Il s'est assis sur un talus, en bordure de notre vigne. Je suis resté debout dans le soleil du soir, mon ombre sur lui. Il portait un vieux pantalon de toile trop court, qu'il met pour travailler, une chemise à grosses raies bleues et vertes. Ses cheveux longs lui cachaient un œil. Il m'a dit : « Mercredi dernier, j'ai essayé de la retenir. Mais ce n'était pas possible. » Je lui ai demandé : « Pourquoi, si tu l'avais vue partir, tu ne m'as pas mis au courant ? » Il a répondu : « Ce n'était pas possible non plus. » Il a écarté sa mèche pour me regarder. Il m'a dit : « Elle ne voulait pas que je te parle, et de voir comment tu te conduis, je suis content de ne pas l'avoir fait. Elle avait peur, elle avait raison. » Il me regardait bien en face, la tête levée, il avait des yeux tristes et pleins de défi. Je lui ai demandé : « Elle ne voulait pas que tu me parles de quoi ? » Il a haussé les épaules, il a regardé par terre, il n'a pas répondu.

Je me suis assis à côté de lui. J'ai dit : « Bou-Bou, tu ne peux pas me laisser comme ça, sans rien savoir. » Je l'ai dit doucement, sans tourner la tête vers lui. Il est resté un long moment silencieux. Il écrasait une motte de terre entre ses doigts. Et puis, il a dit : « Elle m'a parlé, la nuit où tu l'as battue. Et le lendemain aussi. Tu te souviens de ce que Cognata nous a dit, le soir du mariage ? C'était vrai. Elle appelle au secours. » J'avais envie uniquement qu'il me dise pourquoi elle était partie, où elle était, mais je suis resté immobile, j'ai attendu. Je sentais que si je posais une question trop tôt, il ne me dirait plus rien. Je connais Bou-Bou, je vis avec lui depuis toujours. Il m'a dit : « Jure-moi que tu ne bougeras pas du village, que tu attendras qu'elle revienne, si je te le raconte. » Je l'ai juré sur notre mère. Je n'avais pas vraiment l'intention de tenir parole, c'était des mots, mais je l'ai juré.

Il m'a dit : « L'été dernier, quand elle habitait encore Arrame, elle allait l'après-midi dans une clairière au milieu des bois, au-dessus du Brusquet. Parfois avec des copines, parfois seule. Pour se faire brunir. Un après-midi, elle était seule et deux hommes sont arrivés sans qu'elle les entende, et ils l'ont attrapée. » J'avais une boule dans la gorge, mais comme il se taisait, j'ai demandé ce qu'il voulait dire par : « Ils l'ont attrapée. » Il a soulevé les épaules, nerveusement, il m'a répondu sans me regarder : « Ce sont ses mots à elle. Moi, je n'ai pas eu besoin qu'elle m'explique. Ils l'ont attrapée. »

Au bout d'un long silence, il a repris : « Deux ou trois jours après, ils sont revenus rôder autour de sa maison. Elle n'avait rien dit à personne, parce qu'ils lui avaient fait peur et que de toute manière, dans son village, personne ne l'aurait crue. Elle était encore plus terrorisée de les voir près de chez elle. Alors, elle est retournée les rejoindre dans le bois. » J'ai crié, mais sans voix : « D'elle-même ? » Il s'est retourné d'un bloc vers moi, il avait le visage crispé de rage et des yeux pleins de larmes. Il a crié aussi, avec la même voix blanche et tendue que la mienne : « Qu'est-ce que ça veut dire, d'elle-même ? Tu sais à quel genre de salauds elle avait affaire ? Tu sais ce qu'ils lui ont dit ? Ils lui ont dit qu'on lui casserait l'os du nez et toutes ses dents avec un tisonnier, ils lui ont dit qu'on ferait pareil à sa mère, qu'on arracherait par poignées les cheveux de sa mère et qu'on les lui ferait avaler. Ils lui ont dit ce qu'ils avaient fait faire à d'autres filles comme elle, par des types payés, en particulier à une, qu'on avait estropiée et rendue infirme, parce qu'elle avait cru malin d'aller se plaindre à la police. Tu comprends, dis ? »

Il m'avait saisi par la chemise. Il me secouait comme pour me faire entrer dans la poitrine chaque mot qui sortait de sa bouche, et des larmes coulaient sur ses joues. Finalement, il m'a lâché, il s'est essuyé les yeux avec l'avant-bras, il s'est détourné en toussant comme s'il suffoquait.

Peu à peu, il s'est calmé. Le soleil avait disparu. Tout en moi était figé. Bou-Bou a dit, très bas, d'une voix vidée de toute émotion, presque morne : « Une autre fois, ils l'ont emmenée dans un hôtel, en voiture. Ensuite, elle ne les a plus revus. On avait fini le barrage au-dessus d'Arrame. Elle est d'abord allée habiter avec ses parents dans un chalet que la mairie leur avait prêté. Cet hiver, quand elle s'est installée ici, elle croyait que c'était bien fini. Elle avait de l'angoisse, quelquefois, quand elle y pensait, mais elle finissait par croire qu'ils l'avaient terrorisée uniquement pour lui faire leurs saloperies et s'amuser d'elle un moment, qu'ils ne voyaient pas plus loin. » Il s'est tu quelques secondes. Il a ajouté : « Et puis, le mois dernier, ils l'ont retrouvée. »

J'ai dit : « Quand ? »

« Deux jours avant son anniversaire. Elle a dîné avec sa maîtresse d'école, à Digne. L'un des deux, celui qu'elle dit le plus mauvais, était dans le restaurant. »

« Ils habitent Digne ? »

« Elle ne me l'a pas dit. Ils l'ont retrouvée, c'est tout. Ils l'ont obligée à venir à Digne un autre jour, la veille du 14 Juillet. Elle se disait que puisqu'elle allait se marier, ils la laisseraient tranquille. C'était le contraire. Ils lui ont montré une horrible photo. La fille qu'ils avaient fait estropier. Ils lui ont dit qu'ils la laisseraient dans le même état. Ils lui ont dit que quelqu'un viendrait aussitôt ici pour te faire la peau, si

elle te parlait d'eux. Ce sont les mots qu'elle a
employés. »

Je ne voyais pas son visage et sa voix était sans
intonation, presque égale. Il s'est essuyé à nouveau les
yeux avec son avant-bras. Je ne bougeais pas. Je ne
sais pas si c'était l'ahurissement que je ressentais, ou la
peine que j'avais à imaginer des choses tellement hors
de ma vie, j'ai dit : « C'est impossible, tout ça. » Il m'a
répondu : « Je l'ai cru aussi. »

J'ai essayé de retrouver le souvenir du 13 juillet. Où
j'étais, ce que j'avais fait. A ce moment, rien n'a
resurgi. J'ai demandé : « Qu'est-ce qu'ils lui voulaient ? Elle te l'a dit ? » Il m'a répondu, encore plus
bas : « Pour eux, elle représentait de l'argent. C'est
tout ce qu'elle m'a dit. » J'étais au-delà de tout, je
crois, le chagrin, la haine. Cela ne m'a pas fait un coup
plus terrible que les autres. J'ai pensé à la scène qu'elle
avait eue avec son père, le jour du mariage. Les mots
que m'avait répétés Mlle Tusseau : « S'il te plaît. S'il
te plaît. » L'héritage dont elle avait parlé le lendemain.
J'avais beaucoup de mal à mettre mes idées en ordre.
L'important, finalement, m'a paru de savoir où elle
était, de la retrouver au plus vite. J'ai demandé : « Tu
sais où elle est ? » Il a remué la tête pour dire non.
« Quand tu lui as parlé, derrière la piscine, elle ne t'a
pas dit où elle allait ? » Il a répondu : « Elle m'a dit
d'oublier tout ça, qu'elle pouvait en finir une bonne
fois, toute seule. Ensuite, comme je ne voulais pas la
laisser partir, elle m'a dit qu'elle avait tout inventé,
que ces deux hommes n'avaient jamais existé. »

J'ai demandé après un silence : « Tu ne l'as pas
crue ? » Il a remué à nouveau la tête pour dire non.

« Pourquoi ? » Il m'a dit : « Parce que je les ai vus. »
C'est étrange, mais c'est à partir de cette phrase, pas
vraiment avant, que tout pour moi est devenu réel, que
les mots sont devenus des images, que cette horreur a
commencé de faire partie de ma vie. J'ai dit : « Mais
qu'est-ce que tu racontes ? Qu'est-ce que tu
racontes ? »

A Digne, le dimanche de la course, quand elle avait
disparu, il l'avait cherchée de son côté, moi du mien.
Dans une petite rue déserte, il l'avait vue à l'intérieur
d'une voiture rangée au bord du trottoir. Elle était
assise à l'avant, près du plus grand et du plus âgé des
deux. L'autre était derrière. Ils lui parlaient tous les
deux à la fois, d'une manière emportée, ensuite plus
calmement, d'un air de vouloir la convaincre. Bou-Bou
s'était immobilisé sur le trottoir en face dès qu'il l'avait
aperçue. Il ne pouvait pas voir son visage, parce
qu'elle était tournée vers eux, la tête basse, mais il
devinait à certains mouvements qu'elle pleurait. Ils lui
avaient parlé longtemps, et puis soudain, elle avait
ouvert sa portière, et celui qui était à l'avant l'avait
rattrapée par un bras. Elle avait l'air anéantie.
L'homme lui avait dit des choses que Bou-Bou n'entendait pas, mais d'un air dur et méchant, et il avait
carrément rejeté le bras qu'il retenait. Elle s'était mise
à courir dans la rue, droit devant elle, et Bou-Bou
n'avait pu la poursuivre, parce que la voiture était
entre eux et qu'il craignait pour elle s'il se montrait. Il
avait essayé de la rejoindre en faisant un détour par le
boulevard, mais il l'avait perdue.

Je me rappelais qu'il était décomposé quand il était
revenu près de moi. J'avais pensé sur le moment que

c'était de savoir Mickey en mauvaise posture dans la course. Je me rappelais comment, plus tard, il me suivait partout avec Elle, en lui tenant la main, et cet air triste qu'il avait pour la regarder.

Le sang coulait à nouveau dans mes veines, chaud. Mes idées se remettaient en place, parce que, d'une certaine façon, j'avais déjà décidé ce que je devais faire. Je me suis levé. J'ai arrangé ma chemise, dont il avait fait sauter un bouton en tirant dessus, quelques minutes auparavant. Je lui ai demandé de me décrire ces deux hommes. Le plus grand et le plus fort avait entre quarante-cinq et cinquante ans. Il ne l'avait pas vu debout, mais il devait avoir ma corpulence, avec l'empâtement des années en plus. Il avait les cheveux et les sourcils gris, les yeux bleus. Il avait l'air d'un homme bien assis dans la vie. Un manuel devenu un bourgeois. L'autre était d'au moins cinq ans plus jeune. Il était mince, avec un grand nez, des cheveux clairsemés, des gestes nerveux. Il était vêtu d'un costume léger, crème ou beige, il portait une cravate. Bou-Bou ne voyait rien d'autre à dire, sauf qu'il avait l'air plus voyou que « son beau-frère ». J'ai demandé comment il pouvait savoir qu'ils étaient beaux-frères. « Elle me l'avait dit. »

La voiture était une 504 noire assez usagée, immatriculée dans les Alpes de Haute-Provence. Il se souvenait du 04 pas des autres chiffres. Il avait essayé de les retenir, mentalement, mais il avait l'esprit retourné, il les avait oubliés. J'ai demandé, debout devant lui, si Elle avait dit leurs noms. Il a secoué la tête. S'il n'avait pas d'autre précision à me donner. Il a réfléchi. Il m'a dit · « Le nom de la rue. C'était rue de l'Hubac. » Il a réfléchi encore et il a secoué la tête, plus doucement, découragé.

J'ai demandé alors : « Pourquoi Elle t'a parlé à toi ? » Il a levé les yeux pour me répondre : « Parce que le soir où tu l'as battue, elle n'en pouvait plus. Il fallait qu'elle en parle à quelqu'un. Le lendemain, elle m'a tout raconté dans l'ordre. Ensuite, elle n'a jamais plus voulu en parler. Elle ne sait même pas que je l'ai vue avec eux, dans la voiture. » On s'est regardé plusieurs secondes dans la nuit qui tombait. Il m'a dit : « Je ne te cache rien. Si tu veux vraiment le savoir, il ne s'est rien passé entre elle et moi. » Il retenait des larmes prêtes à jaillir encore, je le sentais à sa voix. En même temps, il prenait un air orgueilleux, un air de petit coq. J'ai haussé les épaules, j'ai dit : « Il ne manquerait plus que ça. »

J'ai marché vers la 2 CV. Je l'ai attendu au volant. Nous sommes rentrés sans parler. Dans la cour, j'ai vu le camion jaune de Mickey, j'ai dit : « Il faut laisser les autres en dehors de cette histoire. »

On est passé tout de suite à table. Mickey, notre mère et Cognata nous regardaient tous les deux sans rien dire. Puis j'ai demandé : « Il n'y a pas de film, ce soir ? » Je me suis levé, j'ai allumé la télé. On a dîné en silence, en jetant un coup d'œil de temps en temps au poste, pour suivre je ne sais quoi. Ensuite, j'ai dit que je retournais au garage, travailler à la Delahaye. Bou-Bou m'a demandé s'il pouvait m'accompagner. J'ai touché son épaule, j'ai dit : « Non. Je vais encore me coucher tard, je dormirai là-bas. » J'ai vu que Mickey regardait ma main. Je m'étais écorché les jointures des phalanges en frappant Georges Massigne. J'ai demandé à Mickey : « On t'a dit que je me suis battu ? » Il a répondu : « On m'a dit que tu lui as cassé deux dents. Comme ça, peut-être, il fermera sa grande gueule. »

J'ai respiré fort l'air de la nuit, en marchant sur la route. Il n'y avait pas une lumière dans le village, sauf devant les pompes à essence du garage et, plus loin, sans doute — je ne suis pas allé voir — chez Eva Braun. Il me semblait hors de question qu'Elle ait mis sa mère au courant de ce qu'elle avait raconté à Bou-Bou. Je ne me trompais pas. A moi, elle avait dit une chose, un soir, allongée dans notre lit : « Dans quelques jours, je serai fixée. » C'était le lendemain du jour où je l'ai battue. Marchant sur la route, je pensais : « Elle espérait qu'on la laisserait tranquille, qu'elle pourrait te tenir en dehors de tout ça. » Je m'en voulais encore plus de l'avoir battue — je repoussais cette idée dès qu'elle me venait — mais ces deux ordures paieraient tout en bloc, les coups que je lui avais donnés avec le reste.

Je sais bien que cela ne facilitera pas ma défense, mais je vais vous le dire quand même. Ce n'est pas le lendemain que j'ai pris la décision de scier le canon de la carabine, c'est ce soir-là, le jeudi 5 août. D'abord, elle était trop encombrante, elle ne rentrerait pas dans une valise normale, elle dépasserait d'une veste ou d'un blouson, mais surtout, surtout, je savais que je tirerais d'assez près pour voir leurs sales figures en face, pour les voir mourir. Qu'on me coupe la tête.

Le vendredi, en fin de matinée — vendredi dernier, donc —, après être passé chez Eva Braun puis chez moi, pour voir si Elle n'était pas revenue, j'ai sorti la Delahaye décapotée du garage. J'ai dit à Henri IV : « Excuse-moi. Je te laisse seul, mais il faut que j'aille faire un tour. » Il a balancé la tête, avec un soupir, mais c'était pour se donner l'air d'un patron, il ne m'en voulait jamais de rien. J'ai roulé jusqu'en ville sans même m'en rendre compte, sauf que le précipice, sur ma droite, me faisait une impression nouvelle, parce que j'étais plus près. Je crois que je n'avais jamais pensé, sauf les premiers temps de mon permis de conduire, qu'il y en avait un.

J'ai montré mon cabriolet à Tessari et à ses copains. On a arrosé l'événement au bar-tabac. Ensuite, Tessari a pris le volant, il est parti tout seul sur la route de Puget-Théniers. Quand il est revenu, il m'a dit : « Ne la pousse pas trop, laisse-la se roder, elle est comme neuve. » Il m'a invité à venir déjeuner chez lui, mais je n'avais pas faim, j'ai dit que je ne pouvais pas. J'ai roulé dans la Delahaye jusqu'à Annot, puis jusqu'à Barrême. D'abord, je me suis forcé à écouter le moteur, mais il ronronnait tranquillement, je n'ai plus fait attention. Je ne voulais pas aller encore jusqu'à Digne. J'ai obliqué vers le sud à Chateauredon et je suis revenu par Castellane. En longeant le barrage de Castillon, je me suis arrêté pour acheter un sandwich dans une roulotte. J'ai marché un moment, à pied, avec le soleil sur moi et des images insupportables dans la tête. Il y avait beaucoup de vacanciers autour du lac. Quand mon regard accrochait, de loin, une fille aux cheveux noirs, j'avais l'impression de reconnaître Elle, je hâtais le pas malgré moi.

Je suis rentré au village en fin d'après-midi. Je n'étais pas sorti de la voiture que j'ai vu Juliette descendre en courant son escalier de bois. Elle m'a dit : « On te cherche partout. Henri a conduit ta belle-mère au car. Peut-être au train, je ne sais pas. » Elle me regardait avec une appréhension terrible. J'ai senti qu'elle avait préparé ses phrases et que de me voir devant elle, c'était moins facile de les dire. J'ai demandé : « On l'a retrouvée ? » J'avais peur qu'elle soit morte. Juliette m'a dit : « Elle est dans un hôpital, à Marseille. C'est Mlle Dieu, au Brusquet, qu'on a prévenue. » J'ai dit : « A Marseille ? Dans un hôpital ? » Juliette me regardait avec la même appréhension terrible. Elle m'a dit : « Elle est vivante, ce n'est pas ça. Mais elle est dans un hôpital depuis samedi dernier. Ce n'est qu'aujourd'hui qu'ils ont su d'où elle venait. »

J'ai couru au téléphone. Je ne me rappelais plus le numéro de Mlle Dieu. Il a fallu du temps à Juliette pour le retrouver. Quand j'ai entendu la voix de la maîtresse d'école, Henri IV arrivait devant les pompes avec la DS. Il y avait une femme avec lui, dans la voiture, mais je n'ai pas vu qui c'était. Mlle Dieu criait dans l'appareil : « Je ne veux pas vous parler au téléphone ! Je veux vous voir ! Vous ne savez pas ce qu'ils lui ont fait, vous ne savez pas ! » J'ai crié aussi, pour qu'elle se calme, pour qu'elle m'explique. Elle m'a dit : « Pas au téléphone. Pour l'instant, elle dort, on la fait dormir. Vous ne pourrez pas la voir avant demain. Alors, je vous en supplie, venez chez moi, il faut que je vous parle. » J'ai dit : « Merde, dites-moi ce qu'elle a ! » Elle a répondu, d'une voix entrecoupée, haut perchée : « Ce qu'elle a ? Elle ne sait même plus qui elle est, voilà ce qu'elle a ! Elle dit qu'elle s'appelle Éliane Devigne, qu'elle habite Arrame et qu'elle a neuf ans ! Voilà ce qu'elle a ! »

Elle est restée longtemps à pleurer, à l'autre bout du fil. J'ai dit plusieurs fois : « Mademoiselle Dieu », sans qu'elle réponde. Finalement, j'ai dit, la gorge serrée : « Je vais venir vous voir. » Je savais, à travers les flots de haine qui paralysaient mes pensées et mes muscles, que j'avais une chose à régler avant de partir, j'ai dit encore : « Je ne vais pas venir tout de suite. Attendez-moi. » J'ai raccroché. Henri IV a remis en place le récepteur qui retombait.

Il avait ramené la garde-malade, Mlle Tusseau, pour s'occuper du père Devigne. Notre mère, pour l'instant, était près de lui. Eva Braun avait pris un car pour Saint-Auban, où elle trouverait une correspondance par le train, pour Marseille. Tout le monde lui avait dit de m'attendre, mais on n'avait pas pu la retenir. Elle n'avait pas pleuré, ni montré son désarroi. Elle voulait rejoindre sa fille, c'est tout. Henri IV m'a dit seulement que, dans la voiture, deux ou trois fois, elle ne s'était pas rendu compte qu'elle lui parlait en allemand. Avant de partir, elle avait recommandé à Juliette de me dire d'emporter des vêtements et du linge pour Elle, parce qu'on l'avait retrouvée sans sa valise ni son sac. L'hôpital était celui de La Timone. Je devais prendre mon livret de famille. J'ai dit oui à tout.

Je suis rentré à la maison dans la Delahaye. Cognata

et Bou-Bou étaient là, et ils étaient au courant de l'essentiel. J'ai dit à Bou-Bou d'accompagner notre tante dans sa chambre, qu'il fallait que je me lave. Quand ils sont montés, j'ai ouvert le placard aux fusils, j'ai pris la Remington, une boîte de cartouches, et je suis allé les ranger dans le coffre de la voiture.

Je me suis lavé et rasé en répondant aux questions de Bou-Bou avec précaution, d'abord pour ne pas l'inquiéter davantage, et parce qu'il essayait de savoir ce que j'allais faire. Je lui ai dit : « Je vais la voir. Je déciderai ensuite. Toi, n'ouvre pas la bouche. »

Dans notre chambre, j'ai pris la valise qu'Elle avait laissée, en carton bouilli bleu marine, j'ai rangé dedans deux robes, une paire de chaussures, du linge, une chemise de nuit qui était neuve. Son peignoir blanc prenait trop de place, je n'ai pas pu le rentrer. J'ai pris pour moi un slip et une chemise propre. J'ai enfilé mon pantalon noir, le polo noir de Mickey, mon blouson beige en popeline.

Je suis revenu au garage. Il était sept heures, sept heures et demie. J'ai dit à Henri IV : « Rends-moi un service. Va parler à Georges Massigne et demande-lui de ne pas porter plainte. Dis-lui que je regrette et que je paierai ce que je dois. Emmène Juliette avec toi, elle lui parlera mieux. » Il m'a regardé en silence plusieurs secondes. Juliette était immobile sur le seuil de sa cuisine, en haut de l'escalier qui donne dans l'atelier. J'ai dit à Henri IV : « Je vous attends là. Si tu veux bien, je prendrais ta DS pour aller à Marseille. La Delahaye va me lâcher d'un moment à l'autre. » Je crois qu'il a bien compris que je cherchais à les éloigner une demi-heure tous les deux. Il n'est pas bête, Henri IV. Je ne voulais pas qu'ils voient la carabine, l'un ou l'autre, non pas qu'ils auraient pu me dissuader — plus personne ne pouvait le faire — mais parce que je craignais qu'on les accuse de quelque chose si je me faisais prendre. Il ne m'a rien répondu. Finalement, il s'est tourné vers Juliette et il lui a dit : « Je t'emmène. Viens comme tu es, on ne va pas au bal. »

Quand ils ont été partis, j'ai rangé la Delahaye au fond du garage. J'ai sorti ma valise, j'ai mis la boîte de cartouches dedans. J'ai emporté la Remington à l'établi et j'ai scié et poncé le canon à l'électricité. J'ai scié ensuite la crosse au ras de la poignée-pistolet. L'arme était réduite à 60 cm environ. La prise n'était pas excellente, mais à deux mains, et à moins de dix pas, il était impossible que je manque un homme, même du premier coup. J'ai nettoyé et graissé soigneusement tout le mécanisme. Je ne me pressais pas. J'essayai de ne penser qu'à bien faire ce que je faisais.

A un moment, j'ai entendu une voiture s'arrêter devant les pompes, je suis allé servir. J'avais mis un gros tablier de forgeron pour protéger mes vêtements. Pendant que je faisais le plein de la GS, le conducteur, un maçon qui travaille en haut du col, m'a dit : « Alors, il paraît que tu es marié ? » J'ai répondu : « Comme tu vois. » J'ai regardé l'escalier en bois, à l'extérieur de la maison. J'ai pensé à ce dimanche soir, le lendemain du mariage, où Elle était assise à côté de moi et que je fumais un cigare. Je m'étais dit alors qu'elle n'aimait que moi et c'était vrai. Je ne l'avais pas perdue, on me l'avait volée, et cassée, et rendue folle.

J'ai fait disparaître les poussières de métal et de bois sur l'établi. J'ai rangé dans la valise la Remington, enveloppée dans un chiffon, et les morceaux de canon et de crosse que j'avais sciés. J'ai remis le tablier en place. Je me suis lavé les mains. Je suis allé m'asseoir sur l'escalier, dehors, en attendant le retour de Juliette et de mon patron. Il faisait chaud, comme toujours cet été, mais le soleil avait disparu depuis longtemps derrière les montagnes et le village était silencieux.

On avait retrouvé Elle sur une plage, à Marseille, en face du parc Borely. C'était le samedi 31 juillet, trois jours seulement après qu'elle ait quitté le village. Elle marchait sur le sable, dans ses chaussures à talons et sa robe en nylon bleu ciel, les yeux au sol. Elle s'écartait sans rien dire quand on lui demandait ce qui n'allait pas. Ses cheveux lui cachaient le visage. Elle avait une attitude si bazarre que des baigneurs — il était six heures du soir — ont appelé des agents. Elle n'avait pas de papiers. Elle ne répondait à aucune question. Elle ne pouvait pas parler.

On l'a conduite dans un hôpital, puis dans un autre, celui de La Timone, où il y a un service psychiatrique. On l'a examinée. Elle ne portait aucune blessure, sauf une ecchymose à un genou qu'elle avait pu se faire elle-même, en tombant. Elle était prostrée et indifférente. On ne pouvait pas lui tirer un mot. Sinon elle était docile, elle se laissait guider où on voulait.

On l'a d'abord endormie jusqu'au mardi et procédé à d'autres examens. Au réveil, elle était la même. Prostrée, indifférente, écartant la nourriture, muette. La police avait cherché sans résultat, alentour de la plage, quelqu'un qui pouvait la connaître et dire qui elle était. Elle n'avait sur elle que sa robe — salie, c'est ce qui leur a fait penser qu'elle était tombée — un slip, des chaussures d'une marque vendue partout, et son alliance. J'avais fait graver sur la face intérieure de l'alliance : *F. à E.* et la date de notre mariage.

On l'a endormie encore et nourrie par les veines jusqu'au matin de ce vendredi. En se réveillant, elle a souri et parlé. Elle n'a pas su répondre aux questions qu'on lui posait — elle ignorait pourquoi elle se trouvait là — mais elle a dit qu'elle s'appelait Éliane Devigne, qu'elle était née à Arrame, Alpes-Maritimes, le 10 juillet 1956, qu'elle y habitait toujours, Chemin du Haut-de-la-Fourche, et qu'elle avait neuf ans. Le docteur qui s'occupait d'elle — une femme, Mme Solange Fieldmann — a découvert qu'Arrame n'existait plus que sous les eaux d'un barrage et a téléphoné au maire du Brusquet, Mlle Dieu.

J'ai écouté Mlle Dieu me raconter cela d'une voix sans timbre. Ses paupières étaient rouges et gonflées, mais elle n'avait plus de larmes. Sa tête était enturbannée d'une serviette-éponge blanche. Elle avait beaucoup bu, en m'attendant, et elle a continué.

Sa maison est sur une hauteur, avec un jardin en paliers d'où l'on peut voir le lac. A l'intérieur, c'est triste et vieillot, sauf une pièce qu'elle appelle son salon et qu'elle a fait moderniser après la mort de sa mère Il y a des livres partout. A mon arrivée, elle avait dû débarrasser un divan pour me faire asseoir. J'ai bu aussi, je crois, pendant les trois heures ou davantage que j'ai passées chez elle. Je ne me souviens pas vraiment de moi, de mes gestes, sauf que dans les moments où elle se taisait, elle mordillait sa lèvre inférieure et qu'à la fin, je tendais instinctivement les doigts vers son visage pour qu'elle cesse, je ne pouvais plus le supporter.

Comme Bou-Bou, mais un peu plus tôt, elle avait reçu les confidences d'Elle, une nuit d'abattement. C'était la nuit du 13 au 14 juillet, où Elle était rentrée si tard. J'ai entendu, presque avec les mêmes mots, ce que je savais déjà par mon frère, avec pourtant quelque chose en plus qui m'a fait bondir : les deux salauds avaient fourni à Elle un studio, à Digne, « pour qu'elle y reçoive des hommes ». Bou-Bou m'avait dit : « Pour eux, elle représente de l'argent. » J'avais pensé seulement à une sorte de rançon, une somme qu'ils réclamaient pour la laisser tranquille.

Mlle Dieu ne savait pas leurs noms, elle non plus, mais en déballant d'un coup ce qui la rongeait, Elle lui avait appris que le plus âgé des deux avait une scierie à la sortie de Digne, l'autre une agence immobilière sur le boulevard Gassendi. Elle lui avait dit : « Ce sont des bourgeois bien considérés, des pères de famille, pas du tout des maquereaux comme on les imagine. Si je m'adressais à la police, je ne pourrais rien prouver. Ensuite, on ne retrouverait même pas mon cadavre. » Elle lui avait dit aussi, et c'était pour moi un serrement au cœur : « S'ils ne me laissent pas tranquille, je me débarrasserai d'eux, d'une manière ou d'une autre. Ou je raconterai tout à Pin-Pon et c'est lui qui le fera. »

Elle avait demandé trois fois à Mlle Dieu de venir la chercher à Digne : deux fois avant notre mariage et puis ce mardi où elle avait soi-disant fait les magasins, dans se robe rouge, et où je l'avais giflée, à son retour, ~~s~~ur un bord de route. Mlle Dieu l'avait retrouvée en fin d'après-midi dans le studio dont elle avait parlé, il existait donc bien. Il était au troisième étage d'un vieil immeuble, au fond d'une cour, 173, rue de l'Hubac. C'était la rue où Bou-Bou, le dimanche d'après, pendant la course, avait vu les deux hommes avec Elle, dans une Peugeot noire.

Je me suis souvenu, en pensant au mardi de la gifle, des tickets de car qu'Elle avait sortis de son sac, dans notre cuisine, pour me les montrer. J'ai demandé à Mlle Dieu : « C'est vous qui l'avez ramenée de Digne, ce soir-là ? » Elle m'a répondu, en détournant les yeux : « Non, je l'ai laissée dans le studio. Elle n'a pas voulu que je la raccompagne. » Après s'être mordillé la lèvre inférieure à se faire saigner, elle a ajouté : « Je voulais aller trouver la police, j'étais affolée, nous nous sommes disputées. Elle ne m'a plus téléphoné, je ne l'ai plus revue après ce mardi soir. »

Elle a vidé son verre. Elle gardait les yeux détournés. Et puis, comme à regret, elle m'a dit : « Les clefs du studio doivent se trouver dans sa boîte aux lettres. La dernière en entrant, sous la voûte du rez-de-chaussée. Elle ne voulait pas les garder avec elle, de crainte que vous tombiez dessus, et en même temps, elle pensait que si les choses tournaient mal, vous auriez besoin d'aller là-bas. » Je me suis contenu. J'ai seulement remué la tête, l'air de trouver cette information accessoire après tout ce qu'elle m'avait raconté.

Elle m'a quand même demandé, d'une voix sourde :
« Qu'allez-vous faire, maintenant ? » J'ai répondu :
« D'abord aller la voir à Marseille. Ensuite, je déci-
derai. »

Plus tard, elle m'a fait manger dans la cuisine. Je
n'avais avalé qu'un sandwich depuis la veille et je crois
que j'ai mangé avec appétit. Je ne me souviens pas de
ce qu'elle m'a donné, ni de rien. Je la revois seulement
assise en face de moi, son verre à la main, dans une
robe-chemise en tissu soyeux, couleur pêche, qui était
à la mode des Prisunic il y a quelques années. Elle était
ivre. Elle s'est mise à nouveau à me raconter qu'on
avait retrouvé Elle à Marseille, sur une plage, en face
du parc Borely. Quand je lui ai fait remarquer qu'elle
l'avait déjà dit, elle a répondu : « Ah, bon », et deux
larmes ont coulé sur ses joues.

Elle voulait que je dorme chez elle — il était plus de
minuit —, mais j'ai dit non, que je préférais rouler
jusqu'à Marseille, que de toute manière je ne pourrais
pas dormir. Quand je suis parti, elle m'a raccompagné
jusqu'à l'entrée du jardin. La lune était presque pleine
et il y avait des reflets sur le lac. Elle m'a dit : « Je
voudrais la voir, moi aussi. Dès que possible. » Je lui ai
promis de lui téléphoner. Elle m'a regardé monter
dans la voiture et me mettre en route, debout près de
sa porte, la tête enveloppée de sa serviette-éponge. Elle
avait toujours son verre à la main.

Il y a quatre-vingts kilomètres environ du Brusquet
jusqu'à Digne, mais beaucoup de virages avant la
nationale. Je me suis rangé sur le boulevard Gassendi
à deux heures du matin, devant le seul endroit encore
éclairé, une sorte de discothèque où le patron s'apprê-

tait à mettre dehors les derniers clients. Il m'a expliqué
où était la rue de l'Hubac. J'y suis allé à pied. Elle était
silencieuse et déserte, j'entendais mes pas sur le
trottoir.

Dans l'immeuble que Mlle Dieu m'avait décrit, la
minuterie ne marchait pas. Je me suis guidé jusqu'à la
dernière boîte aux lettres à la seule clarté du dehors.
C'était une boîte en bois, fermée par un cadenas. J'ai
tiré sur celui-ci de toutes mes forces et les pitons qui le
retenaient sont venus avec. Il y avait un trousseau de
trois clefs à l'intérieur, une longue et deux clefs de
verrou. Autant que je pouvais voir, la boîte aux lettres
ne portait pas de nom.

Je suis monté au troisième étage, au fond de la cour.
Une grande fenêtre éclairait le palier. Il y avait un
appartement de chaque côté, mais la porte de gauche
n'avait qu'un verrou. J'ai quand même mis beaucoup
de précaution à ouvrir celle de droite. J'écoutais, après
chaque tour de clef, si je n'avais pas réveillé quelqu'un
dans la baraque.

Je suis entré, j'ai fait de la lumière. La porte
refermée, j'ai jeté un coup d'œil dans la cuisine, qui
était très étroite, laquée rouge. Il y avait deux verres
lavés sur l'évier, une bouteille de bière entamée dans le
frigo. Je n'ai jamais su qui avait bu la bière. J'étais
certain, en tout cas, qu'Elle n'en buvait pas. Je vous
raconte les choses comme je les ai vues.

La pièce principale, où dominait aussi le rouge, ne
sentait aucune présence récente. Le dessus de lit en
velours était bien tendu, les placards étaient vides. Je
n'ai rien remarqué qui me dise qu'Elle était venue là.
Il y avait un cendrier, sur une petite table, mais il était

propre. J'ai ouvert un à un les tiroirs d'un meuble. Rien.

J'ai visité ensuite le cabinet de toilette. Je ne m'attendais évidemment pas à trouver le reflet de ma femme dans le miroir au-dessus du lavabo, simplement parce qu'elle s'y était regardée quelques jours plus tôt, mais l'objet que mes yeux ont accroché tout de suite, posé sur la tablette, m'a fait la même impression, un coup dans la poitrine. C'était son briquet Dupont, avec le mot *Elle* gravé en haut, dans un carré lisse.

Je l'ai regardé dans ma main, en réfléchissant. Le mardi de la gifle, quand j'avais renversé son petit sac blanc sur notre lit, il était parmi ses affaires, j'en étais sûr. Ensuite, elle n'était revenue qu'une fois à Digne, le dimanche de la course. Du moins à ma connaissance. En tout cas, elle avait oublié son briquet — ce qui ne lui ressemblait pas — ou elle l'avait laissé exprès, pour que je le trouve.

J'ai cherché encore. Il m'est venu une idée, je suis retourné dans la cuisine. J'ai sorti de dessous l'évier une petite poubelle blanche, qu'on ouvre en appuyant sur une pédale. Il y avait très peu de choses dedans : des mégots de gitanes et un sachet vide de biscuits pour apéritif. Je ne savais quoi penser.

Je suis resté assis sur le lit un moment. J'ai regardé à nouveau dans les tiroirs. Je me disais : « Si elle imaginait que tu devrais venir ici un jour, si elle a laissé pour toi les clefs dans la boîte aux lettres, il y a un mot, un message quelque part. » L'aiguille de ma montre avait dépassé trois heures depuis longtemps. J'écartais autant que je pouvais l'idée de ces bouts de gitanes que j'avais vus dans la poubelle, et qu'un

homme s'était trouvé là avant moi. J'ai pensé qu'elle
devait forcément se méfier des deux salauds, faire
attention à tout. Et même, vous ne devineriez pas le
souvenir qui m'a soudain traversé :

> *Alors, Ducon, qu'est-ce que tu as gagné*
> *à fouiller dans mon sac?*

Ce mot, j'avais cru qu'il m'était destiné. Mais qui
l'avait dit ? Elle l'avait peut-être écrit à l'intention de
l'un des deux autres, qui la surveillait et fouillait ses
affaires? Le message, si elle m'en avait laissé un,
devait se trouver dans un endroit où eux n'auraient
pas l'idée de regarder, mais moi, tel qu'elle me
connaissait, oui.

Il était quatre heures dix et je devinais déjà les
premières lueurs du jour, derrière la fenêtre, quand j'ai
compris. Je suis revenu au cabinet de toilette. J'ai
retiré de ses supports la tablette, au-dessous du miroir
du lavabo, sur laquelle était posé le briquet, quand je
l'avais vu. C'était un rectangle en plastique creux, et
deux cartes étaient glissées à l'intérieur. J'ai secoué la
tablette, après les avoir prises, mais il n'y avait rien
d'autre. L'une était la carte commerciale d'une scierie,
celle de Jean Leballech, route de La Javie. L'autre
était une simple carte de visite : Michel Touret, agent
immobilier, avec l'adresse du bureau, boulevard Gassendi, et celle du domicile, traverse du Bourdon. Au
dos de la carte de Jean Leballech, d'une écriture que je
ne connaissais pas, était notée l'adresse d'un menuisier
de Digne mais on l'avait barrée dans tous les sens.

Il n'y avait pas de mot d'Elle, seulement ces deux

cartes. Je les ai glissées dans une poche de mon blouson. J'ai remis la tablette en place, j'ai vérifié dans la pièce que je ne laissais pas de trace de mon passage, et je suis parti. En bas, j'ai hésité un instant, dans le noir, et finalement j'ai gardé les clefs.

J'ai repris la DS sur le boulevard vide, dans la pâleur d'un matin qui annonçait encore une journée chaude. Je suis d'abord allé voir un plan de la ville, dans la vitrine du syndicat d'initiative, ensuite où habitait Touret. C'est un pavillon de style soi-disant provençal, comme on en voit sur toutes les réclames. La Traverse du Bourbon donne sur la route qui mène à l'établissement thermal. Il y a beaucoup de maisons autour de la sienne. En remontant le boulevard Gassendi une nouvelle fois, pour aller route de la Javie, j'ai repéré l'agence immobilière sur ma gauche.

J'ai fait cinq kilomètres, au compteur de la DS, avant de m'arrêter près du portail de la scierie. Il y a un panneau, à cet endroit, qui annonce un village un peu plus loin : Le Brusquet. Cela m'a fait une drôle d'impression de retrouver ce nom, si loin du barrage d'Arrame, et juste à ce moment. C'était comme si quelqu'un, je ne sais pas, l'avait mis là exprès, pour que je sache qu'il connaissait mes pensées. Je ne crois pas en Dieu — sauf quelquefois, dans les incendies —, mais cela m'a fait une drôle d'impression. Et puis, j'étais fatigué.

Dans la cour de Leballech, j'ai vu une Peugeot noire, celle dont mon frère m'avait parlé. Une fenêtre du rez-de-chaussée, dans la maison d'habitation, était déjà éclairée. J'ai pensé que c'était la cuisine et que quelqu'un préparait son café, les cheveux ébouriffés, les yeux gonflés de sommeil, comme Mickey ou moi, le matin. Le fil du téléphone, qui allait de la route à l'atelier, puis à la maison, était hors d'atteinte sans échelle. J'ai bien regardé la cour pour me rappeler les distances, l'orientation des bâtiments, et je suis remonté en voiture.

J'ai roulé encore trois kilomètres sur la même route. Un peu avant ce village du Brusquet, un chemin sur ma droite montait à travers un bois et je m'y suis engagé. J'ai laissé la DS à l'entrée. J'ai continué à pied. Il n'y avait pas de maison aux alentours mais, sur le plateau, des pâtures cernées de barrières, dont une avec une bergerie en ruine. Je suis allé la voir. Il n'y avait plus de porte et le toit s'était effondré à l'intérieur.

J'ai regardé ma montre et j'ai couru tout du long jusqu'à la voiture. Il m'a fallu moins de deux minutes pour l'atteindre, rouler en marche arrière et reprendre la route de Digne. Et deux autres minutes pour repasser devant la scierie de Leballech.

J'ai arrêté la DS quelques secondes et je suis reparti. A l'entrée de la ville, j'ai pris une rue sur ma droite, puis un boulevard parallèle au boulevard Gassendi sur ma gauche, et j'ai stoppé sur une place où il y avait un parking. Sans lambiner mais sans risquer non plus de me faire accrocher par un gendarme sourcilleux, j'avais mis six minutes pour venir de la scierie. Il n'y avait pratiquement pas de circulation encore, et c'est tout ce qui serait changé quand j'aurais à faire le même parcours pour sauver ma peau.

Après les Mées, en passant sur le pont qui enjambe la Durance, j'ai jeté par la portière, sans m'arrêter, les morceaux de carabine que j'avais sciés. Plus loin, entre Manosque et Aix, je me suis rangé sur une aire de stationnement, j'ai abaissé le dossier de mon siège pour me reposer un moment. Je me suis endormi. Quand j'ai rouvert les yeux, les voitures et les camions défilaient sur la route, il était plus de neuf heures.

Je suis arrivé à Marseille une heure plus tard. J'ai dit que j'ai fait mon service à Marseille, c'est une ville que je connais. J'ai trouvé facilement l'hôpital de La Timone, mais le service psychiatrique où Elle se trouvait est autonome, j'ai dû faire mille détours pour en voir l'entrée. Dans la parking, j'ai sorti la Remington et la boîte de cartouches de la valise, je les ai poussées au fond du coffre et j'ai fermé le coffre à clef.

Eva Braun m'attendait dans le hall, assise très droite sur un banc, les yeux fermés. Elle était amaigrie et vieillie. Elle portait la même robe crème que le jour où elle était venue chez nous fêter l'anniversaire de sa fille, mais cette robe, à présent, semblait faite pour une autre. En ouvrant les yeux et en me voyant devant elle, la valise à la main, elle m'a dit : « C'est bien du tracas que je vous ai donné pour rien, mon pauvre gendre. On a retrouvé le bagage d'Éliane dans un hôtel. »

Je lui ai demandé si elle l'avait vue. Elle a remué la tête avec un sourire triste. Elle m'a dit : « Elle n'a pas mauvaise figure. Elle a même l'air normal. Mais elle n'est plus sur terre, vous comprenez ? Elle réclame son papa. Elle se demande pourquoi il ne vient pas la voir. C'est la seule chose qui la chagrine. » J'ai vu une larme déborder de sa paupière mais elle l'a essuyée aussitôt. En regardant le sol, les yeux fixes, elle a ajouté : « Ils la font dormir, en ce moment. Il faut qu'elle dorme beaucoup. »

Une infirmière, un peu plus tard, m'a conduit dans la chambre où Elle était couchée. Je suis resté assis près de son lit, seul, écoutant son souffle paisible, j'ai laissé aller les pleurs que je retenais depuis plusieurs jours. Elle était étendue sur le dos, les cheveux serrés en chignon, les bras au-dessus des draps. On lui avait passé une chemise de gros coton gris, sans col, qui lui donnait l'air d'une prisonnière, qui me faisait pitié. Son visage, dans le sommeil, me semblait creusé, douloureux, mais elle avait toujours cette petite bouche gonflée que j'aimais bien.

Quand l'infirmière est revenue, je lui ai donné les robes et le linge que j'avais apportés. J'ai gardé la valise bleu marine, qui ne contenait plus qu'une chemise et un slip pour moi et mes affaires de toilette. La valise en skaï blanc était posée, vide, dans un coin de la chambre. J'ai demandé à l'infirmière, en baissant la voix, dans quel hôtel on l'avait retrouvée. Elle m'a répondu : « Le *Belle-Rive*. C'est un des hôtels autour de la gare Saint-Charles. Il faudrait d'ailleurs que vous y passiez, votre femme n'avait pas réglé sa note. » J'ai dit : « Elle avait aussi un grand sac à main en toile. » L'infirmière a secoué la tête, on ne l'avait pas rapporté.

Avant de sortir, je me suis penché sur Elle, j'ai embrassé son front tiède, j'ai touché sa main. Je n'ai pas osé l'embrasser sur les lèvres, devant l'infirmière, et je m'en suis voulu par la suite, je m'en veux encore, parce que les deux autres fois que je l'ai vue, je n'avais plus la possibilité de le faire.

La doctoresse qui la soignait, Mme Fieldmann, m'a reçu dans son bureau du rez-de-chaussée. Par la fenêtre ouverte, derrière elle, je voyais des hommes en robe de chambre et en pantoufles se promener à pas lents dans un jardin entouré d'arcades. C'est une femme de cinquante ans, aux cheveux noirs, assez petite, assez rondelette, mais avec un beau visage plein de bonté et des yeux qui rient, elle a de petites rides autour comme Mickey. Elle avait interrogé Eva Braun, plus tôt dans la matinée. Elle m'a posé des questions, à moi, et certaines me semblaient sans intérêt, et d'autres embarrassantes. Elle m'a dit, sans se fâcher : « Si je ne cherchais pas à y voir clair, je ne vous interrogerais pas. »

Elle ne m'a pas assommé avec des mots que je ne pouvais pas comprendre. Elle m'a expliqué que ma femme était mentalement perturbée depuis longtemps, depuis des années peut-être — puisque neuf ans, c'était l'âge heureux qu'elle se donnait maintenant — et que jusqu'au samedi précédent, elle avait été probablement la seule à se rendre compte, par moments, que sa personnalité était menacée. Une névrose. Que cette névrose se soit construite, étage par étage, à la suite d'un choc affectif insupportable, Mme Fieldmann n'en doutait pas. Il y avait pourtant autre chose, que seuls les examens des derniers jours avaient décelé : les modifications soudaines et très inquiétantes du flux de son sang vers le cerveau. Elles pouvaient être la cause, sous l'effet d'événements angoissants, de pertes de connaissance ou de son : « J'ai mal derrière ma tête. » Elles pouvaient aussi avoir provoqué des lésions diffuses, au niveau des petits vaisseaux qu'on appelle les capillaires.

Mme Fieldmann m'a dit : « Samedi dernier, je ne sais où, je ne sais pourquoi, votre femme a subi un choc émotionnel au moins aussi grand que le premier. Cette fois, elle n'a pas pu rester dans ce monde qu'elle s'était fabriqué, sa névrose. *Avez-vous déjà vu une construction dont le toit s'est effondré à l'intérieur ?* C'est un peu ça. Elle a fait ce qui arrive rarement et qui aurait laissé mes confrères, il y a seulement quelques années, tout à fait sceptiques. Elle est passée, après une période de stupeur, de sa névrose à une psychose, c'est-à-dire à une maladie qui n'est pas seulement différente par la gravité mais par la nature. Maintenant, tout le monde se rend compte que sa personnalité est détruite, mais elle non. Elle a *vraiment* neuf ans. Quand elle s'est vue, hier, dans un miroir accroché au mur de sa chambre, elle n'a pas eu de doute sur le fait qu'elle est une petite fille, elle a simplement demandé qu'on enlève le miroir. Vous comprenez ? »

J'ai dit oui. J'avais beaucoup de questions à poser, moi aussi, mais j'étais assis sur une chaise, ma valise à mes pieds, dans un bureau d'hôpital, devant quelqu'un de beaucoup plus instruit que moi et qui m'impressionnait, j'ai baissé la tête.

Mme Fieldmann a sorti alors, d'un tiroir de sa table, quelque chose qu'elle a placé devant moi. J'ai reconnu le petit flacon de vernis à ongles, en verre teinté que j'avais vu, le mardi soir de la gifle, en vidant le sac

d'Elle sur notre lit. Mme Fieldmann m'a dit : « Quand
on a trouvé votre femme sur la plage et qu'on l'a
conduite ici, elle tenait ce flacon dans son poing serré.
Il a fallu le lui arracher de force. » Je ne voyais pas où
elle voulait en venir. En remuant le flacon, elle m'a
montré qu'il contenait de la poudre. Elle m'a dit :
« Remarquez, on fabrique tant de choses, on fabrique
peut-être aussi du vernis à ongles en poudre. Mais ce
n'en est pas. » J'ai pensé à la drogue. Comme si elle
lisait dans mon regard, elle a secoué la tête. Elle m'a
dit : « C'est un médicament cardio-vasculaire très
dangereux, le Dréboludétal. Il est hors de question
qu'un médecin ait pu l'ordonner à votre femme. Je ne
sais pas comment elle a pu se le procurer. En tout cas,
il s'agit de trente comprimés qu'on a grossièrement
pilés et qui contiennent un dérivé de toxine bacté-
rienne — un poison, si vous voulez — je ne sais
combien de centaines de fois plus violent que la
strychnine. Pour vous donner une idée, il y a dans ce
flacon de quoi tuer une famille. »

Je suis resté comme assommé pendant un long
moment. Puis elle a dit : « Elle n'avait peut-être pas
réellement l'intention d'utiliser cette poudre, ni contre
elle-même ni contre personne. J'ai connu d'autres
jeunes malades qui gardaient sur eux des choses
dangereuses — des lames de rasoir, de l'acide. Cela
leur donnait un sentiment de sécurité. » J'ai levé la
tête, j'ai dit : « Oui, sûrement », mais je ne le pensais
pas. Je pensais à ce qu'Elle avait dit à Mlle Dieu : « Je
me débarrasserai d'eux d'une manière ou d'une
autre. » Elle avait voulu essayer, toute seule, et elle
n'avait pas réussi. Je me suis levé. J'ai remercié

Mme Fieldmann. Elle m'a dit que je pourrais voir ma femme éveillée le lendemain après-midi, vers trois heures, mais qu'il me faudrait être raisonnable, parce qu'elle ne me reconnaîtrait pas. J'ai répondu que je m'y attendais.

En sortant de l'hôpital, j'ai emmené Eva Braun en voiture jusqu'à l'hôtel *Belle-Rive,* devant les grands escaliers de la gare Saint-Charles. Ce n'est pas un palace, mais il est confortable et bien tenu. L'homme qui était derrière le comptoir de l'entrée — le concierge de jour — n'avait qu'un souvenir d'Elle : ses yeux pâles. C'est lui qui l'avait reçue, le vendredi 30, en fin d'après-midi. Elle était donc déjà passée par Avignon Il lui avait fait remplir une fiche. Elle avait écrit : *Jeanne Desrameaux, 38, rue Frédéric-Mistral, Nice.* A Eva Braun qui ne le savait pas, j'ai expliqué que c'était le nom de jeune fille de ma tante. Il nous a montré la chambre qu'elle avait occupée une nuit, qui donnait sur la rue. Un couple d'Allemands était là, au milieu de ses bagages. Ma belle-mère leur a parlé dans leur langue.

En redescendant, j'ai payé la note d'Elle. J'ai vu qu'elle avait commandé du café le samedi matin, et donné plusieurs coups de téléphone, tous à Marseille. J'ai demandé au concierge si quelqu'un était venu la voir, pendant qu'elle était là, mais il ne savait pas. Il ne se rappelait que ses yeux, qui lui avaient fait « une impression bizarre », qui étaient « bleus, c'est un fait, mais presque sans couleur ».

Ensuite, nous sommes allés voir les horaires des trains, dans le hall de la gare. Eva Braun voulait rentrer pour s'occuper de son mari. Elle m'a dit : « Je reviendrai la semaine prochaine avec lui, si vous pouvez nous transporter. » Il y avait, une heure plus tard, un train pour Digne. Elle n'a pas voulu aller dans un restaurant, de peur de le manquer. Nous avons mangé une assiette froide dans un café, en bas des escaliers de la gare. Marseille est une ville très bruyante, et la chaleur nous empêchait de respirer. Elle m'a dit, avec un sourire timide : « J'ai l'impression d'être saoule. »

Quand son train est parti, elle m'a fait des signes du bras, par la portière, comme si elle s'en retournait au bout du monde et ne devait jamais plus me revoir. Elle a beau être allemande — ou autrichienne — elle est de la même race que mon père, mes frères et les femmes de notre famille. La race de ceux qui doivent tout supporter, et qui, malheureusement, supportent tout. Vous savez ce que je me disais, quand son train a disparu et que je marchais vers la sortie de la gare ? Cela me remplissait d'une sorte de contentement, d'exaltation, un peu comme quand j'ai vu surgir la casquette rouge de Mickey dans le moutonnement des autres coureurs, et qu'il a gagné sa première course, à Draguignan. Je me disais que justement, Elle et moi, nous n'étions pas comme eux.

J'ai traversé tout Marseille en voiture. En route, sur le Prado, je suis entré dans un Monoprix, j'ai acheté une paire de lunettes de soleil, une chemise rouge, et un sac en plastique noir, tout en longueur, fait pour transporter je ne sais quoi — un attirail de pêche, peut-être — mais assez grand pour ma carabine.

J'ai pris une chambre au *Cristotel*, dans le quartier de Mazargues, loin du centre. La nuit y coûte cher, mais c'est vaste, moderne, il y a un bar, deux restaurants, cent cinquante chambres identiques, personne n'y remarque jamais personne. J'avais vu une affiche de cet hôtel, à la gare, et tout y était aussi inhumain qu'elle le disait.

J'ai rempli ma fiche au comptoir de la réception. J'ai dit que j'avais du sommeil en retard, que je ne voulais pas être dérangé. On m'a répondu, sans même me regarder, que je n'avais qu'à placer le carton « Ne pas déranger » sur la poignée de ma porte. J'ai suivi dans un ascenseur et un couloir un employé à qui je n'ai pas voulu confier ma valise. Il n'y avait pas une chance sur un million qu'il soit doué pour voir à travers du carton bouilli et devine qu'une Remington et des cartouches étaient dedans, mais c'est comme ça. Je lui ai donné la pièce. J'ai placé, dès qu'il est parti, le carton « Ne pas déranger » sur ma porte.

J'ai vérifié à nouveau la carabine, je l'ai chargée. Je n'avais pas de chargeur de rechange et si je devais tirer deux coups la première fois, je savais que je ne continuerais pas avec une seule balle, je devrais recharger dans la bergerie, sans m'affoler, en perdant le minimum de temps. Cette idée m'angoissait, parce que je ne m'y voyais pas, je n'arrivais pas à m'imaginer dans cette situation.

L'idée du téléphone, chez Leballech, elle aussi m'angoissait. Je me suis rappelé le relais du fil, au-dessus de la porte de l'atelier. Il serait trop loin de moi, avec un canon de 30 centimètres, pour que je le fasse sauter d'une balle. J'essaierais, voilà tout. Mais je ne m'écarterais pas du portail pour le faire. Mlle Dieu avait dit : « Ce sont des pères de famille. » Je ne savais pas combien de fils, combien de filles seraient dans la maison et pourraient me couper la retraite, quand j'aurais abattu Leballech. En plus, je ne l'avais pas entendu, mais j'étais à peu près sûr qu'ils avaient un chien. Il ne fallait pas que je m'écarte du portail.

Voilà quelles étaient mes pensées dans cette chambre où les tissus, les murs, étaient bleus, et le bois couleur acajou. J'ai glissé la carabine et la boîte de cartouches dans le sac que j'avais acheté ainsi que la chemise rouge. J'ai posé le sac au pied de mon lit. J'ai fait disparaître l'emballage en cellophane de la chemise dans la cuvette du water. Ensuite, je me suis déshabillé, j'ai pris un bain. Il y avait un petit frigo, dans la chambre, et j'ai ouvert une canette de bière, j'ai fait une croix dans une case sur la feuille des consommations qui était posée sur le plateau de l'appareil, avec un crayon attaché à une chaîne — le luxe.

Je me suis allongé dans le lit, en slip propre, j'ai bu ma bière en pensant que je verrais Elle éveillée, le lendemain. J'ai imaginé des bêtises — qu'elle me reconnaîtrait soudain et serait guérie — et je me suis dit que c'étaient des bêtises, je me suis arrêté. J'ai fermé les yeux. Je n'ai pas vraiment dormi, je sentais la chambre autour de moi, j'entendais des bruits de voix dans le couloir, et une rumeur assourdie, dehors.

Je me suis levé quand ma montre a indiqué quatre

heures. J'ai enfilé à nouveau mon pantalon noir, le tricot noir de Mickey, mon blouson beige. Je n'ai emporté avec moi que le sac en plastique. Pour quitter l'hôtel, je suis passé par le bar. Il y avait une foule de touristes étrangers. J'ai mis la clef de la chambre dans la boîte à gants de la DS, avec les lunettes de soleil que j'avais achetées. Avant de m'engager sur l'autoroute d'Aix, j'ai fait le plein d'essence et vérifié le niveau d'huile.

J'ai roulé. Je n'avais pas besoin d'être à Digne avant sept heures. C'est à peu près l'heure à laquelle j'y suis arrivé. J'ai rangé la voiture sur la petite place que j'avais repérée le matin. Je suis allé à pied sur le boulevard Gassendi. Il y avait beaucoup de monde sur les trottoirs.

Je ne m'attendais pas à trouver l'agence immobilière encore ouverte, mais elle l'était. Un homme, à l'intérieur, était assis derrière un bureau métallique. Il faisait signer des papiers à un couple d'un certain âge. Je l'ai regardé à travers les vitres, sans m'arrêter. J'ai traversé la chaussée, un peu plus loin, et je suis entré dans un grand bar-tabac, *Le Provençal*. On se serait cru dans un meeting tant il y avait de gens qui parlaient fort. J'ai demandé au comptoir un demi et un jeton pour téléphoner.

La cabine du téléphone était au fond d'une arrière-salle où on jouait au billard. J'ai appelé l'agence immobilière. J'ai dit : « Michel Touret ? » Il a répondu : « Lui-même. » J'ai dit : « Écoutez, monsieur Touret, j'ai un terrain à vendre, à la sortie de Digne, sur la route de La Javie. Un beau terrain de près d'un hectare. J'aimerais que vous veniez le voir. »

Il m'a demandé mon nom. J'ai dit : « Planno. Robert Planno. » Il voulait prendre rendez-vous pour la semaine suivante. Je lui ai dit : « C'est que je ne suis pas d'ici. Je suis de Menton. Je reprends le train ce soir. » Il n'était pas chaud pour venir. Je lui ai dit : « Écoutez, monsieur Touret, je vous assure que c'est une bonne affaire pour vous. J'ai besoin d'argent rapidement, vous voyez ce que je veux dire ? C'est à moins de dix kilomètres de Digne, il y a presque un hectare de prairie, et une bergerie à retaper dessus. » Il a hésité encore, il m'a posé des questions sur l'endroit. Finalement, il m'a dit : « Il faut que je passe chez moi, d'abord. » J'ai répondu : « C'est très bien parce que je ne pourrai pas être là-bas avant huit heures et demie. Mais on n'en a pas pour très longtemps, juste un quart d'heure. » Il a dit : « Bon. C'est toujours pareil avec vous autres. » Je pense qu'il voulait parler de ses clients, je ne sais pas. Je lui ai demandé s'il connaissait la scierie Leballech. Il m'a répondu, d'une voix presque dégoûtée : « Vous pensez. Leballech, c'est mon beau-frère. » Je lui ai dit : « Eh bien, trois kilomètres après, sur la droite, il y a un chemin qui monte à travers un bois. Je vous attendrai à l'entrée, sur la route. Qu'est-ce que c'est, votre voiture ? » Il m'a dit : « Une CX. » J'ai dit : « Moi, vous me reconnaîtrez facilement, je porte une chemise rouge. »

Après avoir bu mon demi et payé ce que je devais, j'ai marché sur le trottoir en face de l'agence. Touret, à l'intérieur, se préparait à partir. Je ne pouvais pas bien distinguer comment il était, à cause des reflets sur les vitres, mais je ne me suis pas attardé. Je verrais sa

figure toujours assez tôt. Je ne pensais même plus
tellement à ce qu'ils avaient fait à Elle, lui et son beau-
frère. C'était devenu aussi irréel que le reste de ma vie.
Je ne pensais qu'aux gestes que je devais accomplir. Je
crois qu'à partir d'un certain moment, je n'aurais plus
été capable d'expliquer pourquoi j'étais là ni ce que je
faisais, j'imaginais encore moins que le soleil se
lèverait encore et qu'il y aurait un lendemain.

Je suis retourné à la DS. J'ai laissé mon blouson
dedans. J'ai pris le sac noir. J'ai mis mes lunettes de
soleil sur mon nez. J'ai verrouillé toutes les portières et
j'ai marché d'un bon pas jusqu'à la sortie de la ville.
Le soleil descendait sur les collines, encore brûlant. Il
y avait deux feux rouges et un trafic sans histoires sur
le parcours que j'avais choisi pour revenir.

En passant devant la scierie, je ne me suis pas
arrêté, j'ai tourné la tête deux secondes, assez pour
voir qu'il y avait un berger allemand dans la cour, avec
un garçon de l'âge de Bou-Bou, aux cheveux longs. Le
portail s'ouvrait sur une ligne droite et les voitures
roulaient bon train. J'espérais qu'elles seraient moins
nombreuses, une heure plus tard, mais un samedi, en
août, qui sait où vont les gens ? En marchant, j'ai
commencé d'avoir soif. C'était peut-être l'angoisse qui
m'asséchait la gorge, mais la soif ne m'a plus quitté.

Dans la bergerie, j'ai enfilé la chemise rouge par-
dessus mon tricot, j'ai roulé les manches sur mes
coudes. J'ai sorti la carabine du sac, et je l'ai posée
dans une niche creusée à mi-hauteur du mur, à main
droite en entrant. J'ai vérifié deux ou trois fois que je
pouvais l'attraper facilement. J'ai placé le sac par
terre, juste au-dessous. Ensuite, j'ai attendu qu'il soit

huit heures et demie, assis sur le seuil. Je ne me rappelle plus à quoi je pensais A la soif. A cette coïncidence que Mme Fieldmann m'ait parlé d'un toit effondré. Peut-être à rien.

En descendant vers la route, quand le moment est arrivé, j'ai vu un homme et une femme sortir du bois. Ils se tenaient par la taille et n'étaient occupés que d'eux-mêmes. Ils ne m'ont pas vu et sont partis à pied en direction du Brusquet. Les voitures qui passaient m'ont semblé plus rares. Mon cœur était lourd, ma gorge serrée.

Touret avait une dizaine de minutes de retard Il a fait entrer sa CX dans le chemin, comme je l'avais imaginé. En arrêtant son moteur, il a retiré la clef du contact et l'a mise dans la poche de son veston. Il portait un complet d'été à fines rayures bleues, comme les costumes de boucher, une cravate voyante, rouge et orange. Il m'a dit en descendant de voiture : « Excusez-moi, monsieur Planno. Vous savez comment ça se passe avec les femmes. » Il m'a tendu la main. Il était de taille moyenne, sans plus, avec un front dégarni et des yeux gris. Son sourire, ses allures de vendeur dynamique, ses dents de devant, tout en lui était faux. J'ai dit : « C'est là-haut, allons voir. » Dans les premières secondes, il m'a semblé avoir vu sa figure auparavant, mais ce n'était qu'une impression vague, je n'y ai plus pensé.

Nous avons gravi le chemin. Il m'a dit : « Ah ! oui. Je vois. J'ai déjà vendu un terrain, par ici. » Je marchais devant lui, dans la prairie. Il s'est arrêté pour regarder les alentours. Je ne sais pas ce qu'il me racontait. Les mots n'arrivaient plus jusqu'à mon cerveau. Je suis entré dans la bâtisse en ruine le premier. J'ai envoyé la main vers la carabine, je l'ai attrapée, je me suis retourné vers lui. Il s'est interrompu dans une phrase et il a regardé l'arme fixement. Il a dit, sans voix : « Mais qu'est-ce que c'est ? »

Je lui ai fait signe de reculer vers le mur du fond. Il a failli perdre l'équilibre sur les gravats. Je lui ai demandé : « C'est vous qui l'avez envoyée à Avignon ? » Il m'a regardé la bouche ouverte, mais aussitôt il a rabaissé les yeux sur la carabine. Il a murmuré : « Quoi ? Avignon ? » Et puis, il a compris. Il a dit : « Cette fille ? » J'ai répondu : « Éliane. Ma femme. » Il a agité une main devant lui pour que je ne tire pas. Il m'a dit : « Écoutez-moi. Je ne suis pour rien dans cette histoire ! Je vous le jure ! C'est uniquement la faute de mon beau-frère ! » Comme je restais muet, il a fait un mouvement pour se déplacer le long du mur de pierre sèche, mais il s'est arrêté net en voyant que je relevais la Remington. Je la tenais à deux mains, dirigée vers le haut de sa poitrine. Il a eu alors une grimace, qui se voulait peut-être un sourire, il a dit beaucoup plus bas, l'air de chercher son souffle : « Non, vous n'allez pas faire ça. Vous avez voulu me faire peur, voilà. Je vous jure que c'est mon beau-frère le fautif. » Je n'ai pas répondu. Il a dû croire que je ne pourrais pas presser sur la détente. Il s'est détaché du mur en disant, avec un brusque courage : « Allons, quoi. Vous n'avez pas cru ce qu'elle dit ? Vous ne voyez pas qu'elle est cinglée ? J'y suis pour quelque chose, moi, si une pute... » J'ai tiré.

La détonation a été si forte qu'une fraction de seconde j'ai fermé les yeux. Il s'était avancé, la main

ouverte pour détourner la carabine, et il a été littérale-
ment projeté contre le mur. Il est resté debout, la
poitrine trouée, la figure incrédule pendant un temps
qui m'a semblé très long, et puis il est tombé en avant
à travers la fumée du coup, et rien qu'à la manière
dont il est tombé, j'ai su qu'il était mort.

J'ai fait deux pas au-dehors, pour écouter. Il n'y
avait aucun bruit. Ensuite, je me suis rendu compte
que les oiseaux chantaient dans les taillis et les arbres
autour de moi. Je suis rentré dans la bergerie. J'ai
remis la carabine dans mon sac. Il a bien fallu que je
regarde Touret, quand je me suis penché sur lui pour
prendre les clefs de sa voiture. Son veston, dans le dos,
était déchiqueté, plein de sang. Il était tombé sur un
amas de vieilles tuiles brisées, les yeux ouverts.

J'ai couru. Le parcours qui m'avait paru sans
difficulté, le matin, m'a épuisé. Je n'avais plus d'air
dans les poumons, en prenant le volant de la CX,
j'avalais du feu. J'ai attendu un instant, puis j'ai fait
marche arrière. J'ai attendu encore que deux voitures
passent, qui ont klaxonné parce que je mordais déjà
sur la route. J'ai roulé en me répétant : « Fais
attention. Fais attention. » Je ne voulais penser à rien
d'autre. De grosses gouttes de sueur tombaient de mes
sourcils et j'ai ôté mes lunettes pour m'essuyer les yeux
avec l'avant-bras.

J'ai stoppé sur le côté gauche de la chaussée, juste
devant l'entrée de la scierie. J'ai laissé la carabine hors
du sac, sur mon siège. Je n'ai pas arrêté le moteur ni
refermé la portière en descendant. J'ai fait une dizaine
de pas au-delà du portail. Le soleil se couchait,
rougeoyant, et ses derniers rayons étaient dans mon

dos. J'ai crié : « Monsieur Leballech ? » Le chien, dans la maison, s'est mis à aboyer. Une femme en tablier a ouvert la porte. Elle s'est protégé les yeux d'un bras pour voir qui j'étais. J'ai dit : « M. Leballech est là ? » Elle m'a dit : « C'est pourquoi ? » J'ai fait un geste de la main pour montrer la CX, derrière moi. J'ai dit : « J'ai une affaire à lui montrer, de la part de son beau-frère. » Elle est allée le chercher. L'air sentait la résine et le sol, par endroits, était blanc de poussière de bois, on aurait cru de la neige.

Il est sorti, gêné lui aussi par le soleil. Je n'ai pas bougé. Il était grand et massif, un peu comme moi avec vingt ans de plus. Il avait le torse nu et tenait une serviette de table à la main. Il m'a dit : « Qu'est-ce qu'il y a encore ? » J'ai répondu : « Venez voir. » Je me suis aussitôt détourné, je suis revenu à la voiture. Il a fermé sa porte et je l'ai entendu marcher dans la cour. Je suis resté courbé au-dessus du siège, l'air de chercher quelque chose, jusqu'à ce que je le sente à quelques mètres de moi. Je me suis retourné alors, la carabine dans les mains, et je me suis avancé vers lui pour qu'on ne me voie pas de la route.

Il s'est arrêté net à sept ou huit pas du canon braqué sur lui. Paupières plissées, il le regardait fixement, comme Touret, mais il n'a pas réagit de la même façon. Il a dit : « Non mais, à quoi on joue ? Qui êtes-vous ? » Il était sidéré, mais il n'avait pas peur, sa voix restait calme. Lui aussi, il me semblait l'avoir déjà vu. Des voitures sont passées en trombe derrière moi. Je lui ai dit . « Je suis le mari d'Éliane. » Il avait des poils sur la poitrine, poivre et sel comme ses cheveux. Je crois que c'est le seul moment, dans ce cauchemar, où j'ai pensé que lui et Touret avaient couché avec Elle. Ses sales poils sur la poitrine, ses grosses pattes. Il m'a dit : « C'est donc ça. » Il froissait sa serviette en boule entre ses doigts. Il avait un air mauvais. Il a jeté un coup d'œil vers la maison et il m'a dit d'une voix plus basse, méprisante : « Pauvre con. Si tu crois ce qu'elle te raconte ! Je n'ai jamais eu besoin de violer personne. Et elle, pour ce qu'elle m'intéresse, maintenant, tu peux te la garder. » Ensuite, en soulevant les épaules, il m'a tourné le dos, carrément, pour retourner chez lui. J'ai appuyé sur la détente. Il a titubé, frappé dans le dos, il a lâché sa serviette, mais il est resté sur ses jambes. Plié en deux, les bras autour du corps, il a fait un effort pour continuer à marcher vers la maison. Je l'ai entendu murmurer : « Merde. » J'ai tiré une seconde fois, en le suivant, et il s'est abattu de tout son long, la tête éclatée.

Presque en même temps, la porte s'est ouverte, il y a eu des aboiements et des cris. J'ai vu le berger allemand s'élancer dans la cour, et je crois que je suis resté cloué sur place. Mais il n'en avait pas après moi. Il s'est mis à faire des bonds autour de son maître, en aboyant et en geignant. J'ai vu aussi plusieurs personnes hurlantes sortir de la maison. J'ai foncé vers la CX. J'avais eu vaguement conscience d'un coup de frein terrible, sur la route, entre le premier et le second coup, et c'était vrai. Un homme et une femme étaient sortis d'une voiture arrêtée quelques mètres plus loin, inquiets de ce qui se passait. Je les ai menacés comme un fou avec la carabine, en criant · « Ne restez pas là ! Allez-vous-en ! »

Le moteur de la CX tournait toujours. J'ai démarré

au moment où le garçon aux cheveux longs que j'avais
vu plus tôt et qui devait être le fils de Leballech
s'agrippait à ma portière. Il a lâché prise sur quelques
mètres et j'ai roulé vers Digne à cent vingt ou cent
trente. J'ai ralenti un peu avant d'y entrer, j'ai viré à
droite. J'ai dû m'arrêter à un feu rouge, derrière
d'autres voitures. J'en ai profité pour rentrer dans le
sac la carabine et mes lunettes. Juste avant la petite
place, je me suis rangé à cheval sur un trottoir et j'ai
coupé le moteur. J'ai enlevé la chemise rouge, je m'en
suis servi pour essuyer le volant et le levier de vitesse,
tout en sachant que cette précaution était bien inutile,
et je l'ai fourrée dans le sac.

Quand je suis descendu de voiture, des sirènes de
police — au moins deux véhicules — déchiraient l'air,
par-dessus les toits, et s'éloignaient en direction de La
Javie. Je me suis retenu de courir jusqu'à la DS, pour
ne pas attirer l'attention des passants ou des gens qui
mettaient le nez à leur fenêtre. J'ai soulevé le siège
arrière et j'ai placé mon sac dessous. J'ai enfilé mon
blouson avant de démarrer.

Au Rond-Point, pour franchir le pont sur la Bléone,
il y avait un grand trafic, comme toujours, et un car de
police se frayait le passage à coups de sirène. On
n'avait pas encore eu le temps de mettre un barrage en
place et j'ai roulé vers Manosque derrière une longue
file de voitures. A un moment, deux motards nous ont
dépassés à toute allure, courbés sur leurs machines. Je
les ai revus plus loin, à l'entrée de Milijaï, avec des
gendarmes. Ils faisaient stopper au bord de la route les
CX et les GS, sans doute parce que malgré la taille, ce

sont deux voitures qui se ressemblent. Ensuite, plus rien. Mon cœur s'est calmé. J'avais seulement très soif.

Il était un peu plus de onze heures quand je suis sorti de l'autoroute, en plein Marseille. J'ai roulé jusqu'à la Corniche. Sur des rochers, au bord de la mer, j'ai rendu inutilisable la carabine, à coups de pierre et je l'ai lancée loin dans l'eau noire. Je me suis débarrassé aussi des cartouches qui me restaient, une par une, de la boîte, en petits morceaux, et de mes lunettes écrasées. En retournant au *Cristotel,* je me suis arrêté encore deux fois. J'ai jeté le sac et la chemise rouge déchirée dans deux trous d'égouts différents.

A minuit, il y avait encore beaucoup de monde dans le bar. Personne n'a fait attention à moi. Je suis monté dans ma chambre. J'ai bu deux canettes de bière, j'ai pris une douche dans la baignoire et je me suis couché. J'avais à nouveau soif. J'ai pensé à me lever pour prendre une bouteille d'Évian dans le frigo, mais je suis tombé, avant d'en trouver la force, dans un sommeil sans rêve. Je me suis réveillé, je ne sais pourquoi, alors qu'il faisait encore nuit. J'avais un sentiment d'angoisse à propos de quelque chose, mais il m'a fallu plusieurs secondes pour me rappeler que j'avais tué deux hommes. Et puis, la fatigue m'a aidé, mon cœur battait moins fort, je me suis rendormi.

J'ai vu Elle le lendemain après-midi, dans sa chambre bleu et blanc de l'hôpital. Elle était debout près de son lit, les cheveux répandus sur les épaules, les yeux plus clairs que jamais. Elle portait sa robe d'été blanche, une de celles que je lui avais apportées. Cela m'a fait plaisir qu'elle ait mis celle-là. Elle était très droite, très attentive à mon visage, avec un sourire indécis, très doux, mais — comment dire — pas le sien.

Mme Fieldmann qui était venue, bien qu'on soit dimanche, lui a dit : « Ce monsieur te connaît, il connaît ton papa », et Elle a juste bougé la tête pour montrer qu'elle était contente. Je ne savais pas ce qui lui ferait plaisir, j'avais acheté des fleurs et une boîte de chocolats. Elle m'a dit : « Merci, monsieur. » Ensuite, elle se parlait toute seule, à voix basse, pendant que l'infirmière apportait un vase et faisait un bouquet. J'ai dit : « Éliane. » Elle m'a regardé avec ce sourire qui n'était pas le sien et j'ai vu qu'elle attendait que je parle. Je lui ai dit : « Si tu veux quelque chose, tu peux me le demander, je te l'apporterai. » Elle a répondu : « Je voudrais mon cœur en argent, et mon ours, et puis je voudrais... » Elle n'a pas terminé sa phrase, elle s'est mise à pleurer en me regardant. J'ai dit : « Quoi ? Qu'est-ce que tu voudrais ? » Elle a bougé la tête de droite à gauche, sans cesser de me regarder à travers ses larmes, et c'est tout. Mme Fieldmann, derrière moi, lui a dit : « Ce monsieur est un grand ami. Il va amener ici ton papa en voiture, dans quelques jours. » Alors Elle a ri en même temps qu'elle pleurait, elle a marché dans la chambre en répétant : « Ah ! oui, ça je voudrais bien. Ah ! oui, c'est quelque chose. » Et elle a recommencé à parler tout bas, pour elle-même, l'air agité mais heureuse, des larmes sur ses joues.

Mme Fieldmann m'a fait signe, gentiment, qu'il fallait la laisser tranquille, que je devais partir. Je n'étais pas resté plus de cinq minutes. J'ai dit : « Au revoir, Éliane. » Elle a tourné la tête vers moi, elle a souri encore. Ses joues étaient creuses, elle tenait son cou très droit, et j'ai remarqué, en voulant la regarder en entier, pour emporter son image avec moi, qu'on lui avait retiré son alliance.

Dans le couloir, je me suis adossé contre un mur et Mme Fieldmann m'a dit : « Allons, voyons, je vous avais prévenu, soyez raisonnable. » J'ai fait un effort, parce que j'avais honte. Nous avons marché jusqu'à l'ascenseur. Je lui ai dit : « Elle ne peut pas rester comme ça ? Ce n'est pas possible ? » Elle m'a répondu : « Rien, absolument rien n'est incurable. Si je ne le croyais pas de tout mon cœur, je serais en ce moment devant ma télé en train de regarder une émission sur les crocodiles. J'adore les crocodiles. Ils ont l'air d'avoir survécu si longtemps. »

J'ai roulé dans Marseille. J'ai laissé la DS sur les allées Léon-Gambetta pour entrer dans un café. J'avais toujours soif. Devant le comptoir, je ne savais plus quoi commander. Finalement, j'ai pris une menthe à l'eau, qui était la boisson préférée d'Elle et plus désaltérante qu'un demi. Je crois que j'avais envie de quelque chose qui n'existe pas.

Ensuite, j'ai descendu à pied la Canebière, jusqu'au Vieux-Port, en me laissant bousculer sans rien dire, en regardant les vitrines. Son cœur en argent. Où pouvait être son cœur en argent ? Le nounours était dans notre chambre, assis sur le poêle à bois. Je l'avais encore vu avant de partir. J'ai regardé l'eau du Vieux-Port, ses reflets d'huile, les bateaux qui embarquaient du monde pour le château d'If. En remontant la Canebière, j'ai acheté dans un kiosque *Le Journal du dimanche,* qui vient de Paris, je suis allé le regarder dans un autre café, en buvant un autre vittel-menthe.

On y parlait déjà de ce qui s'était passé la veille au soir, à Digne, mais c'était très court. Le propriétaire d'une scierie avait été abattu chez lui par un inconnu. Le beau-frère de la victime, un agent immobilier, avait disparu. On avait retrouvé sa voiture, on le recherchait. Je savais que les journaux du lundi matin en diraient davantage, mais je n'ai rien ressenti qui ressemble à la peur. Tout m'était égal.

J'ai repris la DS vers six heures. J'ai décidé de rentrer chez nous et de revenir voir Elle le lendemain. Je lui rapporterais son ours, elle serait heureuse. Ce soir, je pourrais parler à Mickey. Je ne lui dirais pas ce que j'avais fait, pour ne pas le compromettre, mais ce serait un grand réconfort de voir sa figure, d'écouter ses conneries. Il me parlerait d'Eddy Merckx, de Marilyn Monroe et de Marcel Amont. Et de Rocard, si ça se trouve. D'après lui, Rocard est un vrai socialiste, il ne dit que des choses intelligentes. Je vous jure, quand il commence à parler de ça, tout ce qui reste à faire, c'est de vous mettre des boules dans les oreilles.

J'ai roulé, sans vraiment le décider, vers Aubagne et Brignoles. Il était impensable que je passe par Digne pour retourner au village. Je suis allé jusqu'à Draguignan, où j'ai mangé un sandwich, et je suis remonté

par Castellane et Annot. Cent quatre-vingts kilomètres.

La première personne que j'ai vue en arrivant en
ville, c'est Vava, le garçon qui a peint le portrait du
mari de Cognata. Il se baladait devant les terrasses,
avec son grand carton à dessin, pour proposer ses
œuvres aux vacanciers. Il m'a dit que Mickey était au
ciné, avec Georgette. Mon autre frère, il ne l'avait pas
vu. Il m'a demandé comment Elle allait. J'ai dit : « Ça
va, je te remercie. » J'ai garé la voiture dans la petite
rue du *Royal*, derrière la place de l'ancien marché.
Loulou-Lou était à la caisse, mais je n'avais pas envie
de la voir. Je me suis installé au café en face, pour
attendre l'entracte, comme je vous l'ai dit quand j'ai
commencé à vous parler.

Quand ai-je commencé à vous parler ? Lundi dans la
nuit, le lendemain. Je vous ai parlé lundi dans la nuit,
et mardi après-midi, et nous sommes mercredi. Nous
sommes seulement le mercredi 11 août. Je l'ai lu
encore tout à l'heure, avec surprise, dans l'agenda que
je me suis fait donner, où j'ai noté, sur chaque page,
sur chaque jour de ce printemps et de cet été, en
quelques mots qui n'évoquent des images que pour
moi, ce qui s'est passé depuis l'après-midi où j'ai dansé
avec Elle, où je l'ai tenue dans mes bras pour la
première fois. Il y a si longtemps.

Oui, comme je vous l'ai dit, je regardais l'affiche
éclairée d'un film de Jerry Lewis, de l'autre côté de la
vitre, en attendant l'entracte, en attendant que Mickey
sorte. Je pensais à ma valise. Je ne savais plus ce que
j'avais fait de ma valise. Je me rappelais que j'avais
payé ma note, au *Cristotel*, qu'elle était à mes pieds,

puis plus rien. Je ne me voyais pas en train de la ranger
dans le coffre de la DS. Elle y était peut-être. Je
déraillais depuis des jours, moi aussi.

Des jeunes sont sortis du cinéma en allumant une
cigarette, et d'autres en suçant leur esquimau, puis j'ai
vu Mickey avec Georgette. Il portait un pantalon noir,
comme le mien, et un polo bleu électrique. Il roulait les
épaules, fier comme un paon, dans son polo bleu
électrique. Quand on n'a pas vu Mickey sortir à
l'entracte d'un cinéma, en roulant les épaules, et en
disant aux autres : « Ça va, vieux ? » avec toutes ses
dents du haut alignées comme celles d'Humphrey
Bogart, on ne peut pas se figurer ce que ça vous fait de
l'avoir pour frère. Il vous donne envie de rire et il vous
gonfle le cœur.

J'ai frappé à la vitre, en me levant de ma chaise, et il
m'a vu. Il a même vu beaucoup de choses en me
regardant. Georgette le suivait, mais il lui a parlé, elle
est restée dehors, sous les lampes, et il est venu seul me
rejoindre. Je buvais un demi, il en a commandé un
autre. Il m'a demandé des nouvelles d'Elle. Je lui ai
raconté ma visite de la veille et celle de l'après-midi. Je
lui ai dit que Mme Fieldmann avait l'air de quelqu'un
de bien, que j'avais confiance. Il a bu sa bière, le front
tout plissé, comme chaque fois qu'il réfléchit, et il m'a
dit : « Tu as l'air drôlement crevé. Bientôt, c'est toi
qu'on met à l'hôpital. »

On est resté comme ça un moment, de chaque côté
d'une table, sans parler, et puis il m'a dit que son
patron, Ferraldo, voulait me voir. J'avais rencontré
Ferraldo une dizaine de fois — bonjour, comment ça
va —, il était même venu à mon mariage, mais ce n'est

pas quelqu'un que je connais, je n'y pense jamais. Comme j'étais surpris qu'il veuille me voir, Mickey m'a dit : « C'est au sujet d'un ancien employé de la scierie, un nommé Leballech. » J'ai senti une boule remonter dans ma gorge mais je n'ai pas changé de visage. Il a ajouté : « Il y a deux semaines, Elle est venue voir Ferraldo pour demander des renseignements sur lui. C'est le camionneur qui a ramené au village le piano mécanique de notre père. Tu sais, quand on l'avait mis au clou. » Leballech, notre père, le piano mécanique, je n'y étais plus. J'ai dit : « Qu'est-ce que tu racontes ? Qu'est-ce que c'est que cette histoire ? » J'ai dû parler fort, car Mickey a tourné la tête vers la salle, d'un air gêné. Il m'a répondu : « Je n'en sais rien, moi. Ferraldo m'a dit qu'il voulait te parler à toi. »

J'ai payé les consommations. On entendait la sonnerie du cinéma, de l'autre côté de la rue — la fin de l'entracte. Quand nous sommes sortis du café, Georgette était seule sur le trottoir, mécontente, à attendre mon frère. Je l'ai embrassée sur les joues. Elle m'a demandé comment Elle allait. Je lui ai répondu : « Mickey te racontera. » Mickey m'a dit : « Viens avec nous. C'est un film pour se marrer, ça te fera du bien. » J'ai dit non, que je n'avais pas tellement envie de me marrer, à tout à l'heure. Je les ai regardés rentrer dans la salle. Loulou-Lou était debout près de la porte pour ramasser les tickets de l'entracte. J'ai levé seulement la main pour lui dire bonsoir et je suis allé reprendre la DS. La valise était bien dans le coffre.

Quand je suis arrivé chez nous, au village, Cognata et notre mère étaient dans la cuisine, en train de regarder la télé. Notre mère, en même temps, reprisait du linge. Elle a éteint le poste, et je lui ai raconté mes deux visites à l'hôpital. Deux ou trois fois, je me suis tourné vers Cognata, qui disait : « Quoi ? Quoi ? » et je lui ai répété certaines choses en articulant bien, pour qu'elle lise sur mes lèvres. Bou-Bou n'avait pas dîné là, il restait du haricot de mouton, mais j'ai dit que je n'avais pas faim. J'avais toujours le sandwich de Draguignan sur l'estomac.

J'ai demandé à notre mère : « Le camionneur qui a ramené le piano mécanique, ici, quand j'étais gosse, tu sais qui c'est, toi ? » Elle m'a répondu : « J'ai même retrouvé la facture. Je l'ai montrée à la petite. Il s'appelle Jean Leballech. Moi, je n'étais pas ici, ce soir-là, j'étais chez les Massigne, parce que le père Massigne venait de mourir. Mais je l'ai vu souvent, Jean Leballech. Et ta tante aussi, demande-lui. »

Elle est montée dans sa chambre, pour chercher cette facture, et j'ai parlé à Cognata. Cela faisait un moment qu'elle avait les larmes aux yeux, en pensant à Elle, dans un hôpital pour les fous. Elle m'a dit de sa voix de sourde, trop forte, sans les intonations qui iraient avec ce qu'elle veut exprimer : « C'était Jean Leballech et son beau-frère. Ils étaient ici, dans cette pièce, avec ton pauvre papa. Je me souviens très bien. C'était un lundi soir, en novembre 1955. Il y avait de la neige. Ils ont rapporté le piano et ils ont bu du vin, ici, dans cette pièce, et toi, tu y étais, tu avais dix ans. »

Je n'avais aucun souvenir. Il ne me restait que cette impression de déjà vu devant la figure de Touret, et aussi, encore plus, devant celle de Leballech, quand il m'avait lancé, en regardant fixement la carabine que j'avais dans les mains : « A quoi on joue ? » J'ai répété plusieurs fois à Cognata, jusqu'à ce qu'elle comprenne : « Tu lui en as parlé quel jour, à Elle ? » Cognata m'a répondu : « La petite ? Deux jours avant son anniversaire, quand elle est allée voir sa maîtresse et qu'elle est rentrée si tard. »

Je me suis assis au bout de la table, les mains sur mes genoux. Je voulais réfléchir, mais je n'y arrivais pas. Je ne voyais même plus à quoi je devais réfléchir. Qu'est-ce que le piano, mon père et un hiver d'il y a plus de vingt ans venaient faire dans cette histoire ? Je me sentais vide, à l'intérieur, et glacé.

Notre mère a mis un papier devant moi. C'était la facture dont elle parlait. J'y ai lu le nom de Ferraldo, celui de Leballech, celui de mon père. La date, en haut de la feuille, était le 19 novembre 1955. Mon père avait signé, en bas, le 21. J'ai regardé notre mère et j'ai regardé Cognata. J'ai dit : « Je ne comprends pas. Pourquoi cherchait-elle des renseignements sur ce camionneur ? Elle n'était pas née. » Cognata — j'avais pourtant parlé sans voix, presque pour moi seul — a compris. Elle m'a dit : « Novembre 1955, c'était huit mois avant qu'elle naisse. Et elle est née d'un père inconnu. Si tu ne devines pas pourquoi elle cherchait des renseignements sur ce camionneur, c'est que tu es vraiment bête. » Et elle s'est renfoncée dans son fauteuil, les yeux au sol.

J'ai regardé le réveil sur l'appui de la cheminée. J'ai dit à notre mère que je ramenais la DS à mon patron. Elle m'a dit : « A cette heure ? » Il était presque onze heures, mais il fallait que je voie Eva Braun, je n'aurais pas pu attendre le lendemain. J'ai dit : « Allez vous coucher. On reparlera de tout ça. » Avant de sortir, j'ai bu deux grands verres d'eau à l'évier.

Chez Eva Braun, une lumière était allumée derrière une fenêtre de l'étage. J'ai frappé à la porte vitrée de la cuisine. La lune, je me rappelle, était si lumineuse que je suis venu à ma rencontre comme dans un miroir. J'ai reculé ensuite de quelques pas pour dire, assez haut : « C'est moi, Florimond. » Pendant quelques instants, j'ai cru qu'elle n'avait pas entendu, je m'apprêtais à recommencer, mais la cuisine s'est éclairée, la porte s'est ouverte.

Eva Braun avait enfilé sur sa chemise de nuit une robe de chambre claire, en tissu léger, elle finissait d'attacher sa ceinture. Ses cheveux étaient tirés sur les tempes et retenus derrière la tête par une barrette. Elle avait un grand sourire en ouvrant, parce qu'elle pensait que si je n'avais pu attendre le lendemain pour venir chez elle, c'est que j'apportais des nouvelles qui lui feraient plaisir. Son visage a changé rien qu'à voir le mien.

Je suis entré dans sa cuisine. Je me suis adossé au mur. Elle voulait que je m'assoie, mais j'ai secoué la tête. J'ai dit — elle avait les mêmes yeux que sa fille, seulement plus foncés : « Il faut que je sache la vérité, belle-mère. Je n'en peux plus. Vous le voyez bien, je n'en peux plus. Que s'est-il passé, à Arrame, en novembre 1955 ? »

Ce qu'Eva Braun m'a raconté, cette nuit-là, vous le savez aussi. Elle vous l'a dit hier, quand vous êtes allé la voir au village. Elle vous l'a dit sans doute avec les mêmes mots, les mêmes phrases qu'elle a forgées pendant ces dernières années, quand sa fille la harcelait de questions.

Je ne l'ai interrompue qu'une fois dans son récit : au moment où j'ai compris que cet Italien qui accompagnait les deux autres, cet Italien aux yeux très noirs et aux moustaches tombantes, Éliane avait pu croire que c'était mon père. Je n'avais plus de voix, tant j'étais indigné. Je n'arrivais pas à expliquer que c'était impossible. D'ailleurs, comment l'expliquer ? C'était impossible, voilà.

Ensuite, je me suis contenu, j'ai laissé Eva Braun raconter jusqu'au bout ce que je devais savoir. Sa rencontre avec Gabriel Devigne, sur les routes de la débâcle, en Allemagne. Le bonheur cassé net d'une petite fille qu'on appelait Elle, ou Celle-là, au cours d'un voyage à Grenoble. J'ai entendu à nouveau parler de ce chien qui mangeait les bouts de viande qu'elle lui donnait, sous la table d'un restaurant : « Lucifer, comme le diable. » Eva Braun était assise sur les marches de l'escalier qui mène aux chambres, les yeux obstinément baissés. Elle parlait d'une voix triste et monocorde, juste assez haut pour que je l'entende. J'avais pris une chaise, je m'étais assis tout près d'elle.

Enfin, elle m'a dit que c'était sa fille, à quinze ans, dans un chemin forestier près d'Arrame, qui avait provoqué la paralysie de celui qui jusque-là était son père, en frappant sur lui à coups de pelle. Elle a voulu

aussi me dire pourquoi, mais les sanglots l'en empêchaient. J'ai posé une main sur son bras pour lui faire
comprendre que ce n'était pas la peine. Gabriel
Devigne, quand il a repris connaissance à la maison, a
déclaré qu'il était tombé de lui-même du haut d'une
échelle, en élaguant un arbre, et le Dr Conte, probablement, a fait semblant de le croire.

Nous sommes restés silencieux très longtemps. Eva
Braun a cessé de pleurer. Ma seule pensée à peu près
cohérente, dans la confusion de toutes les autres, c'est
que j'avais tué deux salauds pour une fausse raison,
pour des mensonges. Ils ne connaissaient pas Elle, qui
pouvait être la fille de l'un des deux, c'est elle qui les
avait recherchés, à partir de l'indice du piano mécanique, et retrouvés. Mon père mort, elle ne pouvait plus
s'en prendre à lui. Alors, elle s'était servi de moi pour
punir les autres.

J'ai dit à Eva Braun : « J'ai bien connu mon père. Il
ne pouvait pas être un de ceux qui vous ont attaquée. »
Elle m'a répondu sans me regarder : « Je le sais. Et
ma fille aussi, les derniers temps, l'avait compris. Le
dimanche où votre frère a gagné la course cycliste et
qu'elle a dormi ici, elle l'avait compris, j'en suis sûre.
Je pense que si elle est partie, c'est justement pour
rechercher celui qu'on appelait l'Italien. » Je me suis
rappelé Elle, les tout derniers jours. C'est vrai qu'elle
n'était plus la même avec moi. A la fois plus gentille et
plus lointaine, comme si j'étais redevenu pour elle
celui avec qui elle avait dansé au *Bing-Bang*.

J'ai demandé à Eva Braun — il était presque une
heure du matin · « Mais enfin, elle ne vous a jamais
mise au courant de ce qu'elle avait en tête. » Elle a

bougé tristement une épaule, elle m'a dit : « Elle avait peur que je l'empêche. Je vous demande pardon, mais j'ai voulu voir une photo de votre père. Et puis, le jour du mariage, votre tante était contente d'avoir un portrait à l'huile de son mari, c'était un cadeau d'Éliane, elle nous l'a montré, à Mlle Dieu et à moi. J'ai compris que ma fille m'avait trompée. Elle ne m'avait pas fait voir une photo de votre père, mais de votre oncle. »

Elle m'a regardé, juste une seconde, et elle a baissé à nouveau la tête. Elle m'a dit : « J'ai eu très peur, parce que je suis croyante, et le mariage était fait. Alors, je suis allée au cimetière. Sur la tombe de votre père, il y a une photo, dans un cadre en marbre. Il avait les yeux noirs et des moustaches, lui aussi, et bien sûr, mes souvenirs se sont beaucoup effacés depuis vingt ans. Mais j'ai bien vu que ce n'était pas l'Italien. » Elle a répété : « Je vous demande pardon. »

Je me suis levé. J'ai dit : « Vous lui en avez parlé, à Elle, quand elle a dormi ici ? » Eva Braun a bougé la tête pour dire oui. Je me rappelais qu'Éliane, le lendemain, avait voulu accompagner notre mère au cimetière et n'y était restée, en définitive, qu'une minute. Juste le temps de vérifier qu'il y avait bien une photo sur la tombe. J'ai dit : « Si elle ne vous a jamais mise au courant de ses projets, pourquoi avez-vous pensé, quand elle est partie, qu'elle recherchait l'Italien ? » Eva Braun n'a pas répondu tout de suite. Elle est restée immobile un moment, et puis elle s'est levée à son tour, elle est allée ouvrir le placard du bas de son buffet. De derrière une pile d'assiettes, elle a tiré un objet lourd, enveloppé dans un torchon à carreaux

bleus, qu'elle est venue poser sur la table, devant moi
Elle m'a dit, les yeux humides : « Elle me demandait
ça. Je ne le lui ai pas donné.«

J'ai ouvert le torchon. Il y avait un pistolet automa
tique à l'intérieur, dans un étui de grosse toile kaki
marqué U.S., avec une ceinture de la même couleur
roulée autour. Je l'ai pris dans mes mains. Je n'ai pas
la même habitude des armes de poing que des fusils,
mais celle-là est tellement connue que même sans lire
ce qui était gravé sur l'acier, j'aurais su ce que c'était :
le colt « Government Model », calibre 45, qui équipait
l'armée américaine pendant les deux guerres mondia-
les. Il semblait bien entretenu Eva Braun m'a dit que
Gabriel Devigne se l'était procuré en 1945, quand il
travaillait pour les Américains, à Fulda. Elle m'a dit
qu'elle le changeait constamment de place, pour que
sa fille ne le trouve pas.

J'ai remis le pistolet dans l'étui. J'ai dit : « De toute
manière, elle n'aurait certainement pas su s'en servir
La doctoresse, Mme Fieldmann, vous a parlé d'un
flacon de vernis à ongles ? » Eva Braun a remué la tête
de droite à gauche, les yeux surpris. J'aurais pu garder
cela pour moi mais j'ai dit quand même : « Votre fille
avait trouvé une arme mieux adaptée à ses moyens.
Elle n'a pas dû savoir s'en servir non plus. » Nous
nous sommes regardés. La pauvre femme était comme
moi, à bout de tout. J'ai ajouté : « Elle aurait dû me
parler de ces choses, et vous aussi. » J'ai posé la main
sur son épaule. Ensuite, je suis parti.

J'ai roulé, dans la DS, à travers le village. Mes frères
étaient venus à ma rencontre. Ils m'attendaient assis
sur les marches de la mairie. En montant derrière moi,

Bou-Bou s'est étonné : « Tu as gardé la voiture ? » J'ai répondu que j'en aurais besoin dans la matinée, pour retourner à Marseille. Je lui ai dit : « Tu iras voir Henri IV pour lui expliquer. S'il a besoin d'un coup de main, fais ce que tu peux pour me remplacer. »

Mickey, lui, ne parlait pas. J'ai rangé la DS près de son camion jaune, dans notre cour, et on est resté assis un moment tous les trois, les vitres des portières descendues. J'ai demandé : « A qui Elle a parlé en premier de ce putain de piano ? » Bou-Bou a répondu : « A moi. Plus exactement, c'est moi qui lui en ai parlé le premier. Elle ne savait pas que nous l'avions C'était le jour du *Bing-Bang,* après que tu fus parti. Je lui ai demandé des explications parce que tu étais parti en faisant la tête. » Eh bien, voilà pourquoi elle s'était intéressée à moi, pourquoi elle était venue au garage avec un pneu crevé, le lendemain. A cause du piano mécanique. Au moins, c'était clair.

Mickey était à côté de moi. Il avait allumé une cigarette. Je lui ai dit : « C'était bien, ton film ? » Il a répondu : « Pas mal. » C'est tout. J'ai raconté à Bou-Bou ce que Mme Fieldmann m'avait expliqué, à l'hôpital. Je lui ai dit qu'elle gardait bon espoir et qu'elle avait l'air d'un docteur qui connaît son affaire. Ensuite, j'ai dit : « Tu sais, Bou-Bou, ne pense plus aux histoires d'Éliane. J'ai vérifié. C'était tout inventé. » Il n'a pas répondu.

Quand j'ai été seul, dans ma chambre, j'ai regardé le nounours installé sur le poêle à bois, sa bonne gueule rassurante. J'ai cherché un moment le cœur en argent qu'Elle voulait que je lui rapporte. Il n'était nulle part.

Je me suis couché, je ne sais même plus si j'ai dormi ou non.

Ce n'est que le lendemain matin, avant de partir, que mon regard est tombé sur l'histoire de Marilyn Monroe, à sa place sur la table de nuit, et que je l'ai feuilletée. Glissé entre les pages, il y avait un papier. C'était une page arrachée à un autre livre et pliée en deux. Le texte, que j'ai regardé rapidement, ne concernait pas Marilyn Monroe ni une autre vedette de cinéma, mais un coureur cycliste : Fausto Coppi. Cela m'a surpris, évidemment. J'ai revu, de manière vague, un dîner dans la cour, pas longtemps avant qu'Elle s'en aille. Nous avions parlé, Bou-Bou et moi, de Fausto Coppi, pour faire enrager Mickey. Elle nous avait posé des questions, je ne me rappelais plus lesquelles.

Je devais voir Ferraldo. Il fallait que je m'en aille. J'avais, depuis plus de trente heures, en arrière-fond de tout ce que je pensais ou faisais, une angoisse lourde. Quelquefois, l'image de Leballech ou de Touret, tombant devant moi, me traversait. J'ai reposé l'histoire de Marilyn Monroe sur la table de nuit. Je n'y ai plus pensé.

C'était lundi, avant-hier.

Je n'ai compris que ce matin, après vous avoir parlé lundi une partie de la nuit et mardi toute la soirée, pourquoi Elle avait changé d'attitude avec moi, les derniers jours. J'ai compris que dès les premières phrases que j'avais prononcées, quand j'ai commencé à vous raconter cet été, je vous avais donné, déjà, la clef qui pouvait démonter tout le mécanisme de cette folie. Elle aussi, qui était plus attentive et plus calculatrice que je le croyais, s'est renseignée à sa manière sur la mort de Fausto Coppi. Trop tard.

D'abord, quand j'ai su par un gardien ce que vous cherchiez à savoir, je vous en ai voulu. Je me disais : « Je lui ai parlé combien de temps ? Sept heures, huit heures en tout ? Je lui ai dit ce qui me venait, comme ça me venait, je ne mentais pas. Et tout ce qu'il trouve à faire, quand il me quitte, la tête pleine de ma misère, c'est d'aller quelque part, probablement dans une brasserie minable, auprès d'un ivrogne minable, vérifier la date de la mort de Fausto Coppi. En plus, si ça se trouve, il ne la sait toujours pas. »

Attendez un peu que je vous la dise.

J'ai appris aussi — par vous, cette fois — que la neige, dans ce que je raconte, a trait à mon père, à quelque chose que je lie malgré moi, dans les mots mêmes que j'emploie, à mon père. Mon pauvre monsieur. Mon père est lié à la neige, et au printemps, et à l'été qui vient de passer, et à l'automne quand je marchais à côté de lui dans les feuilles des châtaigniers. Il est lié à tout ce que je raconte, parce que dans tout ce que je raconte, d'une certaine manière — ma manière —, je souffre toujours qu'il nous ait quittés.

Pour le reste, vous y avez pensé avant moi, il n'avait pas de moustaches en novembre 1955, parce qu'il n'en a jamais eu que pour porter le deuil d'un coureur italien qu'il admirait, dont la personnalité gagnait le respect de tous, qu'il considérait comme le plus grand. Vous auriez pu, vous aussi, découvrir cela dans une page brutalement arrachée à un livre : Angelo Fausto

Coppi est mort le 2 janvier 1960, quelques minutes avant neuf heures, à l'hôpital de Tortona, en Italie.

Je suis descendu en ville à travers les trouées de soleil et les grands pans d'ombre du matin. Je me suis arrêté sur la place pour acheter le journal. Je l'ai lu dans la DS, et l'ours en peluche d'Elle était assis à côté de moi.

Le double meurtre de Digne occupait le quart de la première page, avec les photos de Leballech et de Touret. Des enfants avaient découvert le corps de celui-ci dans la bergerie. Le signalement donné par ceux qui m'avaient vu chez Leballech était le suivant : un homme d'environ vingt-cinq ans, d'une taille très au-dessus de la moyenne, vêtu d'une chemise ou d'un blouson rouge, *probablement un Nord-Africain.* La femme qui était descendue de voiture, avec son mari, au moment des coups de feu, avait affirmé que je les avais menacés en arabe. Elle avait vécu plusieurs années en Algérie. Je ne sais plus quelle race particulière elle m'attribuait.

On avait arrêté deux Algériens suspects, dans la région, aux fins d'interrogatoire, mais on les avait relâchés dans la journée de dimanche. L'expert qui avait analysé les balles avait trouvé sans difficulté qu'elles étaient celles d'une carabine Remington, au canon scié. Rien, dans la vie des victimes, ne pouvait expliquer une fin aussi brutale. On parlait de « froide exécution », de vengeance d'un ouvrier renvoyé, de la possibilité d'un règlement de comptes à propos d'affaires immobilières. A la fin de l'article, qui se poursuivait dans une page intérieure, on relevait que « l'assassin avait revêtu la couleur rouge des bourreaux ».

J'ai jeté les feuilles au bord d'un trottoir. Je suis allé en voiture à la scierie de Ferraldo. C'est de lui, à présent, que j'avais peur, mais il avait demandé à me voir, je devais y aller quand même.

J'ai compris, dès qu'il m'a serré la main, qu'il n'avait pas lu le journal. Il se préparait du café sur un réchaud, il m'en a offert une tasse. Il était très gêné. Il m'a dit : « Tu sais, mon garçon, ça m'embête d'avoir l'air d'un cafard. Mais je ne sais pas ce qu'il peut y avoir de grave derrière ce que j'ai à te raconter. Je me suis tracassé, quand Mickey m'a dit que ta femme était à l'hôpital. Il fallait que je te parle. »

Le jeudi 8 juillet — deux jours avant son vingtième anniversaire —, Éliane était venue le trouver au milieu de l'après-midi dans ce bureau où nous étions. Elle portait la robe neuve que sa mère lui avait faite, la blanche avec des dessins bleus et turquoise. C'était donc probablement l'après-midi où Cognata lui avait appris qui avait ramené notre piano mécanique à la maison.

Elle a demandé des renseignements sur Leballech. Ferraldo lui a dit que Leballech avait quitté la scierie des années auparavant, pour en prendre une à son compte, sur la route de La Javie, à Digne. Il lui a montré son registre de l'année 1955. Il me l'a montré à moi aussi. Une note, en bas de page — « Col fermé. Piano lundi soir » —, était censée expliquer pourquoi

Leballech n'était pas venu chez nous le samedi 19 novembre, comme il était prévu. La vraie raison, je la connaissais. Il avait quitté la maison d'Eva Braun, avec ses compagnons, tard dans la nuit, et ils étaient tous les trois complètement ivres. Des salauds.

Ferraldo se taisait, buvant son café devant le registre ouvert sur sa table. J'ai cru qu'il n'avait plus rien à me raconter. J'étais soulagé, d'une certaine façon, je m'apprêtais à le remercier et à partir. Alors, il a levé les yeux vers moi, sous un crâne presque chauve, tanné par le soleil, et il m'a dit : « Elle est revenue me voir une semaine après votre mariage. Exactement le samedi 24. Je m'en souviens, parce que ton frère devait courir à Digne, le lendemain. Elle portait la trace d'un coup, sur une joue. Elle m'a dit qu'elle s'était fait mal en ouvrant une portière de voiture. Elle m'a demandé une chose idiote, enfin une chose que j'ai crue idiote, sur le moment, parce que je ne voyais pas comment j'aurais pu me rappeler, au bout de vingt ans, un détail pareil. Elle m'a demandé s'il n'y avait pas un Italien, chez nous, en 1955, qui aurait pu accompagner Leballech quand il a ramené votre piano. »

J'ai haussé les sourcils, l'air de ne pas comprendre plus que lui. Ferraldo ne m'a pas laissé le temps de réfléchir, il a ajouté : « Il faut m'excuser, mon garçon, j'ai cru bien agir. Après le départ d'Éliane, j'ai téléphoné à Leballech. » Il me regardait en face, avec des yeux perçants. A ce moment, je n'aurais plus été capable de dire s'il avait lu le journal ou non.

Maintenant, écoutez-moi. En cherchant le numéro de téléphone de Leballech, vers onze heures du matin, ce samedi-là, Ferraldo s'est d'abord aperçu que la page manquait dans son annuaire. Sa secrétaire, la petite Élisabeth lui a avoué que c'était Elle, lors de sa première visite, qui l'avait arrachée. Ensuite, quand il a eu Leballech à l'appareil, grâce à un annuaire des années précédentes ou autre chose, et qu'il lui a parlé, il y a eu un si long silence au bout du fil qu'il a même cru la communication coupée. Mais non. Leballech était toujours là. Il a demandé à Ferraldo : « Cette femme, vous pouvez me la décrire ? » Et un instant plus tard, il a dit : « Je viens vous voir cet après-midi. C'est trop délicat pour vous parler au téléphone. »

L'après-midi, il est arrivé en ville dans sa vieille 504 noire. Ferraldo ne l'avait pas vu depuis cinq ou six ans. Ils s'étaient rencontrés une fois, par hasard, à Digne. Leballech avait les cheveux gris, et quelques kilos de plus. Il a dit : « Le bruit des scies, je le supporte à longueur d'année. Allons boire un verre quelque part. » Ils sont allés s'installer dans un café, sur la place. Leballech a déclaré : « Je ne savais pas que cette Éliane était mariée. A moi, elle a dit qu'elle s'appelait Jeanne. Et même, quand elle est venue louer un studio à mon beau-frère, elle a prétendu qu'elle était institutrice. » Ensuite, il a ri tristement, pour se moquer de lui-même. Il a dit : « Je suis un imbécile » Et enfin, comme si Ferraldo n'avait pas besoin qu'on lui explique : « C'est vrai qu'elle est belle. » Il a haussé les épaules, toujours par dérision. Ferraldo m'a dit qu'il paraissait très affecté, très découragé, mais qu'il ne lui a rien dit de plus pour lui faire comprendre pourquoi.

Ils ont parlé alors de ce jour de novembre 1955, où Leballech et son beau-frère avaient ramené le piano mécanique chez nous. Leballech a dit . « Vous ne vous souvenez pas, c'est trop loin, mais mon beau-frère, Touret, me prêtait la main quelquefois. Il s'occupait déjà d'affaires immobilières, mais il n'avait pas d'agence, il cherchait toujours à gagner quatre sous. » Ferraldo lui a demandé : « Cet Italien, dont elle parle, qui c'était ? » Leballech a répondu : « Un pauvre type, un nommé Fiero. Mon beau-frère lui a trouvé un bar en gérance, à Marseille, deux ou trois ans plus tard. Finalement, ça ne lui a pas porté chance. Il devait connaître trop de voyous. Il a été tué en 1962, dans ce bar, de deux balles dans la tête. »

Ferraldo a demandé alors : « Pourquoi Elle — enfin, Éliane — qui vient d'Arrame, de l'autre côté du col, s'intéresse tellement à tout ça ? » Leballech ne savait pas. Elle ne lui avait parlé de rien, à lui. Il l'avait vue trois fois, en tout, mais elle ne lui avait posé aucune question là-dessus. C'était précisément ce qu'il avait du mal à s'expliquer. Il a réfléchi un moment, puis il a dit : « Écoutez, Ferraldo. J'ai ramené le piano mécanique chez les Montecciari le 21 novembre, avec mon beau-frère. Je me souviens très bien de cette histoire. Et Fiero n'était pas avec nous. Il était bien dans le camion le samedi 19, oui, mais je peux bien vous l'avouer, maintenant : le samedi 19, quand le camion est allé à Arrame, c'est moi qui n'étais pas dedans. Ni mon beau-frère. »

Voilà.

Je ne sais pas comment je me suis retenu de sauter de ma chaise et de hurler, quand Ferraldo a prononcé cette dernière phrase. Je crois que j'ai eu la même réaction qu'Elle a dû avoir, quand elle a su la vérité. Je me suis accroché désespérément à l'idée que c'était un mensonge, que Leballech avait menti. Ferraldo se taisait, inquiet de voir comme ses paroles m'impressionnaient. Je lui ai dit, aussi naturellement que j'ai pu : « Je vous écoute, je vous écoute. »

Le samedi 19 novembre 1955, Leballech devait visiter, avec son beau-frère, cette scierie, à Digne, qu'il a achetée quelques mois plus tard, et s'entendre sur les délais et les traites. Il avait pour patron, à l'époque, Ferraldo Père, un homme autrement redoutable et dur avec ses employés que celui que j'avais en face de moi. Il n'a pas osé le mettre au courant de ses projets. Il a confié, ce samedi, pour une certaine somme décidée entre eux, son camion et son chargement à Fiero, qui ne travaillait pas, et à un autre camionneur de la région, un grand bonhomme aux cheveux ras, du nom de Pamier, qui, plus tard, devait s'établir transporteur à Avignon.

Il était entendu que les deux hommes ramèneraient le camion vide chez Leballech, en ville, le samedi soir. Ils ne sont revenus que le dimanche après-midi, accompagnés d'un autre homme, beaucoup plus jeune — une vingtaine d'années — qu'ils avaient dû ramasser en route et qui n'était pas de la région. Leballech se souvenait de son nom : Rostollan. Fiero et Pamier prétendaient qu'ils s'étaient embourbés dans la neige, qu'ils avaient dû attendre le jour pour repartir, mais l'autre, Rostollan, qui n'avait rien à faire des jérémiades de Leballech, a fini par lancer : « Et quand bien même on aurait fait la foire ? Quand bien même ? »

Ils n'avaient pas ramené le piano mécanique chez nous. C'est Leballech qui l'a fait, en fin de journée, le lundi 21, avec Touret venu lui donner un coup de main. Mon père leur a offert à boire, dans notre cuisine, et j'y étais, mais cela, même quand j'y pense très fort, je n'en ai qu'un souvenir vague et sans espoir. J'avais dix ans. La vie était une merveille. Elle coulait sans laisser plus de traces que la brise sur l'eau.

J'ai roulé vers Marseille sans voir la route ni les villages que je traversais. Je suis probablement passé par Draguignan. Je ne sais pas. Une seule volonté me portait encore : arriver jusqu'à Elle, dans sa chambre d'hôpital, avant que Ferraldo apprenne les crimes de Digne et s'adresse à la gendarmerie. Je ne voyais pas comment il pourrait éviter de le faire, malgré tout ce qui l'attachait à ma famille.

J'ai été obligé de m'arrêter dans une station-service, pour prendre de l'essence. *Nice-Matin* était étalé sur le bureau du pompiste quand il m'a rendu ma monnaie. J'ai détourné les yeux des visages insouciants de Leballech et de son beau-frère. Le pompiste m'a dit : « En voilà deux qui ne paieront plus d'impôts. » Il a ri. Il m'a raccompagné jusqu'à la voiture pour nettoyer le pare-brise. Il a ri encore en voyant l'ours en peluche assis à côté de moi. Il m'a dit : « Vous devriez lui mettre sa ceinture de sécurité. C'est la loi. »

J'avais à nouveau soif, et faim aussi, je me suis arrêté plus loin, dans un café, pour avaler quelque chose et faire passer mon envie de vomir. Le journal était sur le comptoir, la tête des deux hommes tournée à l'envers. La patronne parlait de l'affaire à une servante qui mettait les couverts pour midi. Je suis parti très vite, sans emporter mon sandwich.

Le reste, jusqu'à Marseille, je ne m'en souviens pas. Je me raccrochais sans doute encore, comme à une certitude, à l'idée que Leballech avait menti. Ensuite, je me revois dans le hall de l'hôpital, carrelé de noir et de blanc, le nounours sous le bras. Mme Fieldmann est venue. Elle m'a dit : « Vous ne pouvez pas voir votre femme maintenant. Revenez à trois heures, cet après-midi. » Elle était moins optimiste que la veille, je le sentais à sa voix. Elle m'a expliqué qu'Éliane recevait, depuis une semaine, un traitement pour régulariser sa circulation cérébrale mais qu'il n'y avait pas de mieux. Pour le reste, plus elle s'installait dans sa maladie, plus ce serait long et difficile de l'en sortir, sauf qu'elle avait vingt ans, c'était son meilleur atout.

Je baissais la tête. Je prenais l'air de comprendre. J'étais assis près de la doctoresse sur un banc du hall. Des gens passaient. Alors, elle m'a dit : « Un inspecteur de police est venu, ce matin. Il rapportait le sac en toile et les lunettes de votre femme. On les a retrouvés dans les locaux du journal *Le Provençal*. L'inspecteur, qui s'appelle Pietri, veut vous voir. Vous le trouverez à la préfecture. » J'ai fait un signe de tête pour dire que j'irais. J'ai demandé si je pouvais avoir le sac. Elle m'a dit en se levant : « On va vous le remettre. Vous signerez une décharge. Les lunettes, je les garde pour les lui donner. »

Une femme en blouse blanche, dans un bureau, m'a fait signer un inventaire, en vérifiant avec moi que tout ce qu'on y avait porté se trouvait bien dans le sac en toile. Elle m'a fait signer aussi des papiers pour l'administration de l'hôpital et la Sécurité Sociale. Je me suis trompé plusieurs fois, parce que je venais de voir, dans les affaires d'Elle, sur un morceau d'emballage de cigarettes mentholées, le nom de Fiero et un numéro de téléphone.

J'ai examiné à nouveau le contenu du sac sur le siège de la DS, dans le parking de l'hôpital. Il était midi ou un peu plus, le soleil frappait fort, j'avais enlevé le veston de mon complet beige, et ma cravate, et ouvert ma chemise. La sueur tombait de mon front sur ce que je regardais. Il n'y avait que deux choses à voir, en fin de compte. Tout le reste, c'était des objets qu'Elle avait toujours trimbalés partout. La première était ce morceau d'un paquet de cigarettes à la menthe. Ce que j'avais pris pour un numéro de téléphone était une date :

Fiero
18.8.1962

La seconde était une page déchirée dans un annuaire. J'ai cru d'abord que c'était celle qu'Elle avait déchirée chez Ferraldo, mais je me trompais aussi. C'était une page d'Avignon. J'ai cherché dans les colonnes, et j'ai lu le nom de Pamier. Il y en avait plusieurs.

J'ai roulé jusqu'au Vieux-Port. Après m'être renseigné, j'ai garé la voiture à cheval sur un trottoir, au coin de la rue Sainte, je suis descendu à pied vers les bureaux du *Provençal*. J'ai expliqué au portier que je voulais voir la personne qui avait retrouvé le sac de ma femme. C'était le préposé aux collections du journal. Il était parti déjeuner. J'ai attendu dehors, en marchant le long des trottoirs. Je portais mon veston sur le bras. Il faisait une chaleur comme jamais. Hors de l'ombre des immeubles, plus rien n'avait de relief ni de couleur, tout était aveuglant.

Je ne veux pas vous parler de remords, je ne veux pas, ni de rien qui ressemble au remords. Ce serait un mensonge. Vous ne comprendriez rien. Je pensais à Elle, uniquement. Ce qu'elle avait fait, loin de moi, finissait par m'apparaître. Fiero, Pamier, Rostollan. Quelquefois, une pensée me traversait qui me faisait lui en vouloir. Et puis, non. Par exemple, je me disais : « Si elle a vu Leballech trois fois, elle avait des rendez-vous avec lui. Elle a loué ce studio, à Digne, pour le recevoir. » Je transpirais davantage. Et puis je me disais : « Elle n'est pas coupable. C'est à elle qu'on a fait du mal. Elle croyait tout comprendre, elle s'est trompée. Quand Leballech et Touret lui ont dit, dans la Peugeot noire, le dimanche de la course, qu'elle s'était trompée, elle ne les a pas crus, ou alors c'était un tel coup pour elle qu'elle n'a plus pensé à ce briquet qu'elle venait de laisser pour toi sur une tablette. »

A un moment — cela, c'est la vérité — j'ai douté de ce que j'avais fait moi-même. C'était comme de se réveiller en plein soleil, après une nuit de fièvre, vous n'êtes même plus certain de vos rêves. Moi, Florimond Montecciari, tuant deux hommes avec une carabine, les tuant vraiment, appuyant sur la détente, les haïssant jusqu'à les tuer vraiment, limant les bords d'un canon scié, entrant dans un Monoprix pour acheter une chemise rouge, forçant sur l'accélérateur pour me débarrasser d'un garçon aux cheveux longs accroché à la poignée de ma portière — c'était un rêve de merde, un rêve. Et même pas sorti de la tête d'un homme. Le berger allemand, dans la cour de la scierie, l'avait fait, en aboyant soudain dans son sommeil. Ou l'autre, celui qui mangeait des bouts de viande sous la table. Il m'a fallu du temps, marchant dans la ligne d'ombre des trottoirs, pour me débarrasser de cette idée que je n'étais qu'un personnage dans le rêve d'un chien.

A deux heures, j'ai vu l'homme qui avait reçu Elle, le samedi où on devait la retrouver sur la plage, errant au hasard dans des chaussures à talons. Il a une soixantaine d'années, un air de bon papa. Il s'appelle Michelin comme le guide. Il m'a dit, le visage levé vers le mien parce qu'il est de petite taille : « Elle est venue consulter des numéros du journal. A peu près à l'heure qu'il est maintenant. Je ne l'ai pas vue partir. Dans l'après-midi, je me suis aperçu qu'elle avait oublié son sac et ses lunettes. Je les ai rangés dans mon bureau en pensant qu'elle allait revenir les chercher. Je n'y ai plus pensé. Le lundi non plus, ni le mardi. Ce n'est que le mercredi, en ouvrant un tiroir, que je les ai retrouvés. Je les ai fait porter au commissariat. Ce matin, un inspecteur principal est venu me parler. »

Il a hésité, ses petits yeux clairs sur moi, et il a ajouté, en baissant la voix : « Pietri, un de la criminelle. Il est à la préfecture. » Il m'a fait signe de le suivre dans une salle où il y avait deux grandes tables en chêne, brunies par le temps, des lampes à abat-jour vert, et des rayons de gros volumes le long des murs. Il

m'a dit, en me montrant la table la plus éloignée :
« Elle était là, toute seule. Je lui ai apporté ce qu'elle
voulait voir. Je ne sais pas combien de temps elle est
restée. Je vous le dis, je ne l'ai pas vue partir. Elle avait
oublié son sac et ses lunettes. »

J'ai demandé s'il se rappelait ce qu'elle voulait voir.
Il a soupiré, il m'a répondu : « Je l'ai déjà montré à
l'inspecteur Pietri, ce matin. Elle m'a demandé les
numéros de l'été 1962. » Je m'y attendais, je n'ai pas
eu de surprise. J'ai dit : « J'aimerais les consulter, moi
aussi. »

Je me suis installé à la table où Elle s'était assise.
M. Michelin m'a apporté trois volumes reliés en noir,
qui contenaient les numéros du *Provençal* de juillet,
août et septembre 1962. Il m'a dit : « Surtout, ne
partez pas comme elle. Prévenez-moi quand vous
aurez fini. » Je n'avais pas pris dans le sac en toile,
resté dans la voiture, le morceau d'emballage de
cigarettes où Elle avait noté une date sous le nom de
Fiero, mais j'avais pensé « Août 1962 » en le regardant, et c'est le volume d'août que j'ai ouvert d'abord.

J'ai trouvé sans difficulté. Le 18 août 1962, entre
onze heures et demie et minuit, au moment où il
fermait son bar, dans le quartier de la Capelette, à
Marseille, Marcello Fiero, quarante-trois ans, avait été
abattu par un inconnu de deux balles de pistolet Une
femme, qui s'était mise à sa fenêtre en entendant les
coups de feu, avait vu un homme s'éloigner en courant,
mais elle était incapable de le décrire.

Il était question de cette fusillade dans les numéros
des jours suivants, mais vous savez ce que c'est, on en
parlait de moins en moins, et puis on n'en parlait plus.

J'ai regardé longtemps la photo de Fiero. C'était une photo comme celles qu'on vous fait en prison. Il avait été en prison deux fois, pour des histoires que j'ai oubliées. Il avait un visage que les femmes doivent trouver beau, avec de grands yeux sombres et des moustaches qui le durcissaient, parce que sinon — je ne sais pas, je dis ce que j'ai ressenti —, c'était le visage d'un homme sans caractère, qui se laisse porter par la vie, et même plutôt timide. Ou alors, j'avais en tête ce que m'avait dit de lui Eva Braun, qu'il était le moins mauvais des trois.

J'ai regardé ensuite, page à page, tout le recueil du mois d'août, sans rien trouver d'autre, puis j'ai pris celui du mois de juillet. Je faisais probablement le même chemin qu'Elle, avec la même lenteur appliquée. Le 21 juillet 1962, à Avignon, un transporteur du nom d'Antoine Pamier, avait été abattu dans son garage, vers onze heures du soir. Trois balles de pistolet, dont la dernière l'avait frappé en plein cœur. Il était seul, le garage isolé. Personne n'avait rien vu, rien entendu. Un de ses fils avait découvert son corps au petit matin. Pamier aussi, on avait encore parlé de lui pendant quelques jours, pour dire qu'une enquête se poursuivait, qu'on interrogeait des gens, et puis plus rien.

J'avais à nouveau enlevé mon veston. Je transpirais. Et pourtant, j'avais froid, par moments. Ce qu'Elle n'avait pas pu supporter, en découvrant ce que je découvrais, l'idée même qu'elle n'avait pas pu supporter et qui l'avait rendue folle, je l'avais déjà. J'ai ouvert le troisième volume noir, celui de septembre. J'ai tourné les pages une à une, comme je l'avais fait jusque-là. Je n'ai pas eu besoin d'aller loin. A Marseille, le 9 septembre 1962, près de l'Estaque, un chauffeur de taxi de vingt-huit ans avait été tué d'une balle de pistolet dans la nuque, à son volant. Il devait être deux heures du matin, peut-être plus. Son nom était Maurice Rostollan. Il avait sa photo en première page lui aussi. Il était souriant et sûr de lui. Il semblait me dire, comme à Leballech, vingt ans plus tôt : « Et quand bien même on aurait fait la foire ? Quand bien même ? »

J'ai regardé les numéros suivants. Le surlendemain, les enquêteurs avaient fait le rapprochement entre cet assassinat et celui de Fiero, dans son bar, le 18 août. Ils ne l'ont jamais fait entre les meurtres de Marseille et celui d'Avignon, ou peut-être beaucoup plus tard, je l'ignore. En tout cas, l'arme qui avait tué Fiero et Rostollan était la même. Un automatique 45 que ses balles permettent facilement de reconnaître. On le définissait, pour les lecteurs, comme « un pistolet Colt à sept coups de l'armée américaine, sans doute acheté ou volé à un G.I. pendant la dernière guerre ».

Je suis resté longtemps, les coudes sur la table, devant les volumes refermés. Je pensais à Elle, à la même place, dix jours plus tôt, je pensais à ce Gabriel que je ne connais pas, qui reste confiné dans une chambre, et à ce qu'Eva Braun m'avait dit de lui : « Un homme qui avait peur de tout. » Je l'ai imaginé, enfilant sa veste — ou un blouson, comme moi —, disant à Eva Braun et à une petite fille aux yeux bleus, qui regrettait que son papa s'en aille : « A demain. » Elles le regardaient toutes les deux descendre le chemin, pareil à chaque samedi où il allait rendre

visite à sa sœur Clémence. Fiero, Pamier, Rostollan :
ils sont tous les trois tombés, au cours du même été,
dans des nuits de samedi à dimanche. Il y a quatorze
ans de ça.

Voilà, j'arrive au bout. Ce que je ressentais à ce
moment, ce que je ressens maintenant, je n'en sais
rien. Elle imaginait sans doute qu'elle retrouverait son
père comme autrefois, quand ceux qui avaient fait tout
le mal seraient punis. C'est ce qu'elle lui a dit, le jour
de notre mariage, quand elle a disparu pour aller le
voir. Mlle Tusseau nous a répété, à Mickey et à moi :
« Nous serons bientôt comme avant. Tu verras. J'en
suis sûre. »

Ce qui s'est passé en elle, quand elle a lu ce que j'ai
lu, compris ce que j'ai compris, je ne sais pas. Elle a
pris son flacon de poison dans sa main. Elle a marché
sur une plage. Elle a marché et marché jusqu'à ce
qu'elle atteigne — comment le dire ? Ce n'est pas un
endroit, mais ce n'est pas un moment non plus. C'est
autre chose. Des traces qu'aurait pu laisser, contre
toute attente, la brise sur l'eau.

Je peux vous raconter comment elle était, quand je
l'ai vue dans sa chambre, au retour du journal. Je lui ai
donné son ours et son cœur en argent, que j'avais
trouvé dans le sac de toile. J'ai accroché la chaînette à
son cou, en soulevant ses cheveux. Elle a ri. Elle m'a
laissé l'embrasser sur la joue. Elle m'a dit : « J'ai rêvé
de vous, cette nuit. Vous étiez avec mon papa sur un
escalier, on jouait au bouchon. » Elle a semblé oublier
pendant plusieurs minutes ce qu'elle venait de me dire.
Elle ne faisait plus attention à moi. Elle arrangeait le
ruban rouge de son ours. Et puis, elle m'a regardé, elle

a dit : « On tire le bouchon avec une ficelle, et moi, je dois l'attraper. On s'amusait bien, vous savez. Oui, c'est quelque chose. »

Ensuite, elle a vu que je pleurais, assis sur ma chaise, elle s'est approchée de moi. Elle a posé sa main sur ma tête. Elle a dit : « Ne pleurez pas. Ne pleurez pas. » Très doucement. Elle m'a montré ses doigts aux ongles rongés à ras. Elle m'a dit : « Vous voyez, ils repoussent. » Je me suis essuyé le visage. J'ai dit · « Oui, c'est bien. » Ses yeux étaient cernés, un peu fixes, striés de filets de sang. On voyait les os de son visage sous la peau. Seuls, ses cheveux étaient les mêmes qu'au village. Elle portait sa robe à col russe. Je lui ai demandé : « On t'a donné tes lunettes ? » Elle m'a dit : « Elles ne sont pas bonnes. Mon papa va m'en acheter des autres. Et puis, mon papa, il n'aime pas quand je les mets. »

Mme Fieldmann était là, elle n'avait pas voulu me laisser seul avec Elle, mais elle n'a pas prononcé un mot. J'ai embrassé mon amour sur les joues. Je lui ai dit : « Je m'occupe que ton papa vienne. » Quand je suis sorti de la chambre, elle était assise de travers sur son lit, elle avait oublié ma présence, elle se parlait à elle-même, ou peut-être elle s'adressait à son ours, qu'elle tenait sur ses genoux.

Dans le couloir, deux hommes m'attendaient. Le plus grand m'a montré une carte en plastique, barrée en diagonale de bleu et de rouge. Il m'a dit qu'il était l'inspecteur principal Pietri. Il était au courant de mon passage au *Provençal*. Il voulait connaître mon sentiment sur ce que j'avais lu. Une fenêtre était ouverte, près de nous. J'entendais les oiseaux, dans les arbres d'un jardin, et plus loin, la rumeur de la ville. On devait voir à mes yeux rouges que j'avais pleuré. J'ai dit : « J'allais venir vous trouver. On a tué deux hommes, à Digne, samedi soir. C'est moi qui ai fait le coup. »

On a laissé la DS dans le parking de l'hôpital. J'ai remis les clefs à l'inspecteur Pietri, mais il n'a pas pu me dire quand Henri IV aurait le droit de la récupérer. Je me tracassais plus pour cette voiture que pour mon propre sort.

Du bureau où on m'a conduit pour m'interroger, on m'a permis de téléphoner à Mickey, à la scierie de Ferraldo. Je lui ai dit que j'avais tué Leballech et Touret, parce que je les avais crus responsables de ce qui était arrivé à Éliane, et que je m'étais livré.

Sa voix était triste mais calme au bout du fil. Il a beau conduire son camion jaune comme une gamelle, il est loin d'être aussi bête que je le dis. Il avait bien senti, la veille au soir, que j'avais fait quelque chose de terrible. En lisant le journal, le matin, et en interrogeant Bou-Bou et Ferraldo, il avait compris le reste C'est lui qui m'a dit : « Tu as bien fait de te livrer Maintenant, tant que tu es seul, surveille tes paroles. Moins tu l'ouvriras, mieux ça vaut. »

Avec Bou-Bou et Ferraldo, dès le début de l'après-midi, il avait contacté un avocat, il m'a demandé : « Tu sais où ils vont t'emmener ? » J'ai répondu que le juge d'instruction voulait me voir le soir même et que j'attendais qu'on m'emmène à Digne. Mickey m'a dit : « C'est ce qu'on pensait. Alors, l'avocat te verra là-bas. Il s'appelle Me Dominique Janvier. Il est jeune, trente ans, mais il en veut, il paraît qu'il est très bon. »

J'avais la gorge nouée. Il y avait un tas de choses que j'aurais voulu lui dire, que je regrettais de ne lui avoir jamais dites, et maintenant c'était trop tard. Je lui ai dit : « Occupe-toi bien de Bou-Bou et de notre mère et de Cognata. Et d'Elle aussi. Il faut que tu transportes son père et qu'elle le voie. » Avant de raccrocher, on a gardé le silence plusieurs secondes, tous les deux. On n'entendait que les grésillements de la ligne. J'ai dit alors : « Mon pauvre frère. S'ils avaient gardé cette saleté de piano quand on voulait le mettre au clou, rien ne serait arrivé. » Après un autre silence, Mickey a répondu : « Samedi matin, Bou-Bou et moi on va le descendre sous les fenêtres du Crédit Municipal et leur donner la sérénade qu'on s'était promise. Ils n'ont pas fini de l'entendre, *Roses de Picardie,* tu peux y compter. »

Ensuite, on m'a conduit à Digne. Je suis resté longtemps, avec un gendarme, dans une pièce du palais de justice, puis un autre gardien est venu me chercher, pour me mener jusqu'à mon avocat. Tandis que je m'approchais, au long d'un couloir où nos pas résonnaient, j'ai distingué peu à peu les traits d'un jeune homme en complet sombre, en cravate sombre, qui m'attendait debout dans le contre-jour d'une fenêtre.

Et c'était vous.

La Fortelle,
septembre-octobre 1976,
avril-mai 1977.

DU MÊME AUTEUR

Aux Éditions Denoël

COMPARTIMENT TUEURS (Folio n° 563 et Folio Policier n° 67).

PIÈGE POUR CENDRILLON (Folio n° 1950 et Folio Policier n° 73).

LA DAME DANS L'AUTO AVEC DES LUNETTES ET UN FUSIL (Folio n° 1223 et Folio Policier n° 43).

L'ÉTÉ MEURTRIER (Folio n° 1296 et Folio Policier n° 20).

LA PASSION DES FEMMES (Folio n° 1950).

UN LONG DIMANCHE DE FIANÇAILLES (Folio n° 2491).

LES MAL PARTIS (Folio n° 3536).

Écrits pour l'écran

ADIEU L'AMI (Folio n° 1777 et Folio Policier n° 170).

LA COURSE DU LIÈVRE À TRAVERS LES CHAMPS (Folio n° 1781).

LE PASSAGER DE LA PLUIE (Folio n° 2606 et Folio Policier n° 21).

En un volume aux Éditions Denoël/Robert Laffont

ÉCRIT PAR JEAN-BAPTISTE ROSSI.

COLLECTION FOLIO POLICIER

Impression Bussière Camedan Imprimeries
à Saint-Amand (Cher),
le 25 mai 2001.
Dépôt légal : mai 2001.
1ᵉʳ dépôt légal dans la collection : octobre 1998.
Numéro d'imprimeur : 012361/1.

ISBN 2-07-040654-7./Imprimé en France.
Précédemment publié par les éditions Denoël.
ISBN 2-207-22366-3.